Cours familier de Littérature

Volume 04

Alphonse de Lamartine

Alpha Editions

This edition published in 2023

ISBN : 9789357965583

Design and Setting By
Alpha Editions
www.alphaedis.com
Email - info@alphaedis.com

Contents

XIXe ENTRETIEN.

7e de la deuxième Année.

LITTÉRATURE LÉGÈRE.
ALFRED DE MUSSET.

(Suite.)

I

Maintenant que nous avons vu l'homme et l'influence, voyons les œuvres. Notre tâche devient ici très-difficile.

Un jour que le poëte Hafiz, ce Musset voluptueux mais philosophe de la Perse, était mollement couché sur son tapis à l'ombre des platanes, au bord des sources de Chiraz, et qu'il s'enivrait à la fois des parfums écumants de sa coupe, des chants des courtisanes, des pas des danseuses, et des scintillements des yeux de sa jeune épouse Leïla, ces lueurs du ciel de l'âme, un de ses amis s'avisa de lui dire: «Hafiz! qu'est-ce que l'ivresse?»

Le poëte acheva de vider la coupe à demi-pleine que cette interrogation inattendue avait suspendue un moment entre la main et les lèvres; il regarda amoureusement le front rougissant de Leïla, il respira à longue haleine le bouquet de fleurs de jasmin et de citronniers qui jonchaient le tapis, puis, gardant un long silence comme un sage qui cherche une réponse et qui n'en trouve pas dans son esprit: «L'ivresse? dit-il, je ne sais pas, mais enivre-toi, c'est ma seule réponse.» Prenant alors sur le tapis un des bouquets des mille fleurs diverses dont ses esclaves avaient paré la table de nacre du festin et couronné les jarres, il le donna à respirer à son ami: «Réponds à ton tour, lui dit-il, et analyse si tu peux, dans l'odeur enivrante qu'exhale ce bouquet, chacun des mille parfums dont ce parfum innommé se compose; dis-moi ce qui est santé et ce qui est poison dans l'invisible haleine de toutes ces fleurs?»

L'ami respira et se tut longtemps comme Hafiz, après avoir respiré le bouquet de fleurs. «Je ne sais pas ce qui est sain; je ne sais pas ce qui est méphitique, dit-il au poëte, je ne puis pas décomposer ce qui échappe à mes yeux et à mes doigts, mais les couleurs sont ravissantes et le parfum est délicieux.»—«Laisse-moi donc vider ma coupe et regarder Leïla,» poursuivit Hafiz, et il acheva nonchalamment de savourer son double délire.

II

Quant à nous, en face de ces deux volumes de poésie d'Alfred de Musset, notre rôle de critique est bien différent du rôle d'Hafiz et de son ami en face du festin et des danseuses de Perse. Nous ne pouvons pas dire comme Hafiz: «Laissez-moi vider ma coupe» sans savoir quelle lie amère il peut y avoir au fond du verre, et quel déboire suivra l'ivresse? Nous ne pouvons pas dire comme le convive d'Hafiz: «Laissez-moi respirer le bouquet» sans savoir quelle salubrité ou quel poison contiennent les coupes colorées de ces fleurs. Nous écrivons pour la chaste jeunesse et pour les sages, nous n'écrivons pas pour les voluptueux. Laissez-nous donc analyser lourdement et péniblement cette double ivresse, l'une saine, l'autre malsaine qui sort des coupes et des fleurs de ce charmant poëte, et si nous sommes trop sévères, trop délicats, trop froissés par le mauvais pli d'une feuille de rose comme le Sybarite, ne vous y trompez pas, ce n'est pas mollesse, c'est conscience; rien de ce qui froisse l'âme ou de ce qui ternit la pudeur ne doit être pardonné à celui qui écrit pour la jeunesse, ce printemps de la pureté.

III

J'ouvre donc le premier et je lis; mais non, je ne lis pas *Don Paez*, première fantaisie poétique d'Alfred de Musset presque encore enfant. C'est une débauche de verve écumante, c'est une gaze sur laquelle étincellent déjà çà et là des paillettes de faux clinquant et quelques diamants, mais le tissu de gaze est trop clair. C'est du Pétrone en vers. On ne comprend guère comment ce jeune homme, au lieu de débuter, comme nous débutons tous, par un excès d'enthousiasme, débute par un excès de licence d'esprit. C'est une originalité à coup sûr, mais une triste originalité. Un poëte plus mûr et plus grand que Musset, venait de mettre l'Espagne à la mode par quelques fantaisies andalouses où l'on croyait entendre grincer les guitares sous les balcons aux lueurs de la lune de Séville. Tout était espagnol en ce temps-là dans le costume poétique. Byron lui-même avait popularisé dans Child-Harold les coquetteries de Cadix. La jeunesse de Londres et de Paris ne rêvait que Dulcinées d'Andalousie. Musset fait aussi son rêve: seulement au lieu de le composer d'amour et de larmes, il le compose de libertinage, de rire et de sang.

La dame dont ici j'ai dessein de parler
Était de ces beautés qu'on ne peut égaler;
Sourcils noirs, blanches mains, et pour la petitesse
De ses pieds, elle était Andalouse, et comtesse!

Juana est son nom, elle aime *don Paez*, lansquenet de la garnison; la description de leur amour ne dissonnerait pas mal dans une page obscène de l'*Aretin*. La sensualité grossière y tue tout amour et par conséquent toute véritable poésie. Don Paez, en quittant la chambre de Juana, va au corps-de-garde.

Dans une scène d'ivrognerie et de rixe qui rappelle trop un tableau flamand de *Teniers*, il apprend que don Étur, un de ses camarades, se vante de l'amour de Juana. Il lui donne un démenti en vers qui soulèvent le cœur de dégoût.

. . . . —Ta lèvre sûrement
N'a pas de ses baisers sitôt perdu la trace?
—Je vais te les cracher, si tu veux, à la face.

Cette année-là, on admirait cela en France.

Le sensualisme obscène des tableaux produisait ce cynisme grossier de l'expression; il faut le pardonner à un enfant qui prenait l'engouement pour le goût; le temps prenait bien l'ordure du mot pour la force du style.

Les deux rivaux se battent en duel sur le rempart. On pressent déjà de grandes qualités de poésie épique dans la description du combat.

Comme on voit dans l'été, sur les herbes fauchées,
Deux louves, remuant les feuilles desséchées,
S'arrêter face à face, et se montrer la dent;
La rage les excite au combat; cependant
Elles tournent en rond lentement, et s'attendent;
Leurs mufles amaigris l'un vers l'autre se tendent.
Tels, et se renvoyant de plus sombres regards,
Les deux rivaux, penchés sur le bord des remparts
S'observent,—etc., etc.

Don Paez est vainqueur. Étur est tué.
Amour! . . . .

s'écrie le poëte, un moment ému involontairement lui-même par son propre récit,

Amour, fléau du monde, exécrable folie,
Toi qu'un lien si frêle à la volupté lie,
Quand par tant d'autres nœuds tu tiens à la douleur,
Si jamais, par les yeux d'une femme sans cœur,
Tu peux m'entrer *au ventre* et m'empoisonner l'âme,
Ainsi que d'une plaie on arrache une lame,
(Plutôt que comme un lâche on me voie en souffrir)
Je t'en arracherai, quand j'en devrais mourir.

Ces vers sont vigoureux. Mais voyez comme la matérialité de la sensation se révèle jusque dans ces élans par la brutalité des mots.

Tu peux m'entrer *au ventre*. . . . .

Un poëte spiritualiste, surtout un jeune poëte aurait dit: tu peux m'entrer au cœur, mais cela aurait ennobli l'amour en l'élevant du rang de sensation au rang de sentiment. Entre ces deux mots il y a la distance qui existe entre l'âme et la chair, entre don Juan et Platon. Alfred de Musset s'était fait le poëte de la chair et des nerfs, il devait dire: «tu peux m'entrer au ventre!» Ce n'était pas une affectation de style, c'était une conséquence de principes. Il y a plus de rapports qu'on ne le suppose entre la vie et le goût.

Don Paez, non content d'avoir immolé son rival à un caprice, veut venger froidement ce caprice trahi sur sa maîtresse. Il va chez une bohémienne vendeuse de crimes, il achète un poison et un poignard pour accomplir sa vengeance avec le raffinement d'un voluptueux qui veut trouver même la saveur de la débauche dans le dernier soupir de la vie, paradoxe qui se trouve dans toutes les compositions de ce temps et qui n'est jamais dans la nature; car entre deux passions extrêmes dans le cœur de l'homme, il n'y a jamais équilibre. Si c'est la vengeance qui remporte en lui, il ne caresse pas la victime qu'il va frapper, il la hait et il la déchire comme le tigre; si c'est l'amour qui l'emporte, il ne tue pas, il pleure et il pardonne.

Mais la description de la masure sordide habitée par la bohémienne vendeuse de philtres est neuve, pittoresque et gravée au noir dans la poésie qu'on pourrait appeler flamande de la France.

Connaîtriez-vous point, frère, dans une rue
Déserte, une maison sans porte, à moitié nue;
Près des barrières, triste;—on n'y voit jamais rien,
Sinon un pauvre enfant fouettant un maigre chien;
Des lucarnes sans vitre, et par le vent cognées.
Qui pendent, comme font des toiles d'araignées;
Des pignons délabrés, où glisse par moment
Un lézard au soleil;—d'ailleurs nul mouvement.
Ainsi qu'on voit souvent, sur le bord des marnières,
S'accroupir vers le soir de vieilles filandières,
Qui, d'une main calleuse agitant leur coton,
Faibles, sur leur genou laissent choir leur menton;
De même l'on dirait que, par l'âge lassée,
Cette pauvre maison, honteuse et fracassée,
S'est accroupie un jour au bord de ce chemin.
C'est là que don Paez, le lendemain matin,
Se rendait.—etc.

. . . . Sur la porte
Pendait un vieux tapis de laine rousse, en sorte
Que le jour en tout point trouait le canevas;
Pour l'écarter du mur, Paez leva le bras.

Cette seule ébauche du paysage trahissait dans la jeune main un vrai poëte. Cela n'égale pas en grâce, mais cela surpasse en précision pittoresque le chef-d'œuvre de La Fontaine, la description de la maison de Philémon et de Beaucis.

Don Paez emporte le philtre qui donne à la fois le délire de l'amour et le délire de l'agonie. Juana attend avec impatience son amant. Ici le poëte se retrouve comme malgré lui amant et poëte. Lisez le portrait de Juana, vous le diriez tracé par la main de Byron ou d'Hugo, non du Byron de *Don Juan*, mais du Byron d'*Haïdé*.

Comme elle est belle au soir, aux rayons de la lune,
Peignant sur son cou blanc sa chevelure brune!
Sous la tresse d'ébène on dirait, à la voir,
Une jeune guerrière avec un casque noir!
Son voile déroulé plie et s'affaisse à terre.
Comme elle est belle et noble! et comme, avec mystère
L'attente du plaisir et le moment venu
Font sous son collier d'or frissonner son sein nu!
Elle écoute.—Déjà, dressant mille fantômes,
La nuit comme un serpent se roule autour des dômes;
Madrid, de ses mulets écoutant les grelots,
Sur son fleuve endormi promène ses falots.
—On croirait que, féconde en rumeurs étouffées,
La ville s'est changée en un palais de fées,
Et que tous ces granits dentelant les clochers
Sont aux cimes des toits des follets accrochés.
La señora pourtant, contre sa jalousie,
Collant son front rêveur à sa vitre noircie,
Tressaille chaque fois que l'écho d'un pilier
Répète derrière elle un pas dans l'escalier.
—Oh! comme à cet instant bondit un cœur de femme!
Quand l'unique pensée où s'abîme son âme
Fuit et grandit sans cesse, et devant son désir
Recule comme une onde, impossible à saisir!
Alors, le souvenir excitant l'espérance,
L'attente d'être heureux devient une souffrance;
Et l'œil ne sonde plus qu'un gouffre éblouissant,
Pareil à ceux qu'en songe Alighieri descend.
Silence!—Voyez-vous, le long de cette rampe,
Jusqu'au faîte en grimpant tournoyer une lampe?
. . . .

Ici la mort les saisit dans l'affreux contre-sens de la passion et du meurtre. Le rideau tombe sur deux cadavres et la moralité est digne du drame.

. . . . Sous une nue obscure
La lune a dérobé sa clarté faible et pure.—
Nul flambeau, nul témoin que la profonde nuit
Qui ne raconte pas les secrets qu'on lui dit.
—Qui le saura?—Pour moi, j'estime qu'une tombe
Est un asile sûr où l'espérance tombe,
Où pour l'éternité l'on croise les deux bras,
Et dont les endormis ne se réveillent pas.

À travers ces lueurs d'un talent néfaste mais énergique, on entrevoit nettement que si la poésie est vivante, l'âme est morte avant d'être née. Le vent du matérialisme l'a éteinte dans la poitrine de ce jeune homme. À l'absence complète de toute autre sensibilité que la sensibilité des sens et des instincts, correspond en lui la foi complète et avouée dans l'éternité du sommeil de la mort. Aussi, à dater de ce premier poëme applaudi avec frénésie par une jeunesse saturée d'idéal et ennuyée de platonisme, Alfred de Musset se déclara-t-il de plus en plus le poëte des sens contre les poëtes de l'âme. Il n'avait versé dans *Don Paez* qu'une goutte du philtre empoisonné de la bohémienne, Circé de faubourg: il le versa à pleines coupes dans ses poëmes suivants. Il s'était enivré lui-même du philtre qu'il avait composé pour endormir et pour tuer l'âme de Juana.

IV

Les Marrons du feu sont une débauche complète de poésie et de licence qui dépasse en talent et en scandale d'images *Don Paez*. C'est un poëme dialogué plus qu'un drame. Un certain Raphaël aime une danseuse, la Camargo. Le temps et la jouissance ont usé chez lui l'amour; cet amour est toujours jeune et brûlant dans le cœur de la danseuse. Il faut rendre justice au poëte, il fait comme la nature, il donne toujours le beau rôle à la femme. Parmi tous ses sacrilèges, il se refuse au moins celui-là.

. . . . La pensée
D'un homme est de plaisirs et d'oublis traversée;
Une femme ne vit et ne meurt que d'amour;
Elle songe une année à quoi lui pense un jour!

Don Desiderio est le rival malheureux de Raphaël. Raphaël et don Desiderio se grisent ensemble pendant que la Camargo danse au théâtre. Raphaël propose à don Desiderio de lui fournir l'occasion de déclarer son amour. Il n'a pour cela qu'à prendre le manteau de Raphaël et à se présenter sous son nom pendant les ténèbres au logis de la danseuse. Ce tour de Scapin s'accomplit, la Camargo découvre la supercherie, elle jure de se venger du mépris que Raphaël a fait de sa passion pour lui. Elle promet à don Desiderio d'écouter ses soupirs, s'il tue Raphaël. Le meurtre, prix de l'amour est consommé, don Desiderio jette le cadavre à la mer, il triomphe et se promet le prix de son assassinat:

Va, ta mort est ma vie, insensé! Ton tombeau
Est le lit nuptial, où va ma fiancée
S'étendre sous le dais de cette nuit glacée!
Maintenant le hibou tourne autour des falots.
L'esturgeon monstrueux soulève de son dos
Le manteau bleu des mers, et regarde en silence
Passer l'astre des nuits sur leur miroir immense.
La sorcière accroupie et murmurant tout bas
Des paroles de sang, lave pour les sabbats
La jeune fille nue; Hécate aux trois visages
Froisse sa robe blanche aux joncs des marécages;
Écoutez.—L'heure sonne! et par elle est compté
Chaque pas que le temps fait vers l'éternité.
Va dormir dans la mer, cendre! et que ta mémoire
S'enfonce avec la vie au cœur de cette eau noire!
Vous, nuages, crevez! essuyez ce chemin!
Que le pied, sans glisser, puisse y passer demain.

On ne sait pas pourquoi l'assassin burlesque don Desiderio déclame ces vers shakspeariens et fantastiques sur le corps de son rival. Mais les vers sont splendides comme un clair de lune entre deux nuages. L'assassin va demander à la danseuse la récompense de son forfait. Elle se moque de lui et le congédie.

C'est la moralité de cette comédie,

dit le poëte au dernier vers.

On ne conçoit pas bien pourquoi Alfred de Musset a rimé cette facétie tragique. Elle est pleine d'entrain et vide de sens; ou si elle a du sens, elle ne peut en avoir qu'un; une moquerie de l'amour, la dernière chose dont puisse se moquer un poëte.

V

Une petite nouvelle de Boccace en vers, intitulée *Portia*, vient après ce poëme. Ce n'est plus une débauche, c'est une ballade; mais cette ballade est écrite en style de poëte épique. Juliette et Roméo dans Shakspeare, Lara dans Byron n'ont pas d'accents à la fois plus fantastiques et plus étranges. La fantaisie ici touche à l'épopée, mais le sujet est toujours monotone: un crime d'amour puni par la jalousie ou par la satiété.

Un vieux seigneur a épousé la belle vénitienne Portia. Un jeune cavalier aime Portia, il en est aimé. Dalti, c'est le nom de l'amant, attend le signal des entretiens secrets dans une église. La sainteté du lieu répand ici sa solennité grave sur le style.

L'église était déserte, et les flambeaux funèbres
Croisaient en chancelant leurs feux dans les ténèbres.
Quand le jeune étranger s'arrêta sur le seuil.
Sa main n'écarta pas son long manteau de deuil
Pour puiser l'eau bénite au bord de l'urne sainte.
Il entra sans respect dans la divine enceinte,
Mais aussi sans mépris.—Quelques religieux
Priaient bas, et le chœur était silencieux.
Les orgues se taisaient, les lampes immobiles
Semblaient dormir en paix sous les voûtes tranquilles;
Un écho prolongé répétait chaque pas.
Solitudes de Dieu! qui ne vous connaît pas?
Dômes mystérieux, solennité sacrée,
Quelle âme, en vous voyant, est jamais demeurée
Sans doute ou sans terreur?—Toutefois devant vous
L'inconnu ne baissa le front ni les genoux.
Il restait en silence et comme dans l'attente.
—L'heure sonna.—Ce fut une femme tremblante
De vieillesse sans doute ou de froid (car la nuit
Était froide), qui vint à lui.—Le temps s'enfuit,
Dit-il, entendez-vous le coq chanter? La rue
Paraît déserte encor, mais l'ombre diminue.

Ces vers attestent que le poëte ne restait terre à terre que par système, mais qu'il pouvait, s'il l'avait voulu, déployer des ailes dans une région plus haute de la pensée. Il le pouvait aussi dans la région des sentiments, témoin l'entretien de Dalti et de Portia dans les lassitudes du cœur:

Portia le vit pâlir: «Ô mes seules amours,
Dit-il, en toute chose il est une barrière
Où, pour grand qu'on se sente, on se jette en arrière;
De quelque fol amour qu'on ait empli son cœur,
Le désir est parfois moins grand que le bonheur;
Le ciel, ô ma beauté, ressemble à l'âme humaine:
Il s'y trouve une sphère où l'aigle perd haleine,
Où le vertige prend, où l'air devient le feu,
Et l'homme doit mourir où commence le Dieu!

. . . .

L'époux caché derrière un pilier se découvre, les dagues se croisent, le mari tombe mort sur le pavé de l'église. Les amants s'évadent.

À quelque temps de là, on les retrouve ensemble à Venise, dans une de ces rêveries nocturnes qui sortent de la mer et de l'ombre des palais de cette capitale des songes. La description égale ici, si elle ne les surpasse pas, les notes les plus sonores du poëte de Venise, Byron. Écoutez:

Une heure est à Venise,—heure des sérénades;
Lorsqu'autour de Saint-Marc, sous les sombres arcades,
Les pieds dans la rosée, et son masque à la main,
Une nuit de printemps joue avec le matin.
Nul bruit ne trouble plus, dans les palais antiques.
La majesté des saints debout sous les portiques.
La ville est assoupie, et les flots prisonniers
S'endorment sur le bord de ses blancs escaliers.
C'est alors que de loin, au détour d'une allée,
Se détache en silence une barque isolée,
Sans voile, pour tout guide ayant son matelot,
Avec son pavillon flottant sous son falot.
Telle, au sein de la nuit, et par l'onde bercée,
Glissait, par le zéphir lentement balancée,
La légère chaloupe où le jeune Dalti...
Agitait en ramant le flot appesanti.
Longtemps, au double écho de la vague plaintive,
On le vit s'éloigner, en voguant, de la rive;
Mais lorsque la cité qui semblait s'abaisser,
Et lentement au loin dans les flots s'enfoncer,
Eut, en se dérobant, laissé l'horizon vide,
Semblable à l'alcyon qui, dans son cours rapide,
S'arrête tout à coup, la chaloupe écarta
Ses rames sur l'azur des mers, et s'arrêta.
—Portia, dit l'étranger, un vent plus doux commence
À se faire sentir.—Chante-moi ta romance.

De tels vers font pleurer de regret de ce qu'un poète capable de les avoir sentis et écrits ait trempé sa plume si souvent dans le ruisseau trivial de Paris, au lieu de la tremper toujours dans la mer limpide et inspiratrice des lagunes. Mais il semble se complaire, comme un violoniste impatient, à briser la corde à laquelle il vient de faire rendre de si délicieux accords. Il n'y manque pas ici comme ailleurs. La romance est une tragédie, et pis qu'une tragédie, une dérision.

Quel homme fut jamais si grand, qu'il se pût croire
Certain, ayant vécu, d'avoir une mémoire
Où son souvenir, jeune et bravant le trépas,
Pût revivre une vie, et ne s'éteindre pas?
Les larmes d'ici-bas ne sont qu'une rosée

Dont un matin au plus la terre est arrosée,
Que la brise secoue, et que boit le soleil;
Puis l'oubli vient au cœur, comme aux yeux le sommeil.

Le poëte prépare par cette réflexion de l'indifférence, la confidence cruelle que Dalti va faire à Portia dans la gondole.—«Vous repentez-vous, lui dit-il, de ce que vous avez, fait?»—«J'ai fait cela pour vous,» répond-elle.

Je ne m'en repens pas.—Ô nature, nature!
Murmura l'étranger, vois cette créature;
Sous les cieux les plus doux qui la pouvaient nourrir,
Cette fleur avait mis dix-huit ans à s'ouvrir.
A-t-elle pu tomber et se faner si vite,
Pour avoir une nuit touché ma main maudite?

Après cette exclamation où le remords du séducteur prévaut sur la félicité même de l'amant, Dalti avoue à Portia qu'il n'est rien de ce qu'il paraît être; qu'il est le fils d'un pêcheur de Venise, corrompu de bonne heure par les vices de cette ville débauchée; qu'après avoir fréquenté les plus viles courtisanes et les maisons de jeu de Venise, il a trompé Portia sur son rang et sur sa fortune; que ce rang est dérobé; que cette fortune, acquise un moment au jeu, est perdue jusqu'à la dernière obole, et qu'il ne lui reste que cette barque achetée la veille pour gagne-pain. Cette confidence étonne, sans l'ébranler, le cœur intrépide de Portia. Ici encore le poëte laisse le rôle sublime du dévouement à la femme.

Portia, dès le berceau, d'amour environnée,
Avait vécu comtesse ainsi qu'elle était née,
Jeune, passant sa vie au milieu des plaisirs.
Elle avait de bonne heure épuisé les désirs,
Ignorant le besoin, et jamais, sur la terre,
Sinon pour l'adoucir, n'ayant vu de misère.
Son père, déjà vieux, riche et noble seigneur,
Quoique avare, l'aimait, et n'avait de bonheur
Qu'à la voir admirer, et quand on disait d'elle
Qu'étant la plus heureuse, elle était la plus belle.
Car tout lui souriait, et même son époux,
Onorio, n'avait plié les deux genoux
Que devant elle et Dieu. Cependant, en silence,
Comme Dalti parlait, sur l'océan immense
Longtemps elle sembla porter ses yeux errants.
L'horizon était vide, et les flots transparents
Ne reflétaient au loin, sur leur abîme sombre,
Que l'astre au pâle front qui s'y mirait dans l'ombre.
Dalti la regardait, mais sans dire un seul mot.

—Avait-elle hésité?—Je ne sais;—mais bientôt,
Comme une tendre fleur que le vent déracine.
Faible, et qui lentement sur sa tige s'incline,
Telle, elle détourna la tête, et lentement
S'inclina tout en pleurs jusqu'à son jeune amant.
—Songez bien, dit Dalti, que je ne suis, comtesse,
Qu'un pêcheur; que demain, qu'après, et que sans cesse
Je serai ce pêcheur. Songez bien que tous deux
Avant qu'il soit longtemps nous allons être vieux.
Que je mourrai peut-être avant vous.

—Dieu rassemble
Les amants, dit Portia; nous partirons ensemble.
Ton ange en t'emportant me prendra dans ses bras.

Mais le pêcheur se tut, car il ne *croyait* pas.

Dans ces douze pages de ballade ou de poëme de *Portia*, il y a pour nous une révélation d'un poëte de première race. On sent que la richesse d'imagination et la jeunesse encore saine du cœur s'agitent en lui sous la froide ironie du sceptique. La nature prévaut un moment sur le paradoxe; mais, hélas! ce moment est court, le paradoxe littéraire, conséquence du paradoxe moral, l'emporte, et le poète retombe de l'amour dans l'ironie. Chute sans fond d'où l'on ne remonte que le cœur brisé et par un effort surhumain de vigueur morale.

Mais où est la vigueur morale quand toute foi dans sa propre nature manque à l'âme? Elle n'est plus que dans le repentir, car le repentir est la dernière force de l'âme; c'est celle qui se réveille quand toutes les autres sont assoupies. Neuf fois sur dix, l'homme qui va quitter ce monde expire en se frappant la poitrine et en implorant le divin pardon. Mais, ce jeune homme débordant de vie était loin du jour où l'on se demande: «Pourquoi et comment ai-je vécu?»

VI

Viennent ensuite quelques chansonnettes vêtues de mantilles espagnoles et la guitare à la main. Elles appartiennent à une littérature trop débraillée pour que nous les citions dans un catalogue de choses immortelles; cela se chante entre deux vins, cela ne se lit pas. Il faut reconnaître cependant que la gaieté franche a aussi ses chefs-d'œuvre d'inspiration et ses immortalités d'un soir, et que parmi ces chansonnettes de Musset, il y en a une, *Mimi Pinson*, dont chaque vers est un grelot de folie qui tinte joyeusement et décemment à l'oreille. La langue de la mansarde qui est une langue aussi, n'a rien de plus délicat et de plus svelte. C'est du grec et du gaulois fondus ensemble dans le même vers.

On est étonné du milieu de ces chansons moqueuses, d'entendre tout à coup une note triste dissonner par moment dans la voix du jeune Anacréon et trahir quelque chose qui ressemble au déboire après l'ivresse. Tels sont les vers adressés par Alfred de Musset à Ulric Guttinger, poëte jeune, tendre et pathétique alors comme Musset lui-même, mais déjà touché au cœur par cette pointe salutaire de la première douleur, qui guérit ceux qu'elle blesse. L'accent de ces vers à Guttinger a un pressentiment de gravité qui annonce un commencement d'amertume dans la joie. On sent que l'homme qui chante va bientôt pleurer.

Ulric, nul œil des mers n'a mesuré l'abîme,
Ni les hérons plongeurs, ni les vieux matelots.
Le soleil vient briser ses rayons sur leur cime,
Comme un soldat vaincu brise ses javelots.

. . . .

Mais laisse-moi du moins regarder dans ton âme,
Comme un enfant craintif se penche sur les eaux;
Toi si plein, front pâli sous des larmes de femme!
Moi si jeune, enviant ta tristesse et tes maux!

La *Ballade à la lune*, grotesque parodie de l'école romantique et insolent défi à l'école classique, qui se disputaient en ce temps-là le goût français pour le laisser définitivement au bon sens, cette école éternelle, succède à ces vers à Ulric Guttinger.

C'était, dans la nuit brune,
Sur le clocher jauni,
La lune
Comme un point sur un i.

Ces strophes de Scarron prises au sérieux par les classiques, firent plus pour la célébrité précoce du poëte que les plus beaux vers. Mais malheur aux célébrités qui éclatent par un scandale d'esprit! Il ne faut pas plaisanter avec la gloire.

Le poëme de *Mardoche* vient après ces fantaisies dans le premier volume. Ce poëme n'est lui-même qu'une triste fantaisie écrite avec la plume fatiguée de Byron, quand il griffonnait un chant trivial et bouffon de *Don Juan*. Nous en dirions autant de la nouvelle en vers intitulée *Suzon*. L'analyse seule offenserait la décence.

Le poëte redevient homme et citoyen dans une magnifique apostrophe à la Grèce que la poésie essayait alors de ressusciter par reconnaissance. Il intitule cette aspiration: *Les vœux stériles*.

Grèce, ô mère des arts, terre d'idolâtrie,
De mes vœux insensés éternelle patrie,
J'étais né pour ces temps où les fleurs de ton front
Couronnaient dans les mers l'azur de l'Hellespont.
Je suis un citoyen de tes siècles antiques;
Mon âme avec l'abeille erre sous tes portiques.
La langue de ton peuple, ô Grèce! peut mourir.
Nous pouvons oublier le nom de tes montagnes;
Mais qu'en fouillant le sein de tes blondes campagnes,
Nos regards tout à coup viennent à découvrir
Quelque dieu de tes bois, quelque Vénus perdue...
La langue que parlait le cœur de Phidias
Sera toujours vivante et toujours entendue;
Les marbres l'ont apprise, et ne l'oublieront pas.

Un secret remords de talent perdu semble par moment l'avertir qu'il ne faut pas ainsi répandre la poésie, cette huile des parfums, sur les pieds des courtisanes. Écoutez ce remords dans ces beaux vers:

Tu te frappais le front en lisant Lamartine,
Ami, tu pâlissais comme un joueur maudit;
Le frisson te prenait, et la foudre divine,
Tombant dans ta poitrine,
T'épouvantait toi-même en traversant ta nuit.

Ah! frappe-toi le cœur, c'est là qu'est le génie.
C'est là qu'est la pitié, la souffrance et l'amour;
C'est là qu'est le rocher du désert de la vie,
D'où les flots d'harmonie,
Quand Moïse viendra, jailliront quelque jour.

Ne sent-on pas qu'il aurait pu être un de ces *Moïses* de la poésie? Et que disons-nous nous-même qu'il ne dise mieux que nous dans cette exclamation qui contient en un vers toute une littérature?

Ah! frappe-toi le cœur, c'est là qu'est le génie!

C'est pour avoir trop souvent frappé son front au lieu de son cœur qu'il n'a été qu'une grande espérance, au lieu d'être un grand monument, et qu'il a créé cette école des poëtes actuels de l'esprit au lieu de créer l'école des prophètes du cœur.

VII

La note du cœur? il l'avait sous la main, il la laissait dormir. Quels accents de ce siècle dépassent en pathétique et en charme ce soupir adressé à l'astre des nuits qu'il a tout à l'heure terni de son ironie dans la *Ballade à la lune?*.

Étoile qui descends sur la verte colline,
Triste larme d'argent du manteau de la Nuit,
Toi qui regarde au loin le pâtre qui chemine,
Tandis que pas à pas son long troupeau le suit;
Étoile, où t'en vas-tu dans cette nuit immense?
Cherches-tu sur la rive un lit dans les roseaux?
Ou t'en vas-tu si belle, à l'heure du silence,
Tomber comme une perle au sein profond des eaux?
Ah! si tu dois mourir, bel astre, et si ta tête
Va dans la vaste mer plonger ses blonds cheveux,
Avant de nous quitter, un seul instant arrête;
Étoile de l'amour, ne descends pas des cieux!

Quand on peut chanter si haut, comment peut-on descendre soi-même des cieux pour ricaner dans la fange avec un grossier *vulgus?*

Odi profanum vulgus et arceo!

Ce poëme du *Saule* est plein d'accents de cette solennité et de cette spiritualité sublimes. On n'est embarrassé que du choix des citations. Voulez-vous la prière, écoutez:

Comme avec majesté sur ces roches profondes
Que l'inconstante mer ronge éternellement,
Du sein des flots émus sort l'astre tout-puissant,
Jeune et victorieux,—seule âme des deux mondes!
L'Océan fatigué de suivre dans les cieux
Sa déesse voilée au pas silencieux,
Sous les rayons divins retombe et se balance.
Dans les ondes sans fin plonge le ciel immense.
La terre lui sourit.—C'est l'heure de prier:

Être sublime! esprit de vie et de lumière,
Qui, reposant ta force au centre de la Terre,
Sous ta céleste chaîne y restes prisonnier!
Toi, dont le bras puissant, dans l'éternelle plaine,
Parmi les astres d'or la soulève et l'entraîne
Sur la route invisible où d'un regard de Dieu
Tomba dans l'infini l'hyperbole de feu!
Tu peux faire accourir ou chasser la tempête
Sur ce globe d'argile à l'espace jeté,
D'où vers son Créateur l'homme élevant sa tête,
Passe et tombe en rêvant une immortalité;
Mais comme toi son sein renferme une étincelle
De ce foyer de vie et de force éternelle,
Vers lequel en tremblant le monde étend les bras,

Prêt à s'anéantir, s'il ne l'animait pas!
Son essence à la tienne est égale et semblable.
Lorsque Dieu l'en tira pour lui donner le jour,
Il te fit immortel, et le fit périssable....
Il te fit solitaire, et lui donna l'amour.
Amour! Torrent divin de la source infinie!
Ô Dieu d'oubli, Dieu jeune, au front pâle et charmant!
Toi que tous ces bonheurs, tous ces biens qu'on envie
Font quelquefois de loin sourire tristement,
Qu'importe cette mer, son calme et ses tempêtes,
Et ces mondes sans nom qui roulent sur nos têtes,
Et le temps et la vie, au cœur qui t'a connu?

La conception de ce poëme du *Saule* est indécise et obscure, mais dans l'exécution et dans l'inspiration de certaines scènes, la poésie moderne ne monte pas plus haut et ne plane pas plus vaporeusement dans l'éther; mais le poëte est insaisissable comme le caprice.

La *Coupe et les lèvres*, drame écrit après le poëme du *Saule*, est une profession de scepticisme dans son début, une imitation très-savante, mais trop servile du *Manfred*, de lord Byron, dans les scènes. C'est l'histoire d'un bandit tyrolien amoureux d'une autre Marguerite.

Il y a des détails ravissants, tels que cette première rencontre du bandit et de sa maîtresse.

C'est *Frank* qui parle:

Fatigué de la route et du bruit de la guerre,
Ce matin de mon camp je me suis écarté:
J'avais soif; mon cheval marchait dans la poussière;
Et sur le bord d'un puits je me suis arrêté.
J'ai trouvé sur un banc une femme endormie,
Une pauvre laitière, une enfant de quinze ans,
Que je connais, Gunther.—Sa mère est mon amie.
J'ai passé de beaux jours chez ces bons paysans.
Le cher ange dormait les lèvres demi-closes.—
(Les lèvres des enfants s'ouvrent, comme les roses,
Au souffle de la nuit).—Ses petits bras lassés
Avaient dans son panier roulé les mains ouvertes.
D'herbes et d'églantine elles étaient couvertes.
De quel rêve enfantin ses sens étaient bercés,
Je l'ignore.—On eût dit qu'en tombant sur sa couche
Elle avait à moitié laissé quelque chanson,
Qui revenait encor voltiger sur sa bouche,
Comme un oiseau léger sur la fleur d'un buisson.

Nous étions seuls.—J'ai pris ses deux mains dans les miennes.
Je me suis incliné,—sans l'éveiller pourtant,
Ô Gunther! J'ai posé mes lèvres sur les siennes,
Et puis je suis parti, pleurant comme un enfant.

Gœthe n'a pas plus de naïveté, Byron plus de fraîcheur. Ajoutons qu'ils n'ont ni l'un ni l'autre plus de force et plus de désespoir de pensée que dans les vers suivants, imprécations de Frank qui se cramponne à la vie.

Et toi, morne tombeau, tu m'ouvres ta mâchoire.
Tu ris, spectre affamé. Je n'ai pas peur de toi.
Je renierai l'amour, la fortune et la gloire;
Mais je crois au néant, comme je crois en moi.
Le soleil le sait bien, qu'il n'est sous sa lumière
Qu'une immortalité, celle de la matière.
La poussière est à Dieu;—le reste est au hasard.
Qu'a fait le vent du nord des cendres de César?
Une herbe, un grain de blé, mon Dieu, voilà la vie.
Mais moi, fils du hasard, moi Frank, avoir été
Un petit monde, un tout, une forme pétrie.
Une lampe où brûlait l'ardente volonté,
Et que rien, après moi, ne reste sur le sable,
Où l'ombre de mon corps se promène ici-bas?
Rien! pas même un enfant, un être périssable!
Rien qui puisse y clouer la trace de mes pas!
Rien qui puisse crier d'une voix éternelle
À ceux qui téteront la commune mamelle:
Moi, votre frère aîné, je m'y suis suspendu!
Je l'ai tétée aussi, la vivace marâtre;
Elle m'a, comme à vous, livré son sein d'albâtre...
—Et pourtant, jour de Dieu, si je l'avais mordu?
Si je l'avais mordu, le sein de la nourrice;
Si je l'avais meurtri d'une telle façon
Qu'elle en puisse à jamais garder la cicatrice,
Et montrer sur son cœur les dents du nourrisson?
Qu'importe le moyen, pourvu qu'on s'en souvienne?
Le bien a pour tombeau l'ingratitude humaine.
Le mal est plus solide: Érostrate a raison.
Empédocle a vaincu les héros de l'histoire,
Le jour qu'en se lançant dans le cœur de l'Etna,
Du plat de sa sandale il souffleta la gloire,
Et la fit trébucher si bien qu'elle y tomba.
Que lui faisait le reste? Il a prouvé sa force.
Les siècles maintenant peuvent se remplacer;

Il a si bien gravé son chiffre sur l'écorce
Que l'arbre peut changer de peau sans l'effacer.
Les parchemins sacrés pourriront dans les livres;
Les marbres tomberont comme des hommes ivres,
Et la langue d'un peuple avec lui s'éteindra.
Mais le nom de cet homme est comme une momie,
Sous les baumes puissants pour toujours endormie,
Sur laquelle jamais l'herbe ne poussera.
Je ne veux pas mourir.—Regarde-moi, Nature!

À quoi rêvent les jeunes filles n'est qu'une bouffonnerie en vers faciles, une scène de *Don Quichotte* rimée, un proverbe à jouer après souper entre deux paravents. L'esprit rapetisse tout, même le génie.

Le poëme burlesque de *Namouna*, imitation littérale d'un chant de *Don Juan*, n'est qu'une jolie mystification poétique où l'auteur vous mène jusqu'à la fin de ses trois chants sans sortir de l'exorde. On a fini sans avoir commencé. Le badinage est gai, mais il est trop long et trop usé. Cela rappelle ces espiègleries d'enfants qui promènent sur les lèvres fermées d'autres enfants comme eux, la barbe d'une plume pour les faire rire; la lèvre rit, mais l'âme ne rit pas; puérilité indigne d'un talent qui se respecte même dans ses jeux!

VIII

Rolla est selon nous l'apogée du talent d'Alfred de Musset. Mais quel usage du talent que ce poëme!

Un jeune homme a usé sa vie, son âme et sa fortune en quelques années de débauches. Corrompu jusqu'à la moelle, il veut corrompre toute innocence autour de lui; il veut que son dernier soupir soit un dernier crime. Il achète d'une mère infâme une pauvre victime innocente de la misère et du libertinage; il s'en fait aimer; puis quand il a dépensé sa dernière obole, il savoure un infâme suicide dans les bras de la courtisane involontaire dont il a tué l'âme avant de se tuer lui-même. Il lègue un cadavre à un lieu de débauche! Voilà le poëme.

Ce sujet plaisait tant à l'imagination dépravée de l'auteur qu'on le retrouve avec quelques variantes dans cinq ou six de ses œuvres en prose et en vers. C'est toujours le suicide réfléchi qui est le dénoûment d'un amour des sens, détestable image à offrir à l'imagination des jeunes hommes! La fumée d'un réchaud, la pointe d'un stylet, la goutte d'opium délayée dans un verre de vin de Champagne sont des issues plus faciles pour sortir d'embarras avec le sort, qu'un effort généreux pour reconquérir l'innocence et l'honneur, et qu'une vie d'honnête homme pour racheter une jeunesse de débauches. C'est là le danger de cette poésie ou de cette littérature du suicide après l'orgie. C'est la dernière tentation et en même temps la dernière impunité du libertinage.

Werther se tuait, mais au moins c'était pour échapper au crime; Rolla et les héros de Musset se tuent, mais c'est pour échapper à la satiété ou à la punition de leurs fautes. Voyez quel progrès dans l'immoralité! Byron, Heine, Musset et tant d'autres ont fait faire un demi-siècle de chemin à la poésie sur la route du mal!

IX

On ne pourrait pas vous analyser ici le poëme de *Rolla*; il est plein de pages souillées de lie, de vin, de sang, de tout ce qui tache. C'est une nuit de l'*Aretin* écrite malheureusement par un grand poëte. Mais les pages qui méritent d'être conservées sont nombreuses aussi et étincelantes. Il y a plus, elles sont neuves dans notre langue. Jamais, avant ce jeune homme, la poésie n'avait volé avec autant de liberté et d'envergure du fond des égouts au fond des cieux. Musset, dans *Rolla*, donne véritablement à la chauve-souris les ailes du cygne ou de l'aigle. Lisez au début la comparaison sublime entre Rolla, qui n'a que trois ans à vivre avant son suicide calculé à jour fixe, et entre la cavale du désert qui n'a que trois jours à marcher sans eau dans le sable avant de mourir aussi de soif.

Lorsque dans le désert la cavale sauvage,
Après trois jours de marche, attend un jour d'orage,
Pour boire l'eau du ciel sur ses palmiers poudreux;
Le soleil est de plomb, les palmiers en silence
Sous leur ciel embrasé penchent leurs longs cheveux;
Elle cherche son puits dans le désert immense,
Le soleil l'a séché; sur le rocher brûlant
Les lions hérissés dorment en grommelant.
Elle se sent fléchir; ses narines qui saignent
S'enfoncent dans le sable, et le sable altéré
Vient boire avidement son sang décoloré.
Alors elle se couche, et ses grands yeux s'éteignent,
Et le pâle désert roule sur son enfant
Le flot silencieux de son linceul mouvant.

Elle ne savait pas, lorsque les caravanes
Avec leurs chameliers passaient sous les platanes,
Qu'elle n'avait qu'à suivre et qu'à baisser le front,
Pour trouver à Bagdad de fraîches écuries,
Des râteliers dorés, des luzernes fleuries,
Et des puits dont le ciel n'a jamais vu le fond.

Lisez à quelques vers de là la description du sommeil de l'innocence.

Est-ce sur de la neige, ou sur une statue,
Que cette lampe d'or, dans l'ombre suspendue,

Fait onduler l'azur de ce rideau tremblant?
Non, la neige est plus pâle, et le marbre est moins blanc.
C'est un enfant qui dort.—Sur ses lèvres ouvertes
Voltige par instants un faible et doux soupir;
Un soupir plus léger que ceux des algues vertes
Quand le soir sur les mers voltige le Zéphyr,
Et que, sentant fléchir ses ailes embaumées,
Sous les baisers ardents de ses fleurs bien-aimées,
Il boit sur ses bras nus les perles des roseaux.

C'est une enfant qui dort sous ces épais rideaux,
Une enfant de quinze ans,—presque une jeune femme;
Rien n'est encor formé dans cet être charmant.
Le petit chérubin qui veille sur son âme
Doute s'il est son frère, ou s'il est son amant.
Ses longs cheveux épars la couvrent tout entière.
La croix de son collier repose dans sa main,
Comme pour témoigner qu'elle a fait sa prière,
Et qu'elle va la faire en s'éveillant demain.

Elle dort, regardez:—quel front noble et candide!
Partout, comme un lait pur sur une onde limpide
Le ciel sur la beauté répandit la pudeur.
Elle dort toute nue et la main sur son cœur.

Les pas silencieux du prêtre dans l'enceinte
Font tressaillir le cœur d'une terreur moins sainte,
Ô vierge! que le bruit de tes soupirs légers.
Regardez cette chambre et ces frais orangers,
Ces livres, ce métier, cette branche bénite
Qui se penche en pleurant sur ce vieux crucifix;
Ne chercherait-on pas le rouet de Marguerite
Dans ce mélancolique et chaste paradis?
N'est-ce pas qu'il est pur, le sommeil de l'enfance?
Que le ciel lui donna sa beauté pour défense?
Que l'amour d'une vierge est une piété
Comme l'amour céleste, et qu'en approchant d'elle
Dans l'air qu'elle respire on sent frissonner l'aile
Du séraphin jaloux qui veille à son côté?

Y a-t-il rien dans la langue de si vrai, de si frais, de si pur, que ce coin de sainte famille de Raphaël à côté de l'infâme famille qui va spéculer tout à l'heure sur la chaste innocence de cette enfant?

Poursuivons, car le poëte ne se lasse pas lui-même de répandre les odeurs de l'Éden sur ce méphitisme du mauvais lieu.

Oh! sur quel océan, sur quelle grotte obscure,
Sur quel bois d'aloès et de frais oliviers,
Sur quelle neige intacte au sommet des glaciers.
Souffle-t-il à l'aurore une brise aussi pure,
Un vent d'est aussi plein des larmes du printemps,
Que celui qui passa sur ta tête blanchie,
Quand le ciel te donna de ressaisir la vie
Au manteau virginal d'un enfant de quinze ans!
Quinze ans?—Ô Roméo! l'âge de Juliette!
L'âge où vous vous aimiez! où le vent du matin,
Sur l'échelle de soie, au chant de l'alouette,
Berçait vos longs baisers et vos adieux sans fin!
Quinze ans!—l'âge céleste où l'arbre de la vie,
Sous la tiède oasis du désert embaumé,
Baigne ses fruits dorés de myrrhe et d'ambroisie,
Et pour féconder l'air, comme un palmier d'Asie,
N'a qu'à jeter au vent son voile parfumé!
Quinze ans!—l'âge où la femme, au jour de sa naissance,
Sortit des mains de Dieu si blanche d'innocence,
Si riche de beauté, que son père immortel
De ses phalanges d'or en fit l'âge éternel!

Oh! la fleur de l'Éden, pourquoi l'as-tu fanée,
Insouciante enfant, belle Ève aux blonds cheveux?
Tout trahir et tout perdre était ta destinée;
Tu fis ton dieu mortel, et tu l'en aimas mieux.
Qu'on te rende le ciel, tu le perdras encore.
Tu sais trop bien qu'ailleurs, c'est toi que l'homme adore;
Avec lui de nouveau tu voudrais t'exiler,
Pour mourir sur son cœur, et pour l'en consoler!

X

Rolla s'éveille après une nuit de délices contre nature, car l'amour et l'agonie s'excluent comme la vie et la mort. Quel contre-sens qu'un corps qui jouit pendant que l'esprit agonise? Or, Rolla savait que l'aurore pour lui était la mort; il mourait d'avance dans sa pensée. Tout sophisme de morale entraîne au sophisme de composition. C'est le vice fondamental de ce poëme. Il repose sur un mensonge de nature comme sur un mensonge de situation. Mais que la description de cette aurore funèbre contemplée de la fenêtre d'un lieu de débauche est poignante! Comme le poëte retrouve dans le détail, la vérité et le pathétique perdu dans l'ensemble!

Rolla s'écrie en regardant le ciel:

Vous qui volez là-bas, légères hirondelles,
Dites-moi, dites-moi, pourquoi vais-je mourir?
Oh! l'affreux suicide! oh! si j'avais des ailes,
Par ce beau ciel si pur je voudrais les ouvrir!
Dites-moi, terre et cieux, qu'est-ce donc que l'aurore?
Qu'importe un jour de plus à ce vieil univers?
Dites-moi, verts gazons, dites-moi, sombres mers,
Quand des feux du matin l'horizon se colore,
Si vous n'éprouvez rien, qu'avez-vous donc en vous
Qui fait bondir le cœur et fléchir les genoux?
Ô terre, à ton soleil qui donc t'a fiancée?
Que chantent tes oiseaux? Que pleure ta rosée?
Pourquoi de tes amours viens-tu m'entretenir?
Que me voulez-vous tous, à moi qui vais mourir?
. . . .
. . . .

Et qu'y a-t-il de plus touchant que ce retour de la pensée au chaste amour, du sein de la débauche blasée et du suicide déjà consommé en esprit?

Rolla, pâle et tremblant, referma la croisée.
Il brisa sur sa tige un pauvre dahlia.
J'aime, lui dit la fleur, et je meurs embrasée
Des baisers du zéphyr, qui me relèvera.
—J'ai jeté loin de moi, quand je me suis parée,
Les éléments impurs qui souillaient ma fraîcheur.
Il m'a baisée au front dans ma robe dorée;
Tu peux m'épanouir, et me briser le cœur.

J'aime!—voilà le mot que la nature entière
Crie au vent qui l'emporte, à l'oiseau qui le suit!
Sombre et dernier soupir que poussera la terre,
Quand elle tombera dans l'éternelle nuit!
Oh! vous le murmurez dans vos sphères sacrées,
Étoiles du matin, ce mot triste et charmant!
La plus faible de vous, quand Dieu vous a créées,
A voulu traverser les plaines éthérées,
Pour chercher le soleil, son immortel amant.
Elle s'est élancée au sein des nuits profondes.
Mais une autre l'aimait elle-même;—et les mondes
Se sont mis en voyage autour du firmament.

Et ce retour amer et délicieux à l'âge de pureté et d'innocence par l'air oublié et retrouvé d'un orgue dans la rue, comme il est compris et rendu dans ces vers funèbres.

Quand Rolla sur les toits vit le soleil paraître,
Il alla s'appuyer au bord de la fenêtre.
De pesants chariots commençaient à rouler.
Il courba son front pâle, et resta sans parler.
En longs ruisseaux de sang se déchiraient les nues;
Tel, quand Jésus cria, des mains du ciel venues
Fendirent en lambeaux le voile aux plis sanglants.

Un groupe délaissé de chanteurs ambulants
Murmuraient sur la place une ancienne romance.
Ah! comme les vieux airs qu'on chantait à douze ans
Frappent droit dans le cœur aux heures de souffrance!
Comme ils dévorent tout! comme on se sent loin d'eux!
Comme on baisse la tête en les trouvant si vieux!
Sont-ce là tes soupirs, noir Esprit des ruines?
Ange des souvenirs, sont-ce là tes sanglots?
Ah! comme ils voltigeaient, frais et légers oiseaux,
Sur le palais doré des amours enfantines!
Comme ils savent rouvrir les fleurs des temps passés,
Et nous ensevelir, eux qui nous ont bercés!

En entendant de tels soupirs au milieu de tels blasphèmes, on ne sait en vérité s'il n'y a pas plus de vertu que de scepticisme dans une pareille âme, et si Musset n'est pas un esprit céleste, masqué en esprit satanique pendant ce triste carnaval de sa vie humaine?

Le poëme finit par un dévouement enfantin et tendre de la jeune fille et par un baiser du jeune homme sur la croix de son collier. Puis une goutte de poison endort pour jamais le cœur de Rolla qu'un amour inattendu allait vivifier peut-être! Hélas! tout finit par ce mot peut-être, pour le héros comme pour le poëte.

XI

À dater de ce jour, Alfred de Musset semble devenir un autre homme. Cette tristesse du lendemain, qui est l'expiation des voluptueux après le plaisir, se fait sentir à son âme. Cette tristesse qui n'est que le sentiment douloureux du vide pousse les uns au suicide, les autres à la religion; entre quelques rares éclats de gaieté on entend dans sa poésie je ne sais quels longs soupirs qui trahissent une salutaire souffrance sous ce masque de rieur.

Il y a, au salon de peinture de cette année, à Paris, un petit tableau de Gérôme, que j'ai admiré hier et qui me semble représenter parfaitement la disposition d'esprit d'Alfred de Musset à cette époque de sa vie. C'est une scène de mascarade à la porte d'un bal public pendant une nuit de carnaval. Un jeune homme encore vêtu de son costume bouffon, de *Pierrot*, vient de se battre en duel avec un de ses compagnons de fête, sans doute pour quelques querelles d'amour ou de table. Il est blessé à mort, il s'affaisse entre les bras de ses témoins; une tache de sang suinte à travers son habit blanc de Pierrot; les traits de son visage décoloré voudraient rire encore, mais ils agonisent malgré lui, et sous ce faux rire on sent que la pointe de l'épée a touché le cœur.

Tel se montre Alfred de Musset dans presque toutes les poésies qui ont suivi le poëme de *Rolla*. On voit la porte du bal masqué, on entend la musique folle de la danse, mais dans cette musique il y a un sanglot; le sanglot demande comme Desdemona un saule pleureur sur une tombe.

Mes chers amis, quand je mourrai
Plantez un saule au cimetière.
J'aime son feuillage éploré;
La pâleur m'en est douce et chère,
Et son ombre sera légère
À la terre où je dormirai!

XII

Il intitula ces poésies d'un nouvel accent *les Nuits*. C'est la corde grave de sa lyre muette jusque-là, aussi mélancolique et aussi pathétique que les plus graves mélodies de ses rivaux.

Ce sont des dialogues à voix basses entre le poëte et ce qu'il appelle encore la muse, c'est-à-dire entre le cœur de l'homme et son génie. Ce cœur et ce génie cherchaient à se mettre d'accord en lui comme en nous tous. Nous ne connaissons rien dans la poésie française, anglaise, allemande, de plus harmonieux, de plus sensible et de plus gémissant que les *oratorios* nocturnes de Musset. Lisez-en ici quelques strophes, puis lisez tout; vous serez saisi comme je le suis en ce moment moi-même d'un immense repentir de n'avoir pas lu plus tôt et de n'avoir pas apprécié assez un pareil musicien de l'âme. Ah! que la mort est un grand révélateur!

LA MUSE.

Poëte, prends ton luth, et me donne un baiser;
La fleur de l'églantier sent ses bourgeons éclore.
Le printemps naît ce soir; les vents vont s'embraser;
Et la bergeronnette, en attendant l'aurore,
Aux premiers buissons verts commence à se poser.
Poëte, prends ton luth, et me donne un baiser.

LE POËTE.

Comme il fait noir dans la vallée!
J'ai cru qu'une forme voilée
Flottait là-bas sur la forêt.

Elle sortait de la prairie;
Son pied rasait l'herbe fleurie;
C'est une étrange rêverie;
Elle s'efface et disparaît.

LA MUSE.

Poëte, prends ton luth; la nuit, sur la pelouse,
Balance le zéphyr dans son voile odorant.
La rose, vierge encor, se referme jalouse
Sur le frelon nacré qu'elle enivre en mourant.
Ce soir, sous les tilleuls, à la sombre ramée
Le rayon du couchant laisse un adieu plus doux.
Ce soir, tout va fleurir; l'immortelle nature
Se remplit de parfums, d'amour et de murmure,
Comme le lit joyeux de deux jeunes époux.

LE POËTE.

Pourquoi mon cœur bat-il si vite?
Qu'ai-je donc en moi qui s'agite,
Dont je me sens épouvanté?
Ne frappe-t-on pas à ma porte?
Pourquoi ma lampe à demi morte
M'éblouit-elle de clarté?
Dieu puissant! tout mon corps frissonne.
Qui vient? qui m'appelle?—Personne.
Je suis seul; c'est l'heure qui sonne;
Ô solitude! ô pauvreté!

LA MUSE.

Poëte, prends ton luth; le vin de la jeunesse
Fermente cette nuit dans les veines de Dieu.
Mon sein est inquiet, la volupté l'oppresse,
Et les vents altérés m'ont mis la lèvre en feu.
Ô paresseux enfant, regarde, je suis belle.
Notre premier baiser, ne t'en souviens-tu pas,
Quand je te vis si pâle au toucher de mon aile,
Et que, les yeux en pleurs, tu tombas dans mes bras?
Ah! je t'ai consolé d'une amère souffrance!
Hélas! bien jeune encor, tu te mourais d'amour.
Console-moi ce soir, je me meurs d'espérance;
J'ai besoin de prier pour vivre jusqu'au jour.

De tels vers ne se font pas avec une plume et de l'encre, mais avec la moelle de son cœur et le doigt du dieu de l'inspiration!

Il continue et il s'interroge lui-même en vers ailés sur les différents sujets de chant qui s'offrent dans ce temps-ci à sa lyre? Cela rappelle un chant de moi, les *Préludes*, mais cela est mille fois plus vagabond et plus emporté d'imagination; le disciple dépassait de bien loin le maître. Gilbert lui-même, dans ses satires, n'a pas de morsures plus saignantes contre ses ennemis.

Clouerons-nous au poteau d'une satire altière
Le nom sept fois vendu d'un pâle pamphlétaire,
Qui, poussé par la faim, du fond de son oubli,
S'en vient tout grelottant d'envie et d'impuissance,
Sur le front du génie insulter l'espérance,
Et mordre le laurier que son souffle a sali?
Prends ton luth! prends ton luth! Je ne peux plus me taire.
Mon aile me soulève au souffle du printemps.
Le vent va m'emporter; je vais quitter la terre.
Une larme de toi! Dieu m'écoute; il est temps.

Quels vers modernes, même ceux de Byron le premier des modernes, égalent ceux qui éclatent à la fin de cette nuit de mai?

LA MUSE.

Crois-tu donc que je sois comme le vent d'automne,
Qui se nourrit de pleurs jusque sur un tombeau,
Et pour qui la douleur n'est qu'une goutte d'eau?
Ô poëte! un baiser, c'est moi qui te le donne;
L'herbe que je voulais arracher de ce lieu,
C'est ton oisiveté: ta douleur est à Dieu.
Quel que soit le souci que ta jeunesse endure,
Laisse-la s'élargir cette sainte blessure
Que les noirs séraphins t'ont faite au fond du cœur;
Rien ne nous rend si grands qu'une grande douleur.
Mais, pour en être atteint, ne crois pas, ô poëte,
Que ta voix ici-bas doive rester muette.
Les plus désespérés sont les chants les plus beaux,
Et j'en sais d'immortels qui sont de purs sanglots.
Lorsque le pélican, lassé d'un long voyage,
Dans les brouillards du soir retourne à ses roseaux,
Ses petits affamés courent sur le rivage
En le voyant au loin s'abattre sur les eaux.
Déjà, croyant saisir et partager leur proie,
Ils courent à leur père avec des cris de joie,
En secouant leurs becs sur leurs goîtres hideux.
Lui, gagnant à pas lents une roche élevée,
De son aile pendante abrite sa couvée,

Pêcheur mélancolique, il regarde les cieux:
Le sang coule à longs flots de sa poitrine ouverte;
En vain il a des mers fouillé la profondeur;
L'Océan était vide, et la plage déserte;
Pour toute nourriture il apporte son cœur.
Sombre et silencieux, étendu sur la pierre,
Partageant à ses fils ses entrailles de père,
Dans son amour sublime il berce sa douleur;
Et regardant couler sa sanglante mamelle,
Sur son festin de mort il s'affaisse et chancelle.
Ivre de volupté, de tendresse et d'horreur.
Mais parfois, au milieu du divin sacrifice,
Fatigué de mourir dans un trop long supplice,
Il craint que ses enfants ne le laissent vivant;
Alors il se soulève, ouvre son aile au vent,
Et se frappant le cœur avec un cri sauvage,
Il pousse dans la nuit un si funèbre adieu,
Que les oiseaux des mers désertent le rivage
Et que le voyageur attardé sur la plage,
Sentant passer la mort, se recommande à Dieu.
Poëte, c'est ainsi que font les grands poëtes.
Ils laissent s'égayer ceux qui vivent un temps;
Mais les festins humains qu'ils servent à leurs fêtes
Ressemblent la plupart à ceux des pélicans.
Quand ils parlent ainsi d'espérances trompées,
De tristesse et d'oubli, d'amour et de malheur,
Ce n'est pas un concert à dilater le cœur.
Leurs déclamations sont comme des épées;
Elles tracent dans l'air un cercle éblouissant;
Mais il y pend toujours quelque goutte de sang.

XIII

Et ceux-ci de *la Nuit d'août*. Il répond à la muse qui lui reproche de ne plus chanter.

Puisque l'oiseau des bois voltige et chante encore
Sur la branche où ses œufs sont brisés dans le nid;
Puisque la fleur des champs entr'ouverte à l'aurore,
Voyant sur la pelouse une autre fleur éclore,
S'incline sans murmure et tombe avec la nuit;

Puisque au fond des forêts, sous les toits de verdure,
On entend le bois mort craquer dans le sentier,
Et puisque en traversant l'immortelle nature,

L'homme n'a su trouver de science qui dure,
Que de marcher toujours, et toujours oublier;

Puisque, jusqu'aux rochers, tout se change en poussière;
Puisque tout meurt ce soir pour revivre demain;
Puisque c'est un engrais que le meurtre et la guerre;
Puisque sur une tombe on voit sortir de terre
Le brin d'herbe sacré qui nous donne le pain;

Ô muse! que m'importe ou la mort ou la vie?
J'aime, et je veux pâlir; j'aime, et je veux souffrir;
J'aime, et pour un baiser je donne mon génie;
J'aime, et je veux sentir sur ma joue amaigrie
Ruisseler une source impossible à tarir.

Et ceux-là de *la Nuit d'octobre* où le poëte s'est souvenu trop amèrement de l'inconstance de la femme qu'il a aimée la première, et où la muse le félicite d'avoir enfin pleuré:

Poëte, c'est assez. Auprès d'une infidèle
Quand ton illusion n'aurait duré qu'un jour,
N'outrage pas ce jour lorsque tu parles d'elle;
Si tu veux être aimé, respecte ton amour.
Si l'effort est trop grand pour la faiblesse humaine
De pardonner les maux qui nous viennent d'autrui,
Épargne-toi du moins le tourment de la haine;
À défaut du pardon laisse venir l'oubli.
Les morts dorment en paix dans le sein de la terre;
Ainsi doivent dormir nos sentiments éteints.
Ces reliques du cœur ont aussi leur poussière;
Sur leurs restes sacrés ne portons pas les mains.
Pourquoi, dans ce récit d'une vive souffrance,
Ne veux-tu voir qu'un rêve et qu'un amour trompé?
Est-ce donc sans motif qu'agit la Providence,
Et crois-tu donc distrait le Dieu qui t'a frappé?
Le coup dont tu te plains t'a préservé peut-être,
Enfant; car c'est par là que ton cœur s'est ouvert.
L'homme est un apprenti, la douleur est son maître,
Et nul ne se connaît, tant qu'il n'a pas souffert.
C'est une dure loi, mais une loi suprême,
Vieille comme le monde et la fatalité,
Qu'il nous faut du malheur recevoir le baptême,
Et qu'à ce triste prix tout doit être acheté.
Les moissons pour mûrir ont besoin de rosée;
Pour vivre et pour sentir l'homme a besoin des pleurs.

La joie a pour symbole une plante brisée,
Humide encor de pluie et couverte de fleurs.

. . . .

. . . .

Est-ce qu'il n'y a pas véritablement une poésie moderne, se demande-t-on après avoir lu ces pages délicieuses de mélancolie? Est-ce qu'Ovide, Anacréon, Tibulle, Properce, Bertin, Parny, ont de telles profondeurs dans le sentiment?

Ah! que je me reproche cruellement aujourd'hui de n'avoir pas connu le cœur d'où coulaient de pareils vers, moi vivant! je ne les lis qu'aujourd'hui, et le cœur d'où ils ont coulé ne bat plus. Il est trop tard pour l'aimer. Mais il n'est pas trop tard pour s'extasier de regret et d'admiration devant ces chefs-d'œuvre.

XIV

Ici se trouve dans le volume un magnifique fragment de poésie lyrique qui aurait pu, si je l'avais entendu à temps, rapprocher nos deux destinées et nos deux cœurs. C'est la *lettre à Lamartine*, une des plus fortes et des plus touchantes explosions de sa sensibilité souffrante.

Écoutez:

LETTRE
À M. DE LAMARTINE.

Lorsque le grand Byron allait quitter Ravenne,
Et chercher sur les mers quelque plage lointaine
Où finir en héros son immortel ennui;
Comme il était assis aux pieds de sa maîtresse,
Pâle, et déjà tourné du côté de la Grèce,
Celle qu'il appelait alors sa Guiccioli
Ouvrit un soir un livre où l'on parlait de lui.

Avez-vous de ce temps conservé la mémoire,
Lamartine, et ces vers au prince des proscrits,
Vous souvient-il encor qui les avait écrits?
Vous étiez jeune alors, vous, notre chère gloire.
Vous veniez d'essayer pour la première fois
Ce beau luth éploré qui vibre sous vos doigts.
La muse que le ciel vous avait fiancée
Sur votre front rêveur cherchait votre pensée,
Vierge craintive encore, amante des lauriers.

. . . .

Recevez-moi maintenant comme vous désiriez alors être accueilli par le chantre d'Harold, poursuit-il. Puis il me raconte les déboires de sa première passion trompée.

Lorsque le laboureur, regagnant sa chaumière,
Trouve le soir son champ rasé par le tonnerre,
Il croit d'abord qu'un rêve a fasciné ses yeux,
Et, doutant de lui-même, interroge les cieux.
Partout la nuit est sombre, et la terre enflammée.
Il cherche autour de lui la place accoutumée
Où sa femme l'attend sur le seuil entr'ouvert;
Il voit un peu de cendre au milieu d'un désert.
Ses enfants demi-nus sortent de la bruyère,
Et viennent lui conter comme leur pauvre mère
Est morte sous le chaume avec des cris affreux;
Mais maintenant au loin tout est silencieux;
Le misérable écoute, et comprend sa ruine.
Il serre, désolé, ses fils sur sa poitrine;
Il ne lui reste plus, s'il ne tend pas la main,
Que la faim pour ce soir, et la mort pour demain.
Pas un sanglot ne sort de sa bouche oppressée;
Muet et chancelant, sans force et sans pensée,
Il s'asseoit à l'écart, les yeux sur l'horizon,
Et regardant s'enfuir sa moisson consumée,
Dans les noirs tourbillons de l'épaisse fumée
L'ivresse du malheur emporte sa raison.

Tel, lorsque abandonné d'une infidèle amante,
Pour la première fois j'ai connu la douleur,
Transpercé tout à coup d'une flèche sanglante,
Seul, je me suis assis, dans la nuit de mon cœur.
Ce n'était pas au bord d'un lac au flot limpide,
Ni sur l'herbe fleurie au penchant des coteaux;
Mes yeux noyés de pleurs ne voyaient que le vide,
Mes sanglots étouffés n'éveillaient point d'échos.
C'était dans une rue obscure et tortueuse
De cet immense égout qu'on appelle Paris.
Autour de moi criait cette foule railleuse
Qui des infortunés n'entend jamais les cris.
Sur le pavé noirci les blafardes lanternes
Versaient un jour douteux plus triste que la nuit,
Et, suivant au hasard ces feux vagues et ternes,
L'homme passait dans l'ombre, allant où va le bruit.
Partout retentissait comme une joie étrange;

C'était en février, au temps du carnaval.
Les masques avinés, se croisant dans la fange,
S'accostaient d'une injure ou d'un refrain banal.
Dans un carrosse ouvert une troupe entassée
Paraissait par moment sous le ciel pluvieux,
Puis se perdait au loin dans la ville insensée,
Hurlant un hymne impur sous la résine en feux.
Cependant des vieillards, des enfants et des femmes,
Se barbouillaient de lie au fond des cabarets,
Tandis que de la nuit les prêtresses infâmes
Promenaient ça et là leurs spectres inquiets.
On eût dit un portrait de la débauche antique,
Un de ces soirs fameux, chers au peuple romain,
Où, des temples secrets, la Vénus impudique
Sortait échevelée, une torche à la main.
Dieu juste! pleurer seul par une nuit pareille!
Ô mon unique amour, que vous avais-je fait?
Vous m'aviez pu quitter, vous qui juriez la veille
Que vous étiez ma vie, et que Dieu le savait!
Ah! toi, le savais-tu, froide et cruelle amie,
Qu'à travers cette honte et cette obscurité,
J'étais là, regardant de ta lampe chérie,
Comme une étoile au ciel, la tremblante clarté?
Non, tu n'en savais rien, je n'ai pas vu ton ombre;
Ta main n'est pas venue entr'ouvrir ton rideau.
Tu n'as pas regardé si le ciel était sombre;
Tu ne m'as pas cherché dans cet affreux tombeau!

Lamartine, c'est là, dans cette rue obscure,
Assis sur une borne au fond d'un carrefour,
Les deux mains sur mon cœur, et serrant ma blessure,
Et sentant y saigner un invincible amour;
C'est là, dans cette nuit d'horreur et de détresse,
Au milieu des transports d'un peuple furieux
Qui semblait en passant crier à ma jeunesse:
«Toi qui pleures ce soir, n'as-tu pas ri comme eux?»
C'est là, devant ce mur où j'ai frappé ma tête,
Où j'ai passé deux fois le fer sur mon sein nu;
C'est là, le croiras tu, chaste et noble poëte,
Que de tes chants divins je me suis souvenu.
. . . .

Eh bien! bon ou mauvais, inflexible ou fragile,
Humble ou fier, triste ou gai, mais toujours gémissant,

Cet homme, tel qu'il est, cet être fait d'argile,
Tu l'as vu, Lamartine, et son sang est ton sang.
Son bonheur est le tien; sa douleur est la tienne;
Et des maux qu'ici-bas il lui faut endurer,
Pas un qui ne te touche et qui ne t'appartienne;
Puisque tu sais chanter, ami, tu sais pleurer.
Dis-moi, qu'en penses-tu dans tes jours de tristesse?
Que t'a dit le malheur, quand tu l'as consulté?
Trompé par tes amis, trahi par ta maîtresse,
Du ciel et de toi-même as-tu jamais douté?
Non, Alphonse, jamais. La triste expérience
Nous apporte la cendre, et n'éteint pas le feu.
Tu respectes le mal fait par la Providence,
Tu le laisses passer, et tu crois à ton Dieu.
Quel qu'il soit, c'est le mien; il n'est pas deux croyances
Je ne sais pas son nom, j'ai regardé les cieux.
Je sais qu'ils sont à lui, je sais qu'ils sont immenses,
Et que l'immensité ne peut pas être à deux.
J'ai connu, jeune encor, de sévères souffrances;
J'ai vu verdir les bois, et j'ai tenté d'aimer.
Je sais ce que la terre engloutit d'espérances,
Et, pour y recueillir, ce qu'il y faut semer.

XV

L'épître finit par un hymne en strophes de piété et d'apaisement dignes de ce sublime récitatif.

Eh bien! croira-t-on que de tels vers restèrent sans réponse? Croira-t-on que ce frère en sensibilité et en poésie qui passait à côté de moi dans la foule du siècle ne fut ni aperçu, ni reconnu, ni entendu par moi dans le tumulte de ma vie d'alors? J'en pleure aujourd'hui; mais ce n'est plus le temps de se retourner et de lui dire: donne-moi la main, nous sommes de la même famille! Il ne donne la main maintenant qu'aux esprits immortels qui ont trébuché quelquefois sur cette poussière glissante de la vie, mais qui ont lavé les taches de leurs genoux dans les larmes de leurs yeux et dans les rosées du ciel. Voici par quel hasard je ne connus pas ces vers, je n'y répondis pas et je parus dur de cœur, quand je n'étais qu'emporté et distrait par le tourbillon des affaires.

Je vivais peu en France pendant les belles années de 1828 à 1840 que Musset remplissait de ses pages presque toujours détachées et jetées au vent. J'étais en Italie, en Angleterre, au fond de l'Orient, ou voguant d'une rive à l'autre de la mer d'Homère; plus tard, j'étais absorbé par la politique, passion sérieuse obstinée et malheureuse de ma vie, bien qu'elle ne fût en réalité, pour moi, que la passion d'un devoir civil (et plût à Dieu, pour mon bonheur, que je n'eusse jamais eu d'autres passions que celles des beaux vers, de l'ombre des bois, du silence des solitudes, des horizons de la mer et du désert! Plût à Dieu que je n'eusse jamais touché comme Musset à ce fer chaud de la politique qui brûle la main des orateurs et des hommes d'État! *Omnia vanitas*, dit le Sage; mais de toutes les vanités, la plus vaine, n'est-elle pas de vouloir semer sur le rocher, au vent d'un peuple qui ne laisse à rien le temps de germer et de mûrir!)

Bref, je lisais peu de vers alors, excepté ceux d'Hugo, de Vigny, des deux *Deschamps*, dont l'un avait le gazouillement des oiseaux chanteurs, dont l'autre avait, par fragments, la rauque voix du Dante; j'entendais bien de temps en temps parler de Musset par des jeunes gens de son humeur; mais ces vers badins, les seuls vers de lui qu'on me citait à cette époque, me paraissaient des jeux d'esprit, des *jets d'eau de verve* peu d'accord avec le sérieux de mes sentiments et avec la maturité de mon âge. J'écoutais, je souriais, mais je ne lisais pas. Une seule fois, je lus jusqu'au bout, parce que la page était politique et parce que j'avais chanté moi-même une ode patriotique sur le même sujet. Voici en quelle occasion:

XVI

C'était en 1840, au moment où la politique agitatrice et guerroyante du ministère français, qu'on appelait le ministère de la *coalition*, menaçait, sans vouloir frapper, tous les peuples de l'Europe, pour soutenir, sans aucun intérêt pour la France, un pacha d'Égypte, révolté contre son souverain, le plus étrange caprice de guerre universelle sur lequel on ait jamais soufflé pour incendier l'Europe. L'Allemagne, menacée comme le reste du continent, sentait raviver, non sans cause, ses vieilles animosités nationales contre nous. Un de ses poëtes, nommé Becker, venait de publier un chant populaire et patriotique qui retentissait dans tous les cœurs et dans toutes les bouches sur les deux rives du Rhin.

«Ils ne l'auront pas, notre Rhin allemand, tant que les ossements du dernier des Germains ne seront pas ensevelis dans ses vagues.»

Musset répondit à ces strophes brûlantes et fières par des strophes railleuses et prosaïques auxquelles l'esprit national (dirai-je esprit, dirai-je bêtise) répondit par un de ces immenses applaudissements, que l'engouement prodigue à ses favoris d'un jour, engouement qui ne prouve qu'une chose: c'est que le patriotisme n'était pas plus poétique qu'il n'était politique en France en ce temps-là.

Nous l'avons eu, votre Rhin Allemand.
Il a tenu dans notre verre.

Nous l'avons eu, votre Rhin Allemand.
Si vous oubliez votre histoire,

Vos jeunes filles, sûrement,
Ont mieux gardé notre mémoire;
Elles nous ont versé votre petit vin blanc, etc.
. . . .
. . . .

J'avoue que ces strophes me parurent au-dessous de la dignité comme du génie de la France.

Les ailes de l'aigle ne seyaient pas à ce rossignol. Je combattais alors de toutes mes forces à la tribune la coalition soi-disant parlementaire, et la guerre universelle pour la cause d'un pacha parvenu. J'écrivis dans une heure d'inspiration, la *Marseillaise de la paix*, seule réponse à faire, selon moi, à l'Allemagne justement offensée par nos menaces.

Roule libre et paisible entre tes larges rives,
Rhin, Nil de l'Occident, coupe des nations,
Et des peuples assis qui boivent tes eaux vives
Emporte les défis et les ambitions.

Il ne tachera plus le cristal de ton onde
Le sang rouge du Franc, le sang bleu du Germain;
Ils ne crouleront plus sous le caisson qui gronde,
Ces ponts qu'un peuple à l'autre étend comme une main;
Les bombes et l'obus, arc-en-ciel des batailles,
Ne viendront plus s'éteindre en sifflant sur tes bords;
L'enfant ne verra plus du haut de tes murailles
Flotter ces poitrails blonds qui perdent leurs entrailles
Ni sortir des flots ces bras morts.

Ce ne sont plus des mers, des Alpes, des rivières
Qui bornent l'héritage entre l'humanité:
Les bornes des esprits sont leurs seules frontières:
Le monde en s'éclairant s'élève à l'unité.
Ma patrie est partout où rayonne la France,
Où son génie éclate aux regards éblouis;
Chacun est du climat de son intelligence.
Je suis concitoyen de tout homme qui pense;
La vérité c'est mon pays.
. . . .

Amis! voyez là-bas!—la terre est grande et plane,
L'Orient dépeuplé s'y déroule au soleil,
L'espace y lasse en vain la lente caravane
La solitude y dort son immense sommeil!
Là des peuples taris ont laissé leurs lits vides,

Là d'empires poudreux les sillons sont couverts,
Là, comme un stylet d'or, l'ombre des Pyramides
Mesure l'heure morte à des sables arides
Sur le cadran nu du désert!
Allez-y, etc.. . . . .
. . . .

Ces vers que je relis aujourd'hui avec plus de satisfaction d'artiste qu'aucun des vers politiques que j'aie écrits, pâlirent complétement devant le *petit verre* et le *petit vin blanc* des strophes de Musset. Je fus déclaré un rêveur et lui un poëte national: la *Marseillaise de la paix* ne se releva qu'après la chute de la coalition parlementaire. On voulait un refrain de caserne, on bafoua la note de paix.

Ces vers de Musset, les seuls que je connusse de lui, me confirmèrent malheureusement dans le préjugé que j'avais de la médiocrité lyrique de ce jeune homme.

Ce fut quelques années après, qu'étant seul et de loisir, un soir d'été, sous un chêne de ma retraite champêtre de Saint-Point, un petit berger qui me cherchait dans les bois, pour m'apporter le courrier de Paris, me remit dans la main un numéro de Revue littéraire. Ce numéro contenait l'épître *de Musset à Lamartine*. Je la lus non-seulement avec ravissement, mais avec tendresse; je pris un crayon dans ma poche, j'écrivis, sans quitter l'ombre du chêne, les premiers vers de la réponse que je comptais adresser à cet aimable et sensible interlocuteur. Ces vers les voici:

À M. DE MUSSET.
1840.

Maintenant qu'abrité des monts de mon enfance
Je n'entends plus Paris, ni son murmure immense
Qui, semblable à la mer, sur un cap écumant
Répand loin de ses murs son retentissement;
Maintenant que mes jours et mes heures limpides
Résonnent sous la main comme des urnes vides,
Et que je puis en paix les combler à plaisir
De contemplations, de chants et de loisir;
Qu'entre le firmament et mon œil qui s'y lève
Aucun plafond jaloux n'intercepte mon rêve,
Et que j'y vois surgir ses feux sur les coteaux,
Comme de blanches nefs de l'horizon des eaux;
Rassasié de paix, de silence et d'extase,
Le limon de mon cœur descend au fond du vase;
J'entends chanter en moi les brises d'autrefois,
Et je me sens tenté d'essayer si mes doigts

Pourront, donnant au rhythme une âme cadencée,
Tendre cet arc sonore où vibrait ma pensée.
S'ils ne le peuvent plus, que ces vers oubliés
Aillent au moins frémir et tomber à tes pieds!

Enfant aux blonds cheveux, jeune homme au cœur de cire,
Dont la lèvre a le pli des larmes ou du rire,
Selon que la beauté qui règne sur tes yeux
Eut un regard hier sévère ou gracieux;
Poétique jouet de molle poésie,
Qui prends pour passion ta vague fantaisie,
Bulle d'air coloré dans une bulle d'eau
Que l'enfant fait jaillir du bout d'un chalumeau,
Que la beauté rieuse avec sa folle haleine
Élève vers le ciel, y suspend, y promène,
Pour y voir un moment son image flotter,
Et qui, lorsqu'en vapeur elle vient d'éclater,
Ne sait pas si cette eau, dont elle est arrosée,
Est le sang de ton cœur ou l'eau de la rosée;
Émule de Byron, au sourire moqueur,
D'où vient ce cri plaintif arraché de ton cœur?
Quelle main, de ton luth en parcourant la gamme,
A changé tout à coup la clef de ta jeune âme,
Et fait rendre à l'esprit le son du cœur humain?
Est-ce qu'un pli de rose aurait froissé ta main?
Est-ce que ce poignard d'Alep ou de Grenade,
Poétique hochet des douleurs de parade,
Dont la lame au soleil ruisselle comme l'eau,
En effleurant ton sein t'aurait percé la peau.
Et, distillant ton sang de sa pointe rougie,
Mêlé la pourpre humaine au nectar de l'orgie?
Ou n'est-ce pas plutôt que cet ennui profond
Que contient chaque coupe et qu'on savoure au fond
Des ivresses du cœur, amère et fade lie,
Fit détourner ta lèvre avec mélancolie. . . .

J'en étais là, quand le son de la corne du pâtre qui rassemble les vaches pour les ramener à l'étable se fit entendre dans la prairie au bas des chênes, et me rappela moi-même au foyer où j'étais attendu. Je jetai ces vers ébauchés dans un tiroir de ma table pour les achever le lendemain; mais il n'y eut point de lendemain; un événement politique inattendu me rappela soudainement à Paris; le courant des affaires et des discussions de tribune emporta ces pensées avec mille autres; les beaux vers d'Alfred de Musset restèrent sans réponse et s'effacèrent de ma mémoire. Ce ne fut que cinq ou six ans après que, rouvrant par hasard à Saint-Point un tiroir longtemps fermé, je relus ce commencement de réponse, et que, me repentant de mon impolitesse involontaire, je résolus de la compléter; mais il y avait apparemment ce qu'on appelle un guignon entre Musset et moi, car un nouvel incident m'arracha encore la plume de la main, et dans mon impatience d'être ainsi interrompu, je me hâtai de coudre à ce commencement un mauvais lambeau de fin, sans qu'il y eût ni milieu, ni corps, ni âme à ces vers: aussi restèrent-ils ce qu'ils sont dans mes œuvres, aussi médiocres et aussi indignes de lui que de moi-même. Je rougis en les relisant de les avoir laissé publier.

XVII

Je me souviens parfaitement aujourd'hui de l'air poétique et tendre que je me proposais de chanter à demi-voix dans cette réponse à Alfred de Musset. Mon intention était de lui montrer, par mon propre exemple, la supériorité, même en jouissance, de l'amour spiritualiste sur l'amour sensuel.

Et moi aussi, voulais-je lui dire, j'ai aimé à l'âge de l'amour, et moi aussi j'ai cherché, dans l'enthousiasme qu'allume la beauté, l'étincelle qui allume tous les autres enthousiasmes de l'âme. Cet amour, bien qu'il aspire à la possession de la Béatrice visible à laquelle on a voué un culte pur, n'a pas besoin pour être heureux de ces plaisirs doux et amers dans lesquels tu cherchas jusqu'ici la sensualité plutôt que l'immortelle volupté des *Pétrarques*, des *Tasses*, des *Dantes*, seule aspiration digne de celui qui a une âme à satisfaire dans le plus divin sentiment de sa nature. Je lui racontais ici deux circonstances de ma vie, circonstances bien dégagées de toute sensualité et dans lesquelles cependant j'avais goûté plus de saveur du véritable amour que, ni lui, ni moi, nous ne pourrions en goûter jamais dans les possessions et dans les jouissances où il plaçait si faussement sa félicité de voluptueux.

Dans l'une de ces circonstances, je me rappelais trois longs mois d'hiver passés à Paris dans la première fleur de mes années. J'aimais avec la pure ferveur de l'innocence passionnée une personne angélique d'âme et de forme, qui me semblait descendue du ciel pour m'y faire lever à jamais les yeux quand elle y remonterait avant moi. Sa vie, atteinte par une maladie qui ne pardonne pas aux êtres trop parfaits pour respirer l'air de la terre, n'était qu'un souffle; son beau visage n'était qu'un tissu pâle et transparent que le premier coup d'aile de la mort allait déchirer comme le vent d'automne déchire ces fils lumineux qu'on appelle les fils de la Vierge. Sa famille habitait une sombre maison du bord de la Seine, dont l'ombre se réfléchissait au clair de lune dans le courant du fleuve. Les convenances m'empêchaient d'y être admis aussi souvent que mon cœur m'y portait et que le sien m'y appelait par son affection avouée de sœur. Pendant ces trois mois de la saison la plus rigoureuse, je ne manquai pas une seule soirée de sortir de ma chambre très-éloignée de là, à la nuit tombante, et d'aller me placer en contemplation, le front sous les frimas, les pieds dans la neige, sur le quai de la rive droite, en face de la noire maison où battait mon cœur plus qu'il ne battait dans ma poitrine.

La rivière large et trouble d'hiver roulait entre nous; j'entendais pour tout bruit gronder les flots de la Seine ou tinter les réverbères des deux quais aux rafales des nuits. Une petite lueur de lampe nocturne qui filtrait entre deux volets entr'ouverts m'indiquait seule la place où mon âme cherchait son étoile. Cette petite étoile de ma vie, je la confondais dans ma pensée avec une véritable étoile du firmament; je passais des heures délicieuses à la regarder poindre et scintiller dans les ténèbres, et ces heures, cruelles sans doute pour mes sens, étaient si enivrantes pour mon âme, qu'aucune des heures sensuelles de ma vie ne m'a jamais fait éprouver des félicités de présence comparables à ces félicités de la privation. Voilà, disais-je à Musset, les bonheurs de l'âme qui aime; préfère-leur, si tu l'oses, les bonheurs des sens qui jouissent!

Cette belle personne, poursuivais-je, mourut au printemps; je n'étais pas à Paris; j'y revins deux ans après, je parvins avec bien de la peine à me faire indiquer sa tombe sans nom dans un cimetière de village loin de Paris. J'allais seul à pied, inconnu au pays, m'agenouiller sur le gazon qui avait eu le temps déjà d'épaissir et de verdir sur sa dépouille mortelle. L'église était isolée sur un tertre au-dessus du hameau, le prêtre était absent, le sonneur de cloches était dans ses champs, les villageois fanaient leur foin dans les prairies: il n'y avait dans le cimetière que des chevreaux qui paissaient les ronces et des pigeons bleus qui roucoulaient au soleil comme des âmes découplées par la mort. J'étendis mes bras en croix sur le gazon, pleurant, appelant, rêvant, priant, invoquant, dans le sentiment d'une union surnaturelle qui ne laissait plus à mon âme la crainte de la séparation ou la douleur de l'absence. L'éternité me semblait avoir commencé pour nous deux, et quoique mes yeux fussent en larmes, la plénitude de mon amour, désormais éternel comme son repos, était tellement sensible en moi pendant cette demi-journée de prosternation sur une tombe qu'aucune heure de mon existence n'a coulé dans plus d'extase et dans plus de piété.

Voilà, lui disais-je, encore une fois ce que c'est que l'amour de l'âme en comparaison de tes amours des yeux; celui-là trouve plus de véritables délices sur un cercueil qui ne se rouvrira pas, que tes amours à toi n'en trouvent sur les roses et sur les myrtes d'Horace, d'Anacréon ou d'Hafiz.

XVIII

Mais je ne lui dis rien, en effet, de ce que je voulais ainsi lui dire dans mes vers; Musset mourut lui-même avant qu'un seul mot de moi à lui ou de lui à moi eût expliqué ce malentendu du hasard entre nous.

Le dirai-je? Ce n'est que depuis sa mort prématurée, ce n'est qu'en ce moment où j'écris, que j'ai ouvert ses volumes fermés pour moi et que j'ai lu enfin ses poésies. Ah! combien, en les lisant, ai-je accusé le sort qui m'a privé d'apprécier et d'aimer, pendant qu'il respirait, un homme pour lequel je me sens tant d'analogie, tant d'attrait, et, oserai-je le dire? tant de tendresse après sa mort! Oh! que ne l'ai-je connu plus tôt! Je me fais de cruels reproches à moi-même quand je me dis: il n'y a pas deux mois que j'ai coudoyé ce beau et triste jeune homme en entrant ensemble dans un lieu public; il n'y a pas deux mois que je me suis assis silencieux et froid à côté de lui dans une foule. Je l'ai regardé, il m'a regardé, et nous ne nous sommes rien dit, comme si nous étions deux étrangers parlant des langues diverses et n'ayant de commun que l'air qu'ils respirent.

Ô Musset! pardonne-moi du sein de ton Élysée actuel! Je ne t'avais pas lu alors. Ah! si je t'avais lu, je t'aurais adressé la parole, je t'aurais touché la main, je t'aurais demandé ton amitié, je me serais attaché à toi par cette chaîne sympathique qui relie entre elles les sensibilités isolées et maladives pour lesquelles la température d'ici-bas est trop froide, et qui ne peuvent vivre que de l'air tiède de l'idéal de la poésie et de l'amour, cette poésie du cœur! Les juvénilités de ta vie et de tes vers, les gracieuses mollesses de ta nature ne m'auraient pas écarté de toi, au contraire; il y a des faiblesses qui sont un attrait de plus, parce qu'elles mêlent quelque chose de tendre, de compatissant et d'indulgent à l'amitié, et qu'elles semblent inviter notre main à soutenir ce qui chancelle et à relever ce qui tombe. Je t'aurais compris, et je t'aurais compati à toi vivant, comme je te comprends et comme je te compatis dans la tombe. Et qu'as-tu donc fait de ta jeunesse et de ton talent, que nous n'ayons plus ou moins fait nous-même, quand nous commencions à trébucher comme des enfants sans lisière sur tous les achoppements de la jeunesse, de la beauté, de la sensibilité et du génie?

Tu t'es laissé prendre par les yeux aux apparences séduisantes du plaisir, au lieu de rechercher les saintes fidélités du sentiment; qui est-ce qui en a souffert, si ce n'est ton cœur? Il a poursuivi des feux follets dans la nuit putride des lagunes de Paris, au lieu de suivre dans le ciel l'étoile immortelle d'une *Laure* ou d'une *Béatrice* digne de toi. Et nous donc, si nous avons été plus heureux, avons-nous donc été plus sage?

Tu as chanté sur une guitare italienne ou espagnole les tarentelles enivrantes des nuits de Séville ou de Naples, au lieu de rejeter cet instrument aviné des orgies nocturnes, de saisir l'instrument sacré de Pétrarque, et de confondre, dans des hymnes rivaux des siens, les deux notes du cœur humain qui s'immortalisent l'une par l'autre, l'amour et la piété. Et nous donc, n'avons-nous pas brûlé au feu qui purifie tout deux volumes de poésies juvéniles que des amis mûrs et sévères nous conseillèrent d'anéantir, pour ne pas jeter derrière nous, sur la route de la vie, de ces pierres de scandale qu'on retrouve avec honte au retour, et qui font rougir le front sous ses rides. Que t'a-t-il manqué? un ami, pour t'arracher aussi d'une main impitoyable quelques pages qui sont du talent, mais qui ne sont pas de la gloire?

Tu as été trop indifférent aux causes publiques de ta patrie et du monde, et le choc des verres t'a empêché d'entendre le choc des idées, des opinions, des partis, qui germaient, combattaient, mouraient pour la cause du bonheur ou du progrès du peuple?—Hélas! puisque tu n'avais pas la foi politique, qui pourrait t'accuser de n'avoir pas eu le zèle? Et ce zèle qui nous a dévoré, nous, et qui nous dévore encore, à quoi, grand Dieu! nous a-t-il servi? et à quoi a-t-il servi à nos frères? Regarde d'en haut ce bas monde: qu'y a-t-il de changé ici que des noms?

Tu fus sceptique avant l'expérience, voilà tout ton crime! Ce scepticisme te porta à te détourner de la mêlée, comme tu t'étais, au premier déboire, détourné de l'amour; tu cherchas dans ta tristesse à savourer la vie sans la sentir, et à goûter dans un opium assoupissant les sommeils et les rêves d'un autre Orient?—Et nous donc, n'avons-nous pas cherché de même l'oubli de la terre dans les platonismes calmants des philosophies spiritualistes, et dans l'*opium* divin des espérances infinies, qui donnent, dès ici-bas, les songes éternels?

Enfin, tu as changé de temps en temps de corde et de note sur ton instrument de joie, tu lui as fait rendre, au soir de tes années assombries, des accents inattendus d'inspiration, de douleur, de piété, de pathétique, d'enthousiasme pour la nature, d'invocation à son auteur, qui ont fait frémir à l'unisson d'abord, puis taire d'admiration ensuite nos propres lyres étonnées que les musiciens du temple fussent tout à coup surpassés par un ménétrier du plaisir!

Puis, tu t'es endormi avec tes refrains moitié sacrés, moitié profanes sur les lèvres, et nous t'accuserions?—Non, je n'aurais eu le droit de t'accuser de rien dont je ne sois moi-même coupable; mais j'aurais eu le droit de t'aimer, de te consoler, de te dire d'avance le goût de tes larmes, d'entendre le premier les confidences de tes chants, et, puisque tu devais mourir avant moi, d'en recueillir peut-être pieusement le difficile héritage, afin d'augmenter ta gloire en diminuant tes œuvres de tes fautes!

Oui, si j'étais ton frère de sang, aussi bien que je me sens ton frère de cœur, je voudrais anéantir d'abord toutes tes juvénilités en prose, idylles de mansardes, pastorales de tabagies où la finesse et la grâce du style ne rachètent pas même la monotone trivialité du sujet commençant toujours par une orgie pour finir par un suicide. J'arracherais ensuite avec douleur, mais avec une douleur sans pitié, la moitié des pages de tes deux volumes en vers! Je ne ferais grâce qu'aux divins fragments enchâssés çà et là dans tes poëmes comme des tronçons de statues de marbre de Paros dans la muraille d'une taverne de Chio. J'encadrerais dans le vélin le plus pur et dans l'or *tes Nuits*, incomparables rivales de celles d'*Hervey*, de *Novalis*, de *Young*, et je composerais avec le tout deux petits volumes que j'intitulerais *Sourires* et *Soupirs*; l'un les plus frais sourires de la jeunesse, l'autre les plus pathétiques soupirs de l'humanité. Ce serait mon hommage et ton épitaphe, ô poëte endormi dans nos larmes!

Lamartine.

P. S. Après ces deux entretiens, purement épisodiques, nous allons reprendre l'examen critique et philosophique du Dante.

XXe ENTRETIEN.

8e de la deuxième Année.

DEUXIÈME PARTIE.
DANTE.

I

Lisons maintenant ensemble *la Divine Comédie* dans l'ordre où Dante écrivit ce poëme: l'Enfer, le Purgatoire, le Paradis.

Si nous voulions le lire en vers, nous n'aurions que le choix entre les traductions de M. Antony Deschamps, esprit dantesque de notre âge; celle de M. Mongis, étude épique devant laquelle aucune obscurité n'a pu subsister dans le texte, et celle de M. Ratisbonne, achevée en ce moment. Si nous voulions le lire en prose, nous ouvririons la traduction à peine éditée de M. Ménard, dont la renommée se répand tout à coup dans la littérature savante.

Mais, d'abord, est-ce bien là un poëme épique? Examinons:

Qu'est-ce qu'un poëme épique? C'est un récit chanté.

Un récit suppose un fait. Où est le fait dans le poëme de Dante? Il n'y a là d'autre fait que le songe d'un homme éveillé, qui est enlevé au monde réel par sa vision et qui se transporte imaginairement dans les mondes surnaturels: voyage à travers l'infini.

Sous ce premier rapport, il n'y a donc point là de poëme véritablement épique.

En second lieu, un poëme épique suppose un héros, un dieu, un personnage quelconque, historique ou fabuleux, accomplissant le fait chanté par le poëte.

Ici il n'y a point de héros, point de personnage historique ou fabuleux accomplissant le fait épique; il y en a mille, groupés dans ces visions, sans fil qui les relie entre elles: les trois personnes de la Trinité, le Père, le Fils, l'Esprit-Saint, la Vierge, les saints, les anges, les divinités de l'Olympe, celles des enfers païens, les habitants de l'empyrée chrétien mêlés aux figures fabuleuses de l'empyrée antique. Ces personnages ne concourent à aucune action une ou collective; ils passent, comme une revue de fantômes, devant les yeux du poëte et du lecteur; c'est la procession des ombres dans la nuit des temps; c'est comme la *Danse des Morts* des peintres allemands du moyen âge. Cette foule n'agit pas; elle s'écoule, semblable à une cataracte de l'humanité, dans les abîmes. Cela n'attache pas; cela éblouit. Le vertige du poëte donne le vertige au lecteur.

En troisième lieu, un poëme épique suppose un récit continu, un commencement, un milieu, une fin, récit inspirant, par ses péripéties, un intérêt épique ou dramatique à celui qui lit ou qui écoute. Telles sont les grands poëmes épiques de l'Inde, de la Perse, de la Grèce, de Rome, de l'Europe moderne même. Les poëtes indiens chantent les aventures humaines ou divines de Rama ou de Chrisna; Ferdousi, celles de Rustem et des héros de la Perse; Homère, celles d'Achille; Virgile, celles d'Énée; le Tasse, celles des croisés; Milton, celles du premier homme et de la première femme; Klopstock, celles du Christ, revêtant la forme humaine pour subir la mort en satisfaction des crimes de la terre. Dans tous ces poëmes, la grande loi littéraire de l'unité de sujet, qui est en même temps la condition absolue de l'intérêt, est rigoureusement observée.

Dans *la Divine Comédie*, au contraire, il n'y a, comme on voit, ni unité de personnages, ni unité d'action; c'est une succession d'épisodes sans rapport les uns avec les autres, où l'intérêt se noue et se brise à chaque nouvelle apparition de personnages devant l'esprit, et où cet intérêt, sans cesse noué, sans cesse brisé, finit par se perdre dans la multiplicité même de personnages, et par donner au lecteur l'éblouissement d'une foule.

Sous ces trois rapports donc on ne peut donner légitimement à cette œuvre le nom de poëme épique. Qu'on l'appelle poëme métaphysique, poëme platonique, poëme théologique, poëme scolastique, poëme politique, ce sont ses vrais noms. Ce n'est pas l'épopée, c'est l'école. Le véritable héros, s'il y en avait un, ce serait saint Thomas d'Aquin, car ce sont ses pensées que chante le poëte.

Mais quel poëte divin! Nous allons vous l'exposer, non par l'ensemble: il n'en a pas, mais par tronçons. Il n'y en a point de plus gigantesques, de plus frustes, et cependant de plus beaux, dans aucune langue, depuis le *sanscrit*, la langue des révélations surnaturelles de l'Inde.

Les chants sont tronqués comme le sujet. La plupart n'ont que cent à deux cents vers, l'espace d'une rapide vision. Je vais les feuilleter pour vous.

II

Le premier chant de *l'Enfer* commence par une allégorie et une allusion. «Au milieu de la route de la vie,» chante le poëte dans le premier tercet (strophe de trois vers), «ayant perdu le droit chemin, je me trouvai égaré dans une obscure forêt.» Ézéchias avait dit avant lui: «Au milieu de ma vie j'irai aux portes des enfers!»

«Comment j'y pénétrai,» continue le poëte, «je ne saurais le dire, tant j'étais plein de sommeil quand je perdis la vraie voie!» Le soleil, qu'il aperçoit réverbéré sur les épaules d'une haute colline, le rassure un peu; il regarde avec moins d'effroi on ne sait quel passage étroit et terrible qui est sans doute la mort: il ne le dit pas; le sens est inintelligible; puis, sans dire s'il a franchi ou non ce passage, il commence à gravir la colline. Une panthère au poil tacheté (personnification de l'amour des sens) lui barre la route. Ici cinq ou six vers resplendissants de la douce sérénité du premier matin qui éclaira le premier homme quand le soleil monta escorté des étoiles qui l'accompagnèrent, grâce au mouvement imprimé par l'amour divin à ces beaux luminaires. Il se livrait à la douce impression de cette lumière matinale quand une seconde apparition de bête féroce, un lion, symbole de la violence, l'épouvante. Puis vient une louve maigre (symbole de l'inextinguible avidité de la Rome papale). La louve le fait reculer on ne sait où (allusion à son exil provoqué par le pape).

Ici l'obscurité redouble. «Pendant,» dit-il, «que je glissais dans un enfoncement du sol» (allusion sans doute à ses adversités), «s'offrit à mes yeux CELUI QUI PAR UN LONG SILENCE PARAISSAIT AVOIR PERDU L'USAGE DE LA PAROLE.» Cela désigne Virgile, par allusion à la longue ignorance de ces siècles qui avaient oublié la langue latine. Dante l'apostrophe et l'implore. Virgile lui répond et lui révèle son nom par ses œuvres. Virgile, touché des louanges filiales du poëte toscan, le remet dans le droit chemin, en lui faisant éviter une foule d'autres bêtes féroces qui s'accouplent avec la louve (ténébreuses allusions à Rome et à ses alliés). Virgile lui propose d'être son guide dans une des demeures de l'éternité, *loco eterno*. «Quand tu auras entendu ses hurlements désespérés et traversé ensuite le séjour où ceux qui brûlent sont encore heureux parce qu'ils espèrent,» lui dit-il, «une âme plus digne que moi d'entrer dans le ciel te guidera, parce que le Dieu qui gouverne là-haut ne veut pas que je pénètre dans son empire.»

Dante le remercie de vouloir bien le conduire à la porte de saint Pierre (allusion au paradis ouvert ou fermé, selon les croyances catholiques, par cet apôtre), et il suit son guide.

Tel est ce premier chant, qui laisse l'esprit dans le demi-jour des allusions. On marche à tâtons à la suite de ces deux poëtes, sans savoir si c'est dans la réalité ou dans la vision, dans le siècle ou dans l'éternité, qu'on avance.

III

«Le jour se retirait,» chante le poëte au commencement du second chant, «et l'air rembruni enlevait au sentiment de leur peine tous les êtres animés qui sont sur la terre, quand, seul éveillé, je me préparais à soutenir la double épreuve de la lassitude et de la compassion, épreuves que va retracer ma mémoire, qui ne défaillit jamais!»

Puis une invocation païenne à la *muse* ou à l'intelligence, puis une apostrophe nouvelle à Virgile, son guide. «Pour venir ici, je ne suis ni Énée, ni Paul,» lui dit-il.—«Pourquoi trembles-tu?» reprend Virgile. Alors le Romain raconte, en vers pathétiques, au Dante comment il fut appelé à son aide par une femme céleste, dans laquelle on entrevoit soudain Béatrice. «J'étais,» lui dit-il, «parmi ceux qui sont en suspens (entre l'enfer et le ciel), quand je fus appelé par une femme si entourée de béatitude et de beauté qu'à l'instant je la priai de m'imposer ses désirs.

«Ses yeux brillaient plus que l'étoile. Et, avec une physionomie de charme et de paix, et d'une voix d'ange, elle me dit dans sa langue d'en haut:

«Ô âme compatissante de Mantoue! dont la renommée dure encore dans ce bas monde et durera autant que ce monde lui-même;

«L'ami de mon cœur, et non de ma fortune, est là sur la plage déserte, tellement embarrassé de trouver sa voie que l'effroi lui fait rebrousser son chemin!

«Et je tremble de m'être élancée trop tard pour le secourir, en apprenant sur lui ce que j'en ai entendu dans le ciel, tant il est déjà enfoncé dans son égarement!

«Va donc! et, avec ta parole suave et avec tout ce qui est nécessaire à son salut, aide-le dans sa route, afin que j'en sois réjouie ici!

«Moi, qui t'en conjure, je suis Béatrice! Je viens d'un séjour où le désir me rappelle. L'amour qui m'attendrit me fait parler!

«Quand je retournerai en présence du Seigneur mon Dieu, je me louerai de toi devant lui!»

Alors s'engage entre Virgile et Béatrice une conversation métaphysique où la scolastique tient plus de place que l'amour, et où une certaine *Lucia*, vierge et martyre, personnifie, à ce qu'on croit, la grâce divine, et sollicite Béatrice à voler au secours de son premier amour.

Dante reprend courage à l'aspect et aux paroles de Béatrice, écarte la bête qui obstrue son chemin, remercie Virgile et se trouve aux portes de l'enfer.

IV

Le troisième chant s'ouvre par cette magnifique inscription devenue le proverbe du désespoir; Dante la lit en lettres noires sur la porte:

«C'est par moi qu'on va dans la cité des larmes; c'est par moi qu'on va dans l'éternité de douleur; c'est par moi qu'on va chez la race condamnée!

«Vous qui entrez, laissez à jamais toute espérance!»

Le bruit confus et strident des sanglots, des imprécations, des coups portés et reçus dans l'ombre, jette le poëte dans la stupeur. Il interroge son guide. «Ce sont, lui dit Virgile, les âmes médiocres et lâches qui vécurent sans mériter ni louange ni blâme. Ne parle pas d'elles, mais regarde seulement, et passe!»

Les supplices de ces misérables, *qui ne vécurent jamais*, étaient d'être piqués par des taons et des mouches faisant dégoutter de leur visage des larmes rougies de sang qui abreuvaient des vers immondes à leurs pieds!

L'*Achéron*, fleuve des ombres, et *Caron*, leur nautonier, apparaissent, on ne sait pourquoi, dans l'enfer chrétien. Caron frappe de sa rame des troupeaux d'âmes.

La descente dans les ténèbres commence au quatrième chant. Là sont les âmes qui vécurent avant le christianisme et qui vivent maintenant dans le supplice du *désir sans espoir.*

«Une grande tristesse me saisit le cœur à cet aspect, dit le Dante, car je reconnus là en suspens des âmes d'une grande nature et d'une haute vertu!»

Virgile, l'une d'entre ces âmes, est reconnu par ses pareils GLOIRE AU SOUVERAIN POËTE! ONORATE L'ALTISSIMO POETA! s'écrie cette foule. *Homère*, *Horace le Satirique*, *Ovide* et *Lucain* l'accueillent et accueillent Dante avec lui. «En sorte,» dit-il, «que je fus le sixième parmi ces grands esprits.» Puis la confusion de l'imagination du poëte jette la confusion dans ses tableaux. Électre, Énée, Hector, César *aux yeux d'oiseau de proie*, Penthésilée, Lavinie, le premier Brutus, Lucrèce, Saladin, Aristote, Socrate, Platon et cent autres ombres apparaissent et disparaissent sans intérêt pour le drame.

Minos, qui personnifie la justice divine, juge et châtie au cinquième chant les âmes coupables d'avoir cédé aux passions sensuelles. Toutes les femmes célèbres par leurs faiblesses criminelles sont là; elles ne semblent y être que pour servir de cadre au plus délicieux et au plus pathétique épisode du poëme: *Françoise de Rimini.*

V

Ici ce n'est plus le poëte scolastique, c'est l'amant qui parle; il se souvient de son propre amour, et reconnaît que la séparation est le véritable enfer de ceux qui aiment.

Cette histoire était récente quand Dante y fit cette immortelle allusion. *Françoise de Rimini*, une des beautés les plus touchantes de l'Italie à l'époque où écrivait le Dante, était fille du seigneur de Ravenne. *Guido di Polenta*, son père, l'avait forcée à épouser *Lanciotto*, fils aîné du tyran de Rimini, *Malatesta.* Lanciotto, disgracié de la nature, était d'une laideur repoussante, difforme, boiteux, avare et féroce. Son frère, Paolo Malatesta, était, par sa jeunesse, par sa beauté et par son caractère, le contraste le plus dangereux pour le cœur de Francesca. Il plaignit sa belle-sœur, il l'aima, il en fut aimé. Surpris ensemble par l'époux soupçonneux, Lanciotto perça du même coup d'épée les deux amants. Ce drame avait rempli l'Italie de bruit, de pitié, de larmes. Dante ne pouvait manquer de retrouver dans l'autre monde ceux dont la triste aventure l'avait si fortement ému dans celui-ci.

VI

Écoutons le poëte.

Il décrit d'abord, en vers qui frissonnent, l'ouragan glacé par lequel sont éternellement fouettées et entraînées dans un océan tumultueux de frimas les ombres dont le feu de l'amour ici-bas consuma les sens et les âmes. Le Dante est ému et attendri; la pitié lui fait oublier le crime. Il se souvient d'avoir aimé, il aime encore.

«Ô poëte!» dit-il à son guide Virgile, «je serais curieux d'adresser la parole à ces deux âmes qui semblent inséparables et qui cèdent si légèrement à l'haleine du même vent qui les emporte à travers l'espace!» Et le poëte à moi: «Observe,» me répondit-il, «le moment où elles vont passer le plus près de toi, et alors prie-les au nom de cet amour qui les entraîne encore réunies l'une à l'autre; elles ne résisteront pas à un tel appel, elles viendront à toi!»

«Et aussitôt que le vent qui les chassait les eut rapprochées de moi: «Ô âmes en peine!» leur criai-je, «daignez venir nous parler, si cela vous est permis par le souverain maître de ce séjour!»

«Telles que deux colombes, attirées par le désir, fendent l'air qui porte leur vol, et viennent, les ailes ouvertes et sans mouvement, s'abattre ensemble sur le doux nid de leur amour, telles elles s'élancèrent du groupe des femmes punies pour avoir trop aimé; et ces deux âmes volèrent à moi à travers la tourmente, tant elles avaient senti de compassion et de tendresse pour elles dans l'accent du cri que j'avais jeté en les appelant!

«Ô douce et affectueuse créature!» me dirent-elles, «qui parcours ainsi cet air réprouvé et qui viens nous visiter dans notre supplice, nous qui avons teint le monde où tu vis de notre sang;

«S'il nous était permis d'invoquer pour un autre le maître de l'univers, qui nous afflige et nous punit, nous lui demanderions de te combler de sa paix, toi qui ressens une si tendre pitié pour nos peines sans remède!

«De ce que tu sembles désirer entendre nous sommes prêtes à parler avec toi, pendant que ce vent, un moment immobile, fait silence autour de nous comme à présent.

«La terre où je vis le jour,» dit alors Francesca, «s'étend sur la pente marine où l'Éridan, fatigué du tumulte des eaux qu'il roule, se perd dans la mer pour y trouver enfin le repos.

«L'amour, qui s'allume rapidement dans un cœur sensible et tendre, s'alluma dans le cœur de *celui-ci* pour le corps que j'avais alors, et qui me fut ravi par une mort dont l'horreur irrite encore ma mémoire.

«Ce même amour, qui ne permet à aucun être aimé de ne pas aimer à son tour, m'attira vers *celui-ci* d'un si invincible attrait que, comme tu le vois, cet attrait ne me laisse pas me séparer de lui, même dans ces tourments.

«Cet amour nous conduisit à une même mort. Le séjour de Caïn, premier meurtrier de son frère, attend ici celui qui nous arracha à tous deux du même coup la vie.»

«Telles furent les paroles qui arrivèrent jusqu'à nous.

«À la voix de ces âmes blessées, je baissai de pitié la tête et je tins mon visage incliné vers le sol. À la fin mon guide me dit: «À quoi penses-tu?»

«Quand je pus recouvrer la parole: «Hélas!» lui répondis-je, «combien de douces rêveries, combien d'ardents désirs ont dû mener ces deux âmes à leur dernier pas de douleur!»

«Ensuite je me tournai de leur côté et je leur parlai, et je commençai ainsi: «Ô Francesca! l'image des peines qui font couler tes larmes me remplit de mélancolie et d'attendrissement sur toi.

«Mais, dis-moi: au temps de tes doux soupirs, à quoi l'amour vous accorda-t-il de reconnaître que vous vous aimiez? Comment vous contraignit-il à vous avouer l'un à l'autre le mystère encore douteux de vos désirs?»

«Et elle à moi: «Il n'y a pas,» soupira-t-elle, de plus grande douleur pour l'âme que de se retracer, dans le jour de son désespoir, les jours de sa félicité. Ton maître, qui est là avec toi, le sait, lui!

«Mais, puisque tu as un si violent désir de connaître jusqu'à sa première racine l'amour qui nous perdit, je parlerai comme celui qui parle en pleurant.

«Nous lisions un jour par entraînement comment l'amour étreignit le cœur de Lancelot. Nous étions seuls et sans aucune défiance de nous-mêmes.

«À plusieurs pages cette lecture nous éclipsa le jour dans les yeux et nous décolora d'un frisson le visage; mais une seule image fut celle qui nous fit succomber et qui nous perdit.

«Quand nous lûmes que le sourire entr'ouvert sur les lèvres de l'amante avait été dérobé ainsi par le plus tendre des amants, alors celui qui ne sera jamais désuni de moi pendant l'éternité imprima tout tremblant un baiser sur ma bouche. Le livre et l'auteur qui l'écrivit furent les seuls complices de notre faute. Ce jour-là nous n'en lûmes pas davantage.»

«Pendant que l'une de ces âmes parlait ainsi, l'autre âme pleurait avec de tels sanglots que je m'évanouis de pitié, comme si j'allais mourir, et je tombai à terre comme un corps mort tombe!»

Nous nous servons, pour la traduction de cette élégie tragique, du travail de M. Artaud, retouché et modifié par notre propre travail.

VII

Sapho, dans sa strophe de feu, n'a rien de plus incendiaire que ces deux amants seuls avec ce livre complice qui interprète leur silence, que ce baiser involontaire qui les égare, et enfin que ce supplice changé en félicité amère par le souvenir de leur séparation sur la terre et par le sentiment de leur indivisibilité dans le châtiment. Si le Dante avait beaucoup de pages comme celle de Francesca, il surpasserait son maître *Virgile* et son compatriote *Pétrarque*. On voit, à sa tendre curiosité sur les secrets de cet amour, combien il avait aimé lui-même *Béatrice*, et combien il aimait encore cette image au delà de la vie. Peu de pages de poésie égalent en sublime et mélancolique beauté ces quelques vers. Le tableau est étroit, la peinture est sobre de couleurs, et l'impression est éternelle. Je me demande: Pourquoi cela est-il si beau?

C'est que l'émotion, par tout ce qui constitue le beau dans l'expression, y est complète et pour ainsi dire infinie: la jeunesse, la beauté, la naïve innocence de deux amants qui ne se défient ni d'eux-mêmes ni des autres; leurs deux fronts penchés sur le même livre, qui, semblable à un miroir à peine terni par leur haleine confondue, leur retrace et leur révèle tout à coup leur propre image, et les précipite, par la fatale répercussion du livre contre leur cœur et du cœur contre le cœur, dans le même délire et dans la même faute. Ravissante églogue qui commence comme *Daphnis et Chloé.*

Le tyran qui les épie à leur insu, et qui, les perçant à la fois du même glaive, confond dans un même ruisseau leur sang sur la terre et dans un même soupir leur première et leur dernière respiration d'amour;

Le ciel qui les châtie avec une sévérité morale, mais avec un reste de divine compassion, dans un autre monde, et qui leur laisse au moins, à travers leur expiation rigoureuse, l'éternelle consolation de ne faire qu'un dans la douleur, comme ils n'ont fait qu'un dans la faute;

La pitié du poëte ému qui les interroge et qui les envie (on le reconnaît à son accent) tout en les plaignant;

Le principal coupable, l'amant, qui se tait, qui sanglote de honte et de douleur d'avoir causé la mort et la damnation de celle qu'il a perdue par trop d'amour; la femme qui répond et qui raconte seule pour tous les deux, en prenant tout sur elle, par cette supériorité d'amour et de dévouement qui est l'héroïsme de la femme dans la passion;

Le récit lui-même, qui est simple, court, naïf comme la confession de deux enfants;

Le cri de vengeance qui éclate à la fin de ce cœur d'amante contre ce Caïn qui a frappé dans ses bras celui qu'elle aime;

Cette tendre délicatesse de sentiment avec laquelle Francesca s'abstient de prononcer directement le nom de son amant, de peur de le faire rougir devant ces deux étrangers, ou de peur que ce nom trop cher ne fasse éclater en sanglots son propre cœur à elle si elle le prononce, disant toujours *lui*, *celui-ci*, *celui* dont mon âme ne sera jamais «désunie»;

Enfin la nature du supplice lui-même, qui emporte dans un tourbillon glacé de vent les deux coupables, mais qui les emporte encore enlacés dans les bras l'un de l'autre, se faisant l'amère et éternelle confidence de leur repentir, buvant leurs larmes, mais y retrouvant au fond quelque arrière-goutte de leur joie ici-bas, flottant dans le froid et dans les ténèbres, mais se complaisant encore à parler de leur passé, et laissant le lecteur indécis si un tel enfer ne vaut pas le ciel...

Quoi de plus dans un récit d'amour? La poésie ou l'émotion par le beau, n'est-elle pas produite ici par le poëte en quelques vers plus complétement que par tout un poëme? Aussi c'est pour ces soixante vers surtout que le poëme a survécu. Le poëte de la théologie est mort, celui de l'amour est immortel.

VIII

Au sixième chant, nous retombons à froid dans les supplices de la pluie éternelle et glaciale où les noyés sont, pour comble d'ennui, poursuivis et mordus par le chien Cerbère. Le poëte y lance quelques imprécations, aujourd'hui aussi froides que ce marais du Styx, contre Florence et contre ses ennemis politiques, papes, cardinaux, magistrats souillés de différents vices, et contre les hérésiarques.

Les chants suivants sont pleins de définitions des sciences, des vertus, des orthodoxies de l'école. Ce sont des thèses en vers d'une philosophie ténébreuse. Tout cela est parsemé de vers qui grincent et qui hurlent comme des cloches d'airain dans les tours des cathédrales gothiques. Les centaures, les Harpies, les lacs de bitume d'où s'élèvent en mugissant de douleur des bustes à demi consumés, des âmes liées à des arbres morts, des chiennes affamées poursuivant des esprits en fuite, des damnés transformés en buisson, des pluies de feu sur des déserts de sable et qui l'allument comme l'*amadou* le *briquet*, tous les héros de la Fable confondus avec ceux de l'histoire et du temps, des rencontres inattendues du poëte avec les âmes de ses contemporains morts avant lui, et des signalements grotesques, tels que celui de *Brunetto Latini*, premier maître de Dante:

«Ces âmes clignaient les yeux en nous regardant, comme le vieux tailleur regarde le trou de l'aiguille;»

Des vers sublimes, tels que celui-ci du disciple au maître en le rencontrant:

«Tu m'enseignais là-haut comment l'homme s'éternise!»

Des voyages souterrains sur le dos d'une bête amphibie, en croupe derrière Virgile; des nuées d'allusions, d'images, de prophéties, d'énigmes aujourd'hui sans mots; des promenades de bastion en bastion sur les remparts de l'horrible enceinte; des damnés qui ont le cou tordu, dont le visage regarde les reins, et dont les larmes des yeux baignaient la croupe (encore ici n'employons-nous pas le mot cynique employé par le poëte); des démons qui mordent la langue tirée contre eux par le chef de leur bande; des damnés jouant au cheval fondu sur les épaules les uns des autres au-dessus d'un lac d'asphalte qui englue leurs ailes; des dialogues sans intérêt et sans fin entre le poëte florentin et les obscurs concitoyens de sa ville, qu'il cherche dans la foule et qu'il interpelle; des serpents qui lancent le feu, au lieu de venin, dans la blessure, et qui font flamboyer le damné plus vite que la plume n'écrit un *o ou un i*:

Ne *o* si tosto maï ne *i* si scrisse;

Des énigmes rebutantes d'obscurité, dégoûtantes de lasciveté, mais souvent merveilleuses de versification; des flammes qui parlent; des schismatiques le ventre troué par le glaive, et laissant, comme des tonneaux qui fuient par les douves, pendre leurs boyaux entre leurs jambes:

Rotto dal mento insin dove si trulla!

Vers que je rougirais de traduire, et que M. de Lamennais lui-même a été obligé d'envelopper d'une décente circonlocution; des bustes sans têtes portant dans leurs mains ces têtes en guise de lanterne:

Di se faceva a se stesso lucerna;

Des galeux qui se déchirent la peau en se grattant avec leurs ongles, *comme le couteau qui enlève les écailles du poisson*; Antée, qui prête son dos gigantesque au poëte pour lui faire franchir un fossé des enfers; des crânes de ses ennemis qu'il empoigne par la chevelure pour les sommer de parler; d'autres damnés qui se déchirent à coups de dents comme des tigres; des récits sans cesse brisés qui fuient derrière vous en laissant dans l'esprit l'impression de l'horreur succédant à l'horreur; puis tout à coup un récit qui dépasse tous les autres, au trente-troisième chant, mais celui-là horreur sublime, le supplice et la mort d'Ugolin!

C'est un coup de pinceau satanique enfoncé à travers le cœur par la griffe des démons. Je l'ai traduit, non pour ses hideux détails de supplice, mais pour quelques cris profondément humains que la torture arrache aux victimes. La poésie n'a jamais hurlé de tels cris.

Qu'on ne s'étonne pas de la crudité du style: c'est celui du siècle de Dante. Traduire, ce n'est pas mentir; il faut calquer, non-seulement l'image, mais le dégoût sur le dégoût.

IX

«Nous avions déjà quitté l'ombre de ce traître qui ouvrit aux ennemis les portes de Faënza pendant le sommeil de la ville, quand je vis au bord d'une fosse creusée dans l'étang de glace deux ombres. La tête de l'une semblait servir de coiffure à la tête de l'autre.

«Et de même qu'on mange le pain quand on a faim, de même celui qui était au-dessus mordait avec les dents la tête de celui qui était au-dessous, à l'endroit où la cervelle s'unit à la nuque.

«Ô toi qui montres un si bestial instinct de haine contre celui que tu manges ainsi, dis-moi pourquoi?» lui criai-je; et alors:

«Si tu as raison de te plaindre de lui, quand je saurai qui vous êtes l'un et l'autre et quelle est sa faute, je parlerai de vous dans le monde d'en haut, si toutefois cette langue avec laquelle je vous parle ne se dessèche pas d'horreur.»

«Le pécheur releva sa bouche de sa féroce pâture, et, l'essuyant aux cheveux de la tête qu'il avait rongée par derrière, il commença ainsi:

«Tu veux que je renouvelle la douleur désespérée qui me tenaille le cœur, rien qu'en pensant d'avance à ce que je vais te raconter.

«Mais, si mes paroles doivent être une semence qui fructifie à la honte du traître que je ronge, tu me verras parler et pleurer à la fois.

«J'ignore qui tu es et par quel privilége tu as pu descendre ici; mais, à ton accent, tu me parais véritablement né à Florence.

«Apprends d'abord que je suis le comte *Ugolino*, et que celui-ci est l'archevêque *Ruggieri*. Maintenant je te dirai pourquoi il est mon voisin ici.

«Comment, par l'effet de ses perfidies et de ma confiance en lui, je fus d'abord captif, puis mort: cela est oiseux à te dire.

«Mais ce que tu ne peux avoir appris de personne, c'est combien cette mort fut atroce. C'est ce que tu vas entendre, et tu jugeras après si ce monstre m'a assez torturé.

«Une étroite lucarne à travers les murailles de *la tour de la Faim*, qui a reçu son nom de moi, et qui se referma encore sur tant d'autres, m'avait déjà laissé entrevoir plusieurs fois la clarté du jour par ses fissures, quand je fis un rêve qui déchira pour moi le voile de l'avenir.»

Ugolino raconte ici son rêve, qui n'est qu'une allusion symbolique aux partis qui se combattaient entre Lucques, Pise et Florence.

«À mon réveil, au premier crépuscule du jour naissant, j'entendis mes petits enfants, qui étaient enfermés avec moi, pleurer en dormant et me demander du pain.

«Tu es bien cruel si déjà tu ne t'attristes pas en pensant à ce que ceci faisait pressentir à mon cœur; et si tu ne pleures pas de cela, de quoi pleureras-tu jamais?

«Déjà ils étaient éveillés et déjà s'approchait l'heure où l'on avait coutume de nous apporter la nourriture; mais, à cause des songes qu'il avait faits, chacun d'eux commençait à s'inquiéter dans son doute.

«Et moi j'entendis fermer et sceller pour jamais, à l'étage inférieur de la tour, la seule porte par laquelle on y pénétrait, d'où je regardai au visage mes pauvres petits enfants sans révéler d'un mot mon angoisse.

«Je ne pleurai pas, tant je me sentis au dedans pétrifié d'horreur; ils pleuraient, eux, et mon petit Ancelmino me dit: «Pour nous regarder de ce regard, mon père, qu'as-tu?»

«Mais ni je ne pleurai, ni je ne répondis pendant toute cette journée et pendant toute la nuit d'après, jusqu'au moment où l'autre soleil se leva de nouveau sur l'horizon.

«Quand un peu de clarté eut pénétré dans le cachot de douleur, je parcourus de l'œil les quatre visages de mes fils; j'y retrouvai avec horreur l'image du mien.

«Dans l'excès de ma douleur, je me mordis les deux mains, et eux, pensant que c'était la faim qui me faisait chercher à manger ma propre chair, se levèrent en sursaut et me dirent: «Père, ce sera moins affreux pour nous si tu te nourris de nos corps; c'est toi qui nous as revêtus de ces misérables chairs, c'est à toi à nous en dépouiller s'il le faut.»

«Je me calmai alors pour ne pas les attrister davantage. Tout ce jour et tout le jour suivant nous restâmes muets les uns devant les autres. Ô terre cruelle! pourquoi ne t'entr'ouvris-tu pas pour nous engloutir?

«Quand nous eûmes atteint ainsi le quatrième jour, Gaddo vint s'étendre à mes pieds en me disant: «Mon père, pourquoi ne viens-tu pas à mon secours?»

«Il mourut là, et, de même que tu me vois là devant toi, je vis tomber et mourir successivement les trois autres, un à un, entre le quatrième et le sixième jour.

«Moi-même, déjà presque aveuglé par la faim, je me traînai en chancelant de l'un à l'autre, et j'en appelai deux d'entre eux après qu'ils étaient morts. Ensuite, ce que la douleur n'avait pu faire, la faim l'acheva.»

X

En écartant les dégoûtantes images du commencement de ce récit, la poésie ou l'émotion par le beau ne peut aller plus loin. Quel beau? me dira-t-on. Le beau dans la douleur; le pathétique, le serrement de cœur par la pitié au spectacle de la douleur d'autrui; la consonnance sublime entre le sanglot d'autrui et notre propre sanglotement intérieur; la jouissance douloureuse, mais enfin la jouissance morale, de notre sympathie humaine pour la peine d'un être humain comme nous, l'*homo sum, humani nihil a me alienum* du poëte latin; cette sympathie désintéressée qui fait à la fois la nature, la vertu et la dignité de l'être humain, sont partout dans cette scène poétique.

Ils sont dans ce père infortuné, enfermé avec ses quatre fils dans les demi-ténèbres de cette tour.

Ils sont dans l'enfance et dans l'innocence de ces quatre fils punis pour le crime de leur père.

Ils sont dans l'angoisse muette qui saisit le père jusqu'à le pétrifier au bruit inusité des verrous de la porte basse qu'on scelle et qu'on rive pour jamais.

Ils sont dans ce regard effaré et énigmatique que le père attache sur ses pauvres enfants à ce bruit qui renferme cinq condamnations à une mort lente.

Ils sont dans l'étonnement du plus jeune de ses fils, qui, voyant ce regard et n'en comprenant pas encore la signification, demande à son père: *Padre, che hai (qu'as-tu, ô père)?*

Ils sont dans cette lueur du jour qui pénètre tous les matins par le soupirail dans le cachot pour marquer aux condamnés un espace de moins, un supplice de plus, et pour leur rappeler qu'un soleil de vie, de joie et de liberté, éclaire pendant leurs ténèbres le reste du monde.

Ils sont dans ce songe sanglotant des petits enfants endormis qui rêvent la faim avant de la sentir, et qui demandent en songe cette nourriture que la crainte de déchirer le cœur de leur père les empêche de demander éveillés.

Ils sont dans ce second regard du père, après la troisième nuit, qui interroge avec terreur le visage de ses fils, et qui reconnaît sur ces quatre *suaires vivants* de sa passion l'empreinte de son propre visage.

Ils sont dans ce silence des deux jours et des deux nuits suivantes, où les cinq victimes se taisent de peur que le son de leur voix ne porte un coup de plus au cœur les uns des autres.

Ils sont dans ce plus jeune et plus aimé des enfants qui se jette et s'étend pour mourir aux pieds de son père, et qui lui adresse dans le délire de l'agonie ce mot plus cruel que mille morts, ce reproche déchirant du mourant au mourant: «Mon pèrc, pourquoi ne me secours-tu pas?»

Ils sont dans l'erreur des enfants qui, voyant le père se ronger les mains de rage, croient qu'il veut dévorer sa propre chair et lui offrent celle qu'il leur a donnée avec la vie;

Ils sont enfin dans ces quatre fils venant successivement se coucher et mourir aux pieds du père, un à un, dit le poëte, et le faisant mourir ainsi quatre fois en eux avant sa propre mort.

Le beau moral, le beau humain égale dans ce récit l'horreur pathétique. C'est ce qui en fait la poésie.

Placez là quatre scélérats mourant de faim dans les convulsions et les imprécations de rage: vous détournez les yeux avec dégoût; vous n'aurez qu'un gibet au lieu d'un calvaire.

Mais le père est beau quand il frémit au bruit de la clef, et qu'il pense non à lui, mais à ses fils;

Il est beau quand il interroge, le lendemain, leurs visages, pour y mesurer les progrès de la faim;

Il est beau quand il se tait, sous le remords et sous le désespoir d'avoir entraîné ses enfants innocents et adorés dans sa peine;

Il est beau quand il les voit, comme Niobé, former lentement à ses pieds le groupe de la famille morte avant le père.

Il ne manque là que la mère ou le souvenir de la mère absente; mais le poëte a senti avec un merveilleux instinct qu'il fallait écarter la mère de ce groupe; sans quoi on n'aurait pas pu achever la lecture: le cœur se serait brisé à son premier sanglot ou seulement à sa première mémoire. Ni le père ni les enfants ne la rappellent, de peur de s'entre-déchirer par ce souvenir. Divine réticence de ces cinq cœurs!

Enfin les enfants sont beaux dans leur innocence, beaux dans leur ignorance de la signification du bruit de la porte qu'on mure sur eux, beaux dans leur songe quand ils rêvent la nourriture, beaux dans leur silence pour ne rien reprocher à leur malheureux père, beaux dans leur cri pour lui offrir leur propre corps, qui lui appartient, à dévorer; beaux dans leur délire quand, s'adressant encore à lui comme à une Providence, ils lui demandent pourquoi il les laisse mourir ainsi sans secours; beaux enfin dans ce dernier mouvement filial de leur agonie qui les rapproche de lui et les pousse à se coucher sur ses pieds pour mourir à son ombre.

Si l'immense poëte n'est pas là, où est-il? Ni Homère, ni Virgile, ni Shakspeare n'ont en si peu de notes de pareils accents. N'eût-il eu que ces deux scènes, Dante mériterait d'être nommé à côté d'eux.

XI

Le reste du poëme de *l'Enfer* ne contient pas d'autres beautés de composition de ce genre; mais il éclate toujours en beautés et en horreurs alternatives de style.

Ici ce sont des damnés dans l'enfer du froid, dont les larmes se glacent en coulant des yeux; là des âmes déjà torturées dans l'enfer pendant que les corps de ceux qui portent leur apparence et leurs noms sur la terre continuent à y vivre; ailleurs le roi des démons broyant trois damnés à la fois dans ses mâchoires: ces trois damnés sont *Judas*, *Brutus* et *Cassius*. La partialité de Dante pour le césar d'Allemagne explique le supplice des meurtriers du césar romain. Puis Virgile et Dante remontent de l'abîme, en se servant, en guise d'échelle, *des poils du corps de Lucifer*, précipité du ciel la tête en bas!

«Nous montâmes ainsi, moi le premier, lui le second, jusqu'à une ouverture ronde par où nous aperçûmes les belles choses qu'enveloppe le ciel!»

Ainsi finit, par une grotesque ascension plus digne de *Gulliver* que de Virgile, le poëme de *l'Enfer* du Dante; poëme dont les conceptions sont au-dessous des *Mille et une Nuits* arabes, mais dont le style (aux cynismes près) est la plus robuste nudité de poésie qui ait jamais manifesté la force des muscles intellectuels sur les membres d'un Hercule de la pensée!

Passons aux deux autres poèmes de *la Divine Comédie.*

DEUXIÈME PARTIE.
LE PURGATOIRE.

C'est une des idées philosophiques les plus naturelles à l'humanité que celle d'un lieu d'épreuve continuée après cette vie, et d'achèvement de la destinée des âmes dans un séjour de purification et d'initiation appelé *Purgatoire.*

On a toujours eu une peine, pour ne pas dire une impossibilité, d'esprit à admettre une éternité de supplices infinis et irrémédiables en punition de fautes temporaires, bornées dans leur durée, dans leur portée comme dans leur criminalité même; on n'a pu, sans une répugnance invincible de l'esprit et du cœur, associer à l'idée de la bonté divine du Rémunérateur suprême une continuité et une éternité de supplices qui excluraient de l'Être divin une partie essentielle et nécessaire de cet Être, la miséricorde. La plus douce vertu de la terre, la pitié, exclue ainsi du ciel, a révolté les cœurs tendres; les supplices indescriptibles de ses créatures faisant partie de la félicité du Créateur ont rendu le dogme des enfers à perpétuité un des textes de la foi moderne les plus difficiles à inculquer dans le cœur des chrétiens les plus orthodoxes. Beaucoup de commentateurs des dogmes chrétiens ont cherché par des définitions et par des distinctions atténuantes à réduire les enfers à une privation douloureuse de la présence et de la lumière de Dieu dans des climats éternels toujours chargés de nuages; beaucoup d'autres écrivains ou prédicateurs religieux ont déclaré ne comprendre le mot *éternel* appliqué à ce supplice que comme expression d'une longue durée; mais ils n'ont pas interdit au rayon de la miséricorde infinie de traverser une fois ces cachots des mondes surnaturels, et d'apporter aux crimes expiés le pardon divin. M. de Chateaubriand lui-même, dans son poëme chrétien des *Martyrs*, cite l'autorité des Pères de l'Église pour expliquer en ce sens l'éternité des peines et pour effacer de la porte de l'enfer ce vers infernal du Dante:

ABANDONNEZ TOUTE ESPERANCE, VOUS QUI ENTREZ!

XII

Cette répugnance de l'esprit humain à admettre l'irrémédiabilité et l'éternité des peines a tourné de préférence toutes les imaginations du côté de cet *enfer à temps* qu'on appelle le *Purgatoire*. Là entrent avec le coupable le crépuscule de la félicité future, l'espérance, le repentir, la prière, non-seulement la prière de celui qui expie, mais la prière des compagnons qu'il a laissés sur la terre, et dont l'amitié, prolongée au delà du tombeau, le suit d'un monde à l'autre et paye par ses vœux et par ses pénitences la rançon de son âme.

Ce divin commerce, cette touchante communauté, cette communion des vivants et des morts, cette violence faite à la clémente justice de Dieu par l'amour de ceux qui prient en faveur de ceux qui expient, cette parenté efficace enfin que la mort ne rompt pas entre les âmes de la terre et les âmes du Purgatoire, sont une des plus ravissantes conceptions de la poésie surnaturelle. Cette conception semble avoir attendri, amolli tout à coup l'âme du Dante, et avoir donné à son vers l'accent suave et quasi céleste de l'écho des âmes qu'il va visiter dans ce vestibule souterrain du paradis.

Pour qui a visité l'Italie, cela n'est pas étonnant; le Purgatoire est la grande popularité de la religion chrétienne chez ce peuple à grandes passions et à grands repentirs. La page du Purgatoire, poëme de toutes les âmes veuves et aimantes ici-bas, est écrite ou peinte sur toutes les murailles de ses églises, de ses chapelles, de ses monastères, de ses ermitages, et jusque dans les carrefours de ses grands chemins. Le premier monument qu'élève la piété italienne à son premier deuil, c'est une peinture murale en l'honneur ou au soulagement des âmes du Purgatoire; les rochers mêmes de ses Alpes, de ses

Apennins ou de ses Abruzzes, en sont sanctifiés. Combien de fois, en voyageant à pied dans ces montagnes, n'ai-je pas été étonné et attendri par la rencontre inattendue d'un de ces monuments invocatoires dans des sites inaccessibles aux pas des voyageurs, mais non à la pieuse commémoration des veuves, des fiancées, des enfants, des frères, des amis! Le souvenir d'un de ces monuments de larmes, de ces pierres milliaires du pèlerinage de la vie au ciel, se représente avec tous ses accidents de lumière, d'ombre et de nature pittoresque à ma mémoire.

XIII

Le sentier rampe en serpentant sous de hautes falaises de rochers éblouissants, qui fument, comme la gueule d'un four, sous les rayons répercutés d'un soleil d'été. Des chênes verts, au tronc tortueux, aux branches bizarrement coudées, aux noirs feuillages, des pins-liéges et quelques pins-parasols au dôme aplati dentellent çà et là la corniche des escarpements. Quelques chèvres noires se posent sur les blocs détachés de la montagne comme des statues égyptiennes d'animaux symboliques sur des piédestaux de marbre. Elles regardent passer le voyageur en tournant leurs cous luisants et leurs cornes bronzées vers le vieux berger, qui les garde, comme pour l'avertir ou l'interroger du regard.

Le sentier, en s'élevant vers le sommet, s'enfonce tout à coup dans une fente de la montagne. Là chaque muraille forme une dent qui se perd en s'ébréchant dans le bleu sans fond du firmament. Cette fente ou ce ravin, tenu à l'ombre par ces deux pans de rochers, est tapissé de châtaigniers en taillis. La feuille lustrée ruisselle de l'humidité d'une cave.

Tout à coup le défilé s'ouvre entre deux remparts de rochers dont la surface, frappée par les rayons du soleil couchant, présente tantôt la blancheur du marbre qu'on vient d'extraire, tantôt les teintes roses de la joue d'une jeune fille rougissante. Le ciel d'abord, la grande mer ensuite apparaissent à perte de vue à l'ouverture du défilé. De grands aigles fauves secouent lourdement leurs ailes sur les corniches des deux murailles de marbre; des voiles latines tachent çà et là d'une tache triangulaire la vaste étendue de la mer. Les deux azurs de l'onde et du ciel se confondent tellement à l'horizon qu'on ne sait si ces voiles reposent sur la mer ou nagent dans le firmament.

Pendant que vous contemplez tout ébloui ce spectacle, vous croyant seul entre ciel et terre à mille pas au-dessus des séjours humains, une musique vague, ou plutôt une brise psalmodiée, entremêlée d'un bourdonnement de voix d'enfants et de femmes, vous arrive, à travers les myrtes et les pins, du fond d'une caverne qui s'ouvre à gauche dans les vastes échancrures du rocher taillé à main d'homme.

On s'approche en se glissant à travers les blocs d'une carrière de marbre abandonnée; on voit une chapelle grossièrement ébauchée sous la concavité du pan de la montagne.

Quelques âmes en peine, représentées sous des traits de femmes avec des mains suppliantes et de grosses larmes sous les paupières, se dégagent à demi des langues de flammes qui lèchent la muraille. Un ciel pur et bleu, où quelques ailes d'anges traversent l'éther, brille au-dessus.

Sur les marches de l'oratoire, une femme jeune et belle encore est agenouillée entre deux petites filles d'âge inégal. C'est la veuve et ce sont les deux derniers enfants d'un pauvre carrier de marbre de ces montagnes, écrasé trois ans avant par la chute d'un des blocs qu'il détachait de la carrière.

Derrière la veuve et ses filles, un jeune adolescent de douze à treize ans presse sous son bras gauche une grosse musette des Abruzzes. Les notes pastorales et prolongées accompagnent sous le rocher les litanies psalmodiées par sa mère en mémoire de son père. Une vieille femme, l'aïeule sans doute, se tient à quelques pas en arrière, accroupie la tête dans son tablier; ses cheveux blancs découverts remuent, légèrement agités par le vent de la musette, comme des duvets de chardon mort sous l'haleine du chameau qui broute à côté. Je m'arrête à quelque distance, sans être aperçu même du chien, attentif à l'instrument de son jeune maître. Je me découvre, par respect pour cet entretien de la vie avec la mort, et j'ai sous les yeux et dans le cœur toute la poésie du *Purgatoire.*

Ce sont ces images, si fréquentes en Italie, ce sont ces oratoires, ces peintures, ces musiques, ces larmes, ces offrandes, ces prières, dont l'air d'Italie est rempli, qui inspirèrent, je n'en doute pas, des images si suaves et des vers si féminins au Dante dans son poëme du *Purgatoire.* L'âme bucolique de Virgile, son maître, semble véritablement cette fois avoir passé en lui. Jugez-en par les citations que je puise, non au hasard, mais presque à toutes les pages de ce délicieux pèlerinage à travers les larmes, que la prière console et que l'espérance essuie. On ne peut prendre dans ce poëme du *Purgatoire*, comme dans celui du *Paradis*, que des citations. Il n'y a pas de sujet, pas d'unité, pas de composition; c'est une revue, c'est une *épopée à tiroir*, pour me servir d'une expression de la scène. Il y a des scènes et point de drame. Mais quels exordes ravissants à toutes ces scènes!

XIV

Et d'abord il faut renoncer à comprendre l'architecture fantastique de la montagne idéale sur laquelle le poëte place son *Purgatoire* et où il est accueilli par Caton d'Utique, qu'on s'attend peu à trouver là. Caton, qui n'a, dit-il, rien su refuser à Marcia, son épouse, pendant qu'il vivait, reçoit Dante en commémoration de cette Béatrice dont le poëte se réclame.

La lumineuse sérénité d'un jour semblable à une aurore frappe le Dante en abordant dans ce séjour d'attente:

Dolce color d'oriental zaffiro, etc.

«Une douce teinte de saphir oriental, qui se répercutait dans la sérénité d'un air transparent jusqu'au premier cercle, rendit la joie à mes regards, aussitôt que je sortis de l'air mort qui m'avait si longtemps contristé les yeux et le cœur.

«La belle planète qui invite à aimer faisait sourire l'Orient tout entier, etc., etc.»

Un ange à qui ses ailes servent de rames lui fait traverser la mer qui entoure l'île des âmes en suspens.

«Les âmes qui se préparaient à m'accueillir, s'apercevant à ma respiration que j'étais encore vivant,» dit le poëte, «pâlirent du prodige.

«Et, de même qu'un messager de paix qui porte la branche d'olivier à la main entraîne sur ses pas la multitude pressée d'apprendre les nouvelles sans que personne s'inquiète s'il foule autrui, de même, etc.»

Une de ces âmes le reconnaît et l'embrasse; sans la connaître il veut lui rendre son embrassement; mais, ô surprise! «Trois fois,» dit-il, «je passai mes bras derrière elle pour la serrer contre mon cœur, et trois fois mes bras vides revinrent frapper ma poitrine.» Cette âme est celle d'un musicien de ses amis qui lui chante un des vers amoureux de la jeunesse de Dante:

Amour, qui dans le cœur me parles!

Les âmes ravies écoutent. Caton les gourmande sur leur indolence.

«Telles que des colombes groupées autour du froment ou de l'ivraie qu'on leur jette, tranquilles et sans montrer leur turbulence accoutumée, si quelque chose apparaît qui les inquiète, laissent soudain là leur nourriture, parce qu'elles en sont distraites par un plus grand souci;—ainsi vis-je cette nouvelle foule d'âmes abandonner l'attention qu'elles donnaient à ce chant et s'enfuir sur la plage, semblables à quelqu'un qui va machinalement sans savoir où ses pas le mènent!»

Ce sont de pareilles peintures, véritablement homériques, qui éblouissent ou charment à chaque instant les yeux, presque à chaque page du *Purgatoire*. La fibre irritée du poëte de *l'Enfer* s'était détendue dans un plus long exil, et son talent avait évidemment grandi avec ses années.

XV

Plus loin Dante demande son chemin aux âmes pour escalader le rocher, et il représente encore ici par une naïve comparaison pastorale l'empressement des âmes à le lui indiquer.

«Telles que les brebis enfermées sortent de l'étable, d'abord une, puis deux, puis trois, pendant que les autres s'arrêtent tout intimidées sur le seuil, baissant l'œil et le museau à terre,—et ce que fait la première les autres le font, s'adossant à celle-ci si elle s'arrête, naïves et soumises, et ne sachant pas elles-mêmes le pourquoi; telles, etc.»

L'expression des choses métaphysiques, les définitions et les distinctions de la philosophie transcendante ne sont pas rendues par le poëte avec moins de vigueur et de clarté que les scènes de la nature visible. Il peint l'âme du même pinceau qu'il peint la matière. Écoutez ces quatre stances du quatrième chant. Aristote ou saint Thomas d'Aquin n'auraient pas plus rigoureusement défini ou distingué en prose; et cependant quelle poésie ajoutent la concision, la saillie, la couleur, la vibration, la vie, à cette métaphysique!

«Quand notre âme se recueille et se concentre fortement en elle-même sous une impression de plaisir ou de douleur qui s'empare tout entière d'une de ses facultés, il nous semble que toute autre faculté en nous est absorbée, et ce phénomène réfute l'erreur de ceux qui croient qu'au-dessus de notre âme unique une seconde âme nous anime!—Et aussi, quand on voit ou qu'on entend quelque chose qui tient puissamment notre âme tendue par l'attention vers un seul objet, la perception du temps nous échappe, et l'homme ne s'aperçoit pas de sa fuite;—parce que autre est la faculté qui regarde ou qui écoute, et autre est l'ensemble des facultés qui composent l'âme tout entière. La première est enchaînée, tandis que la seconde reste indépendante!»

XVI

Ailleurs il peint, avec l'énergie laconique de Pascal, la séparation de l'âme et du corps sous le fer d'un assassin:

«Et je tombai et ma chair demeura seule!»

«Caddi et rimase la mia carne sola.»

Des accents pathétiques interrompent çà et là, par un contre-coup donné au cœur humain, les visions surnaturelles et souvent apocalyptiques de ses chants. Six vers lui suffisent pour attendrir toute l'Italie sur le sort de *la Pia*, femme de *Nello della Pietra*, qui, sur un soupçon de son mari, avait été précipitée du balcon dans les fossés de son château. Dante la rencontre; elle le reconnaît.

«Ah! quand tu seras remonté dans le monde des vivants et reposé de ton long voyage,» lui dit-elle, «souviens-toi de moi, qui suis *la Pia*. Sienne m'enfanta, la Maremme me détruisit! Il le sait celui qui en m'épousant m'avait passé le premier son anneau nuptial au doigt.» Cette réticence accusatrice et vengeresse est plus sinistre que le récit tout entier de l'assassinat.

Une âpre et sublime imprécation à l'Italie, imprécation devenue immortelle dans la bouche de tous les patriotes, éclate tout à coup au sixième chant; mais c'est l'imprécation d'un *Gibelin* qui gourmande son peuple pour avoir rejeté son César.

«Ah! Italie esclave! hôtellerie de douleur, navire sans nocher dans la grande tempête, non reine des provinces, mais lieu infâme de prostitution!

«Et pas un de ceux qui vivent maintenant dans ton sein n'est en paix au milieu de tes guerres civiles! Et ceux qu'enferment dans la même ville un même rempart et un même fossé se mangent entre eux.

«Regarde, misérable! sur tous les rivages que baignent tes mers, et puis regarde dans l'intérieur de tes provinces s'il y a une seule parcelle de toi qui soit en paix!

«À quoi bon Justinien ressaisit-il les rênes, si la selle est vide? Sans cela, peut-être moins mérité serait ton opprobre!

«Ah! peuple qui devrais être plus dévoué à ton vrai maître et laisser ton César s'asseoir sur ta selle, si tu comprenais mieux ce que Dieu veut de toi!

«Regarde comme cette bête féroce est devenue indomptée depuis qu'elle n'est plus mutilée par l'éperon et que tu as porté la main à l'étrier!

«Ô Albert l'Allemand qui l'abandonnes à elle-même et qui la laisses devenir rétive et sauvage, tandis que tu devrais enfourcher l'arçon!

«Qu'un juste châtiment tombe des étoiles sur ta race, et que ce châtiment soit nouveau et évident, afin qu'il fasse trembler ton successeur!

«Viens! viens! Vois ta Rome qui pleure, veuve de toi, solitaire, et qui te crie la nuit et le jour: «Mon César, pourquoi t'éloignes-tu de moi!»

On ne peut invoquer plus clairement l'invasion de sa patrie par l'étranger. L'exil peut dénaturer jusqu'au patriotisme dans les âmes qui ont plus de vengeance que de vertu. Tel était Dante.

Il faudrait autant de pages de commentaires que de vers pour expliquer les innombrables allusions des chants qui suivent. Cependant le huitième chant s'ouvre par des stances aussi suaves que le soir d'été, aussi mélancoliques qu'un adieu sans retour. Traduisons-les.

«C'était l'heure qui reporte le regret des navigateurs vers le rivage et qui attendrit leurs cours à la fin du jour où ils ont dit l'adieu à ceux qu'ils aiment!—l'heure qui poigne d'amour le voyageur à peine parti, s'il entend résonner dans le lointain la cloche qui semble pleurer le jour mourant! etc.»

La description du matin, au neuvième chant, n'est pas moins vive, quoique moins connue.

«À l'heure où, près du matin, l'hirondelle commence à gazouiller ses tristes *lais*, peut-être en souvenir de ses premiers malheurs, heure pendant laquelle notre âme errante pleure dégagée du corps, et, plus reprise par la pensée pour ses visions, est presque élevée à sa nature divine,—je vis en songe un aigle aux ailes d'or, etc.»

On retombe bientôt dans les ténèbres d'un texte obscur et incohérent, où brillent, par moments, quelques vers de diamant comme ceux-ci:

«Orgueilleux chrétiens! déjà fatigués de vos misères, vous qui, à demi privés de la vue de l'intelligence, n'avez foi que dans les pas en arrière,—ne savez-vous donc pas que nous ne sommes que des vers de terre nés pour devenir l'angélique papillon qui vole invincible au-devant de l'éternelle justice?...»

XVII

Après plusieurs autres chants où le poëte, de plus en plus inintelligible, fatigue le lecteur de ses innombrables rencontres avec des personnages plus ou moins inconnus de la Bible, de la fable ou de l'histoire florentine, il se ressouvient enfin de *Béatrice*, qui semble représenter pour lui l'amour et la foi.

«Mon fils,» lui dit Virgile, «entre ta Béatrice et toi il n'y a plus de mur.»

«De même qu'au nom de sa chère Thisbé Pyrame prêt à mourir rouvrit sa paupière et la regarda à l'heure où le mûrier devint vermeil, ainsi, ma sécheresse s'amollissant tout à coup, je me tournai vers le sage guide en entendant le nom qui me reverdit éternellement dans la mémoire!»

Une scène, d'autant plus ravissante qu'elle est plus rare dans ce poëme, est décrite ici par le Dante en vers empruntés aux églogues de son maître.

«Les trois sages s'étendent pour dormir au coucher du soleil sur les gradins de la montagne.

«Telles que les chèvres, indociles et vagabondes avant d'avoir brouté sur les cimes, deviennent apprivoisées et paisibles en ruminant leur nourriture,—et se rangent silencieuses à l'ombre pendant que le soleil darde ses rayons, sous la garde du berger debout, qui s'accoude sur sa houlette, et qui veille à leur sûreté, et tel que le pasteur, qui couche en plein air, immobile, passe la nuit auprès de son troupeau, attentif à ce que la bête féroce ne vienne pas le disperser;—tels nous étions tous les trois en ce moment, moi comme la chèvre, eux comme les bergers rangés de ci et de là sous la caverne.—On voyait de là peu de chose du dehors; mais par ce peu d'espace je voyais les étoiles plus scintillantes et plus grandes qu'à l'ordinaire. Ainsi rêvant et regardant, le sommeil me prit, le sommeil qui souvent, avant que les choses soient, sait les choses qui vont être!»

Il s'endort, un songe le visite.

«Il me sembla, dit-il, voir en songe une femme jeune et belle aller et venir dans une lande en cueillant des fleurs et en chantant. Elle disait:

«Que ceux qui me demanderont mon nom sachent que je suis *Lia*, et j'égare çà et là mes belles mains dans l'herbe pour me faire une guirlande;—pour que mon miroir me présente une image qui me charme ici, je me pare.—Mais ma sœur Rachel, elle, ne s'éloigne jamais du miroir, et tout le jour elle y reste assise;—elle se complaît délicieusement à contempler ses beaux yeux, comme moi à m'embellir avec mes mains. Voir est son bonheur, agir est le mien.»

XVIII

«Et déjà, à travers les lueurs du crépuscule, d'autant plus douces aux voyageurs qu'ils sont plus près de leur demeure, les ténèbres s'enfuyaient de tous les côtés de l'horizon, et le sommeil s'enfuyait de mes yeux avec elles. Je me levai, et voyant les sages déjà debout, etc.»

Virgile lui annonce métaphoriquement qu'il touche au bonheur de revoir Béatrice; il brûle d'y atteindre.

«Tant de désir sur tant de désir,» dit-il, «me vint de m'élever plus haut qu'à chaque pas de plus je sentais des ailes sortir de moi pour voler.»

«Vois le soleil qui te frappe au front,» dit Virgile, «vois l'herbe tendre, et les fleurs, et les arbrisseaux que cette terre enfanta d'elle-même,—tandis que les beaux yeux (de Béatrice), dont les larmes m'attendrirent pour me prier de venir à toi, deviennent maintenant sereins et joyeux à ton approche.—Tu peux maintenant t'asseoir ou errer à ton gré dans ces bocages, etc.»

Cette délicieuse halte au milieu des plus fraîches et des plus amoureuses images rappelle le chantre de Francesca de Rimini, le disciple de Virgile, le précurseur de Pétrarque. C'est une oasis dans ce désert de scolastique; mais, hélas! l'oasis y est rare et ne s'étend jamais au delà de quelques vers. On retombe bientôt dans les aridités et dans les froideurs de l'allégorie.

Cependant, à mesure que le pressentiment de l'approche de Béatrice le réchauffe, ses vers reprennent de plus en plus l'accent de ses premières poésies amoureuses. À la fin, au sortir d'une forêt enchantée, peuplée des plus charmantes apparitions féminines,—Béatrice elle-même lui apparaît de l'autre côté d'un ruisseau.

«Regarde-moi bien, regarde-moi bien,» lui dit-elle; «oui, c'est bien moi, oui, c'est bien moi qui suis Béatrice. Tu as donc enfin daigné gravir cette montagne? Ne savais-tu point qu'ici l'homme est heureux?»

«Mes yeux,» continue le poëte, «tombèrent sur la claire fontaine; mais, en m'y reconnaissant, je les reportai sur l'herbe, tant la honte me chargea le front.—Telle qu'une mère paraît sévère à son fils, telle elle me paraissait alors, parce que la saveur d'une compassion supérieure est mêlée d'une certaine amertume;—comme la neige soufflée et amoncelée par les vents du nord se congèle sur les épaules de l'Italie,—puis, liquéfiée, se fond sous elle-même, lorsque la terre qu'elle ne recouvre plus l'amollit de sa respiration, comme la cire se fond à la flamme;—ainsi restai-je sans larmes ni soupirs avant d'avoir entendu le chant de ceux qui accompagnaient toujours de leur harmonie les évolutions des astres éternels. Mais, après que j'eus compris que ces esprits célestes me témoignaient par leur accent une plus tendre compassion que s'ils avaient dit: «Ô dame, pourquoi le gourmandes-tu ainsi?»—la glace qui s'était resserrée autour de mon cœur se fit à l'instant eau et souffle, et sortit avec angoisse de mes yeux et de mon sein!»

XIX

Béatrice parle d'abord dans une langue mystique, semblable à celle des anges, et avec un accent qui rappelle l'impassibilité des purs esprits; puis insensiblement la femme et l'amante se retrouvent dans l'immortelle, et elle reproche sévèrement à son amant les distractions amoureuses qu'il a laissées empiéter dans son cœur sur le souvenir sacré de leur premier amour.

«L'aspect de mon visage le soutint quelque temps,» dit-elle aux âmes attentives, «et, en laissant briller sur lui mes jeunes yeux, je le guidai dans le droit chemin.—Mais si tôt que je fus au seuil de mon second âge et que j'eus changé de vie en ces lieux,—celui-ci,» ajoute-t-elle avec un geste de reproche, «se détacha de moi pour se donner à d'autres.»—(Allusion poignante aux nombreux amours profanes que Boccace et les autres historiens reprochent au Dante après la mort de Béatrice.) Puis elle reprend:

«Quand de la chair je fus transfigurée en esprit pur, et que ma véritable beauté se fut accrue avec ma vertu, je lui devins moins chère et moins séduisante.—Il tourna ses pas vers de fausses voies, fausses images du vrai beau, qui ne tiennent rien de ce qu'elles promettent.—Et rien ne me servit de demander pour lui des inspirations, par lesquelles, et en songe et autrement, je le rappelais à moi, tant il en avait peu de mémoire.—Il tomba si bas que tous les moyens de le sauver étaient épuisés et qu'il ne restait qu'à l'épouvanter en lui montrant la race perdue des damnés.—C'est pour cela que je visitai la porte des morts, et que mes prières et mes larmes furent adressées à *celui* qui l'a conduit ici en haut!—Le décret suprême de Dieu serait vain si l'on passait ce fleuve de l'oubli, et si l'on goûtait la manne céleste en ces lieux sans avoir versé une larme de pénitence, en signe d'absolution!»

Ainsi finit le trentième chant du *Purgatoire*. Les olympes et les enfers d'Homère, de Virgile, de Milton, de Fénelon, n'ont ni une plus belle scène, ni une rencontre plus pathétique, ni un plus divin langage. La sainteté de l'âme béatifiée, le ressentiment amoureux de la femme, la honte silencieuse de l'amant infidèle, la foi du chrétien repentant, la joie du poëte qui retrouve sa jeunesse, son innocence et sa vertu dans la première créature qu'il a aimée, y sont fondus dans une telle harmonie de couleurs, de sentiments, de remords, de joie, de larmes, d'adoration, qu'ils rendent à la fois le drame aussi divin qu'humain dans l'âme des deux amants sur les confins des deux mondes. Il est impossible de ne pas reconnaître que Pétrarque s'est inspiré de ce platonisme précurseur de Dante dans ses amours avec Laure, et que Milton a imité, sans les surpasser, ces peintures et ces dialogues dans ces scènes d'Éden entre la première des femmes, et le premier des époux. Si Dante avait beaucoup de pareilles inspirations, il aurait réuni à la sauvage rudesse du pinceau de Michel-Ange la suave innocence de la palette du Corrége.

XX

Béatrice, au début du trente et unième chant, semble jouir un peu, comme d'une vengeance, du silence et de la confusion de son amant.

«Dis donc si cela est vrai,» poursuit-elle. «À une si grande accusation il faut que ton aveu se joigne!» Dante ne peut trouver de voix pour répondre. «Que penses-tu?» lui dit-elle encore. «Est-ce que tes honteux souvenirs n'ont pas déjà été effacés par l'eau de ton cœur?...» Le *oui* que balbutie le poëte fut si imperceptible à l'oreille qu'il ne put être entendu que par les yeux au mouvement de ses lèvres.

«Quels charmes, quelles chaînes t'ont donc lié?» continue l'amante, moitié femme, moitié allégorie de la foi.

«Hélas!» répond le coupable, «des choses présentes égarèrent mes pas par leurs faux attraits, aussitôt que votre visage me fut voilé!»

«Écoute!» reprend Béatrice encore impitoyable dans ses reproches, «jamais la nature ou l'art ne t'offrit un attrait comparable à l'attrait de cette forme mortelle dans laquelle je fus incarnée, et qui maintenant n'est que poussière; et si cet attrait te manqua lorsque je mourus, quelle autre forme mortelle devait désormais t'attirer par un tel désir?—Devais-tu appesantir tes ailes pour aller chercher si bas d'autres blessures ou de quelque autre jeune fille ou de quelque autre vanité d'une si courte jouissance?—Le petit oiseau à peine éclos se trompe deux ou trois fois avant de connaître le danger; mais à ceux qui sont déjà emplumés on présente en vain le piége ou on lance en vain la flèche.»

«Tels que de petits enfants, muets de honte et les yeux en terre, restent immobiles, se reconnaissant coupables et regrettant leur faute,—tel j'étais; et elle me dit alors: «Puisque tu éprouves une telle douleur à entendre, lève la barbe, et tu en sentiras bien plus en me regardant!»

«Je levai, à son ordre, le menton; et, quand elle avait désigné mon visage par la barbe, j'avais bien compris la malignité vénéneuse de l'intention.» (Elle voulait signifier par là qu'il n'était plus un enfant, mais un homme d'âge mûr, quand il avait commis ces fautes.)

«Elle m'apparut,» poursuit le poëte, «de l'autre côté du ruisseau verdi par l'ombre de ses bords; elle m'apparut à travers son voile, et elle effaçait sa beauté première par sa beauté présente autant que jadis elle effaçait toutes les autres beautés d'ici-bas.

«Et l'ortie du remords me piqua si cruellement au cœur que, plus j'avais aimé les autres choses qui m'avaient détourné d'elle, plus je les pris en dégoût.»

XXI

Ici l'allégorie toujours froide et confuse de la foi représentée par une femme et de la vertu représentée par l'amour recommence. Béatrice passe son bras d'amante autour du cou de son amant; elle lui plonge la tête dans les eaux purifiantes du ruisseau. Le ruisseau représente sans doute la *grâce*. Puis elle l'introduit dans la société de quatre belles femmes qui chantent: «*Ici nous sommes nymphes, et dans le ciel nous sommes étoiles. Avant que Béatrice fût descendue du ciel, nous lui fûmes données pour suivantes.*

«Tourne, ô Béatrice, tourne les yeux vers ton fidèle, qui, pour te revoir, a fait tant de pas! Accorde-nous, par grâce, de dévoiler devant ses yeux ta bouche, afin qu'il contemple la seconde beauté que tu lui dérobes encore!»

Un griffon, un char où montent avec le griffon ces nymphes, un arbre qui mue ses feuilles, un aigle qui sème ses plumes sur le char, un dragon qui en sort et qui y replonge sa queue, sept têtes qui sortent ensuite du timon et des quatre coins du char, un géant qui embrasse une courtisane impudique dont je n'ose traduire ici le nom obscène, un vaisseau brisé par un serpent, des naïades qui trouvent le mot des énigmes, les *sept nymphes à l'extrémité d'une ombre pâle*, des dialogues prophétiques et inintelligibles entre Béatrice et son amant, une eau salutaire bue à grands flots par le Dante et par Virgile et Stace, ces guides, sont les dernières visions du poëme.

«Mais parce que mon papier est plein,» dit le poëte, «que j'avais destiné à ce second cantique, le frein de l'art m'interdit de le continuer plus longtemps. Je me sens pur et disposé à monter jusqu'aux étoiles.»

Voilà le poëme du *Purgatoire*, plein d'allégories glaciales, d'allusions obscures, d'inventions étranges, de rencontres touchantes, de vers surhumains.

Montons avec le Dante au Paradis, où les fortes ailes de son génie étaient faites pour le porter sur des imaginations plus sensées.

TROISIÈME PARTIE.
LE PARADIS.

Dès les premiers vers on reconnaît le même poëte, poëte des limbes, entre les fantômes du moyen âge et les crépuscules de la Renaissance.

«À la gloire,» commence-t-il, «de celui qui meut toute chose (*mens agitat molem*), qui pénètre de son essence l'univers entier, et qui resplendit avec plus d'évidence dans certaines parties de son œuvre, avec moins de clarté dans d'autres; je suis monté, moi, dans le ciel, et j'y ai vu des choses qu'on ne peut redire quand on est redescendu ici-bas!»

Puis il invoque, aussitôt après, le bon Apollon et le Parnasse au double sommet, afin que ce dieu de l'Olympe le tire, comme il tira Marsyas, de la gaîne de ses membres. Cette fois, c'est Béatrice qui vole devant lui; elle fixait la lumière des soleils, et lui regardait cette lumière en elle.

«Je m'absorbai tellement dans son essence,» dit-il, «que je devins semblable à *Glaucus*, qui, en se repaissant de l'herbe marine, devint de la nature des autres dieux.

«Amour qui gouvernes le ciel, tu le sais, toi qui me soulevas par ta lumière!»

Cette idée de s'ouvrir le ciel par l'amour et de voir Dieu par les yeux de la femme qu'il a tant aimée rappelle sans cesse l'amant dans le théologien. On pressent Pétrarque et Abailard dans le philosophe et dans le poëte toscan.

Il s'épouvante des océans de lumière qu'il traverse; il interroge Béatrice; elle rectifie ses idées. «Avec un soupir de tendre compassion,» dit-il, «elle abaissa ses regards sur moi avec ce visage d'une mère qui se penche sur son petit enfant en délire.» Elle lui explique, dans un admirable langage, les lois de l'ordre matériel et de l'ordre moral. C'est Aristote et Platon en vers.

«Ô vous,» s'écrie alors le poëte saisi d'enthousiasme, «vous qui, sur une trop petite nacelle, désirez suivre mon navire qui chante en voguant,—rebroussez chemin vers les bords, ne vous lancez point sur cette vaste mer; car, si vous veniez à me perdre de vue, vous resteriez égarés!—Les ondes sur lesquelles je m'aventure ne furent jamais parcourues. Minerve m'inspire, Apollon me conduit, des muses nouvelles me montrent l'étoile de l'Ourse!—Vous ne pouvez affronter la haute mer qu'en suivant le sillon que je trace dans ces vagues qui se referment derrière moi!»

Après ce second exorde lyrique il vogue.

«Béatrice,» dit-il de nouveau, «regardait en haut, et moi je regardais en elle!»

Il entre avec elle dans la première étoile. Écoutez le poëte.

«La perle éternelle nous reçut dans son sein, comme l'eau reçoit, sans se rider, le rayon de lumière!»

Ici une leçon d'astronomie scolastique et mystique qui reporte malheureusement dans la poésie toutes les subtilités de l'école.

Dante rencontre là une religieuse de Florence, nommée *Piccarda*; il lui demande si les âmes reléguées à ce dernier rang du ciel désirent monter plus haut pour mieux comprendre et mieux aimer. Elle lui répond que la conformité à la volonté divine est le vrai ciel, et que, si l'âme désirait s'élever plus ou aimer davantage, elle cesserait d'être en conformité avec celui qui lui assigne ces bornes de félicité et d'intelligence.

«Dans sa volonté est notre paix!»

On croit lire l'*Imitation de Jésus-Christ*, qui allait paraître bientôt après, poëme moral plus chrétien et plus pathétique que celui de Dante. C'est là que M. Ozanam et ses disciples devraient chercher les titres de la philosophie chrétienne du moyen âge.

XXII

Béatrice explique à son amant, à cette occasion, tant bien que mal, l'équilibre des deux désirs dans le cœur des bienheureux.

Les chants suivants sont une série de définitions de casuistes plus que de philosophes et de poëtes. Il y a là une charmante comparaison, à propos des controverses du chrétien discutant sa soumission à l'Église.

«Ne faites pas comme l'agneau qui abandonne la mamelle et le lait de sa mère, en s'amusant, simple et folâtre, à jouter lui-même avec elle!»

Un chant tout entier est consacré à un récit des destinées politiques de l'Italie et à la gloire de Justinien;

Un autre à expliquer le mystère de Dieu sacrifiant son fils innocent représentant d'une nature coupable. Le poëte s'y perd dans la métaphysique la plus subtile et la moins poétique. Cypris et Cupidon reparaissent dans la planète Vénus, qui inspire le fol amour. Béatrice y est revêtue par cette influence d'un surcroît de beauté. Des lueurs s'y meuvent en rond. Ce sont les esprits habitants du troisième ciel; il faudrait une clef historique à chaque nom pour comprendre ce que ces esprits disent au Dante. Des soleils y chantent, des roues y argumentent, les chefs des ordres monastiques y défilent devant le poëte; le pape et les cardinaux y sont injuriés comme des déserteurs de cette crèche de Nazareth où l'ange de Dieu replia ses ailes. Saint Thomas d'Aquin, saint François d'Assise, saint Dominique y sont exaltés en vers, pleins d'allusions toutes claustrales. On entre ensuite dans les véritables ténèbres palpables du poëme. On s'y éblouit de nuit en y regardant. Dante y fait parler tantôt saint Thomas, tantôt Béatrice. On ne croirait pas à ces fantasmagories du ciel scolastique si je les traduisais ici.

«Celui-ci,» dit une des lueurs, «est *un*, *deux* et *trois*, qui toujours vit et règne en *trois* et *deux* et *un* non circonscrit, mais tout circonscrivant.

«Bénis sois-tu, *toi trin* et *un*, qui dans ma semence fus si généreux!—Tu crois que ta pensée vient à moi de celui qui est le premier, comme de l'*un*, si on le sait, procède le *cinq* et le *six*!»

Voilà sur quoi s'extasient les fanatiques déchiffreurs de ces quinze chants d'hiéroglyphes!

XXIII

Un retour de l'esprit du poëte vers l'ingrate Florence, au dix-septième chant, ramène enfin à quelque chose d'humain et de réel l'esprit du lecteur. Ces vers seront l'éternelle complainte et l'éternelle consolation des exilés.

«Tel qu'Hippolyte sortit d'Athènes par le crime de sa perfide et impitoyable marâtre, tel il te faudra partir de Florence!—La rumeur publique, comme à l'ordinaire, s'acharnera sur l'innocent persécuté; mais la vérité, qui dispense la vengeance, s'élèvera un jour en témoignage!—Tu quitteras tout ce que tu aimes le plus tendrement, et ceci est le trait que l'arc de la proscription décoche le premier!—Tu éprouveras combien le pain de l'étranger est âpre à la bouche, et combien c'est un rude effort que de monter et de descendre l'escalier d'autrui!»

Béatrice interrompt son amant dans le récit de son infortune, de ses exils et de ses asiles.

«Change de pensée,» lui dit-elle, «et songe que je m'approche de celui qui soulage de toute iniquité et de toute injure.

«Et regarde au-dessus de toi, car le paradis n'est pas seulement dans mes yeux.»

«Et comme, à mesure que l'homme sent plus de satisfaction à bien faire, il s'aperçoit de jour en jour que sa vertu s'accroît en lui,—ainsi m'aperçus-je que la circonférence du ciel sous lequel je planais s'était élargie devant moi et m'offrait ses prodigieuses extases!»

XXIV

Après ces belles strophes Dante retombe dans les plus singulières trivialités de style, faisant figurer par les danses des âmes heureuses les lettres de l'alphabet.

Or *d*, or *i*, or *l* in sue figure.

Puis il décrit des contredanses des voyelles et des consonnes; puis des lueurs descendant comme des lampions pour couronner un *m* et s'y reposer en chantant; puis un bec qui parle et qui dit *io* et *mio*, *je* et *moi*, pendant que dans sa pensée il y avait *noi* et *nostro*, *nous* et *notre*; puis des images bénies, qui entr'ouvrent leurs cils et qui battent des ailes; puis des stances descriptives aussi neuves et aussi resplendissantes que celles-là sont opaques et grotesques, telles que ce début du vingtième chant:

«Quand l'astre qui allume de ses splendeurs le monde descend de notre hémisphère et qu'il éteint le jour sur tous nos horizons, le ciel, qui tout à l'heure ne s'embrasait que de ses reflets, redevient tout à coup transparent de plusieurs lumières, parmi lesquelles une seule resplendit entre toutes. Ainsi il me sembla entendre le murmure d'un fleuve dont l'écume étincelle en courant de rocher en rocher, en témoignant de l'inépuisable fécondité de sa source; et de même que le son prend sa forme et sa note dans le cou de la harpe, et de même que l'air sonore s'insinue par les trous du chalumeau attaché à la musette, ainsi ce murmure du fleuve monta par le cou de l'aigle comme s'il eût été creux; et là il devint voix, et de son bec sortirent des paroles telles que les attendait mon cœur, où je les écrivis!» etc., etc.

Le mysticisme ici submerge la poésie. Tout ce qu'on peut comprendre, c'est que tantôt le poëte exalte, tantôt il objurgue les ordres monastiques, dont «des membres,» dit-il grossièrement, «jadis maigres et les pieds nus,

«Couvrent maintenant leurs palefrois de leurs vastes manteaux fourrés, en sorte que sous une même peau cheminent deux bêtes:

«Si che due bestie van' sott' una pelle!»

Des *perles* qui parlent se présentent à lui, et il entend des paroles saintes dans l'intérieur de leurs écailles. Elles l'entretinrent des vices des moines. Il retrouve tout à coup sa palette d'amant en revoyant Béatrice.

«Comme l'oiseau parmi les feuilles dont il aime l'ombre, étendu sur le nid de ses deux nouveau-nés pendant la nuit qui nous voile toute chose, pour jouir de la vue de ses chers petits, et pour chercher la nourriture dont il les embecque, soins qui lui font trouver douces les plus dures fatigues, devance l'heure matinale sur la plus haute branche nue et attend avec une ardente impatience le soleil, regardant fixement le côté où l'aube se lève...»

C'est par ces vers qu'il prélude à l'apparition de la Vierge Marie, à laquelle il chante, dans le vingt-troisième chant, un *Te Deum* de l'amour. La maternité y est peinte dans un divin tercet:

«Comme un petit enfant qui tend encore ses bras vers sa mère après qu'il en a épuisé le lait, attiré vers elle par la puissance de l'amour qui émane du dedans jusqu'au dehors!»

Le mysticisme se change ensuite en véritable délire. Les feux conversent, les flammes chantent; le poëte lui-même, interrogé sur la foi, répond des choses plus dignes du pédantisme de l'école que des évidences célestes dans lesquelles il nage. «La foi,» dit-il, «est la substance des choses espérées et l'argument des choses invisibles, et cela en vérité me paraît la *quidité*, l'essence de la foi; et de cette foi il convient de *syllogiser*, sans en avoir d'autre vue, puisque l'intention y tient lieu de preuve. Et ce syllogisme-là conclut en moi avec tant de subtilité que toute autre démonstration me paraît stupide.» Il part de là pour chanter le *Credo* de la Trinité dans ces trois vers:

«Et je crois en trois personnes éternelles; et je les crois si *triples* et si *une* à la fois qu'elles admettent à la fois pour les nommer *sunt* et *est* (elles sont ou elle est).»

Ici un poétique orgueil s'empare pindariquement du Dante, et il commence son vingt-cinquième chant par un triomphe anticipé qu'il se décerne à lui-même.

«Si jamais il arrive,» s'écrie-t-il, «que ce poëme sacré, auquel ont mis la main le ciel et la terre, et qui pendant tant d'années m'a exténué de maigreur, triomphe de la cruauté de ma *patrie*, qui me relègue hors du beau bercail où je dormis petit agneau, ennemi des loups qui lui font la guerre; avec une autre voix alors, avec un autre vêtement reviendra le poëte, et sur les fonts de mon baptême je prendrai la couronne!»

Il décrit, pendant trois autres chants, l'indescriptible nature des Anges, des Trônes, des Séraphins; puis, tout à coup, comme lassé lui-même de ces anatomies de l'invisible, il se retourne contre les arguties de la théologie et les flagelle en vers acerbes.

«Le Christ n'a point dit à son premier cénacle: Allez, et prêchez au monde ces bavardages; mais: Donnez un fondement solide à ma doctrine. Maintenant avec des quolibets et des bouffonneries on s'en va prêcher, et, pourvu qu'on fasse rire, le capuchon s'enfle, et on n'en demande pas davantage! Mais sous le capuchon se niche un tel oiseau que, si le vulgaire le voyait, il verrait aussi la niaiserie de ceux qui s'y fient! C'est de cela que le cochon de saint Antoine s'engraisse, et bien d'autres qui sont pires que des porcs, payant le monde en fausse monnaie!»

Après cette burlesque imprécation il rentre dans les contemplations extatiques du paradis. «Mais,» dit-il, «à ce pas difficile je me sens vaincu plus que ne le fut jamais, à aucun tournant de son poëme, aucun poëte ou tragique ou comique!»

XXV

En effet, jusqu'à la fin du dernier chant, son poëme, sans action, sans drame, et par conséquent sans dénoûment, n'est plus qu'un éblouissement d'étincelles, de feux, de flammes, de lueurs, d'ailes, de fleurs volantes, de trinités lumineuses, resplendissantes dans une seule étoile, de visages rayonnants d'auréoles, de cercles inférieurs se fondant dans d'autres cercles supérieurs, comme les plans superposés de bienheureux échelonnés par tous les peintres d'apothéoses dans les dômes des cathédrales; saint Bernard, la Vierge Marie, Rachel, Sara, Rebecca, Judith, saint Jean, saint Benoît, saint Augustin, saint Pierre, sainte Anne, Ésaü, Jacob, Moïse, sainte Lucie, patronne de Palerme, y chantent des *Hosanna* éternels. La tête du poëte se trouble, les paroles lui manquent; il compare lui-même l'anéantissement de son esprit:

«À la neige qui fond et se distille au soleil, au vent qui expire dans les feuilles légères et immobiles, aux oracles de la sibylle qui se perdent dans leur obscurité. Je vis,» ajoute-t-il, «tout ce que l'univers renferme relié en un *volume* par l'amour.»

Enfin il discerne, dit-il: «Dans la profonde et lumineuse substance d'un haut foyer, trois cercles de trois nuances et d'une même surface. Et l'une par l'autre paraissait se réfléchir comme *Iris* dans une autre *Iris*, et le troisième ressemblait à un feu qui rayonne également d'ici et de là!

«Et je voulais voir, ajoute-t-il, comment *l'image s'adapte au cercle et comment elle s'y incorpore*. Mais déjà l'amour, qui donne le mouvement au soleil et aux étoiles, tournait mon désir et mon *velle* (ma volonté) comme une roue qui circule sous une impulsion universelle.»

XXVI

Et ainsi finit par ce dernier vers le triple poëme, comme le rêve d'un théologien qui s'est endormi dans un cloître aux fumées de l'encens et aux chants du chœur, et à qui son imagination représente en songe les images incohérentes des tableaux de sacristie qu'il regardait sur les murailles en s'endormant.

Que l'Italie et la France du dix-neuvième siècle s'extasient à froid sur ces peintures monacales d'un paradis du treizième siècle; que le fanatisme du moyen âge compare de telles conceptions et une telle langue aux conceptions élyséennes ou chrétiennes d'Homère, de Virgile, du Tasse, de Milton, de Fénelon, de Pétrarque, de Klopstock même dans sa *Messiade*, nous ne le comprenons que dans ceux qui jugent sur parole, et qui ne se sont pas donné, comme nous, la tâche rude de suivre vers à vers, pendant quatre-vingt-seize chants, ce rêveur immortel dans cet égarement mystique de son incontestable génie.

Quant à nous, lecteur de bonne foi et sans prévention, nous répétons hardiment en finissant ce que nous avons dit en commençant: sublime poëte, déplorable poëme, mais impérissable monument de l'esprit humain!

Ce monument, qu'il faudra compulser sans cesse toutes les fois qu'on voudra étudier, pour s'y modeler soi-même, l'empreinte d'un puissant génie d'expression dans une langue qui tient plus du Titan que de l'homme, n'est point un monument de conception, mais un monument de style. Le style, en effet, n'a été, ni avant, ni après, ni dans les vers, ni dans la prose, élevé par personne à une plus forte saillie sculpturale, à une plus éclatante couleur pittoresque, à une plus énergique concision lapidaire que dans les chants du Dante. Un mot est un bloc taillé en statue, d'un seul geste, par ce sculpteur de paroles; un coup de pinceau est un tableau vivant, où rien ne manque, parce que l'image frappe, vit et remue sur la toile de ce coloriste d'idées; chaque pensée tombe proverbe de chaque vers en sortant de cet esprit ou de ce cœur dont le contre-coup, aussi puissant que le coup du balancier sur le métal, frappe en monnaie ou en médaille tout ce qui passe par sa pensée d'airain. Pascal n'est pas plus profond, Bossuet n'est pas plus saillant, Platon n'est pas plus éthéré, Homère n'est pas plus resplendissant, Virgile n'est pas plus sonore, Théocrite n'est pas plus gracieux, Pétrarque n'est pas plus féminin, Eschyle n'est pas plus tragique; mais tout cela par moment, par pages, par demi-pages, par filons d'or ou de diamants, dans une mine de sable, de scories, et quelquefois de fange. Ce style me rappelle à chaque instant ce buste inachevé de Brutus, par Michel-Ange, compatriote du Dante, dans la galerie de Florence, bloc de marbre dont le ciseau effréné de l'artiste, en emportant à grandes déchirures le marbre, a fait un chef-d'œuvre, mais n'a pu faire un visage.

XXVII

Certes les Italiens ont raison de se glorifier d'avoir produit ce Titan de la poésie, qui, en jetant derrière lui les cailloux du patois toscan, en a fait la divine langue de l'Étrurie. Nous convenons même avec eux, et plus qu'eux, qu'il est malheureux pour leur littérature moderne que les poëtes qui sont venus après le Dante, tels que Tasse, Pétrarque, Arioste et leurs disciples, ne se soient pas collés davantage sur les traces du poëte de *la Divine Comédie* pour conserver à leur langue l'énergie un peu fruste, mais plus simple et plus latine, de sa diction.

Mais nous ne conviendrons jamais que *la Divine Comédie* soit une épopée comparable aux épopées antiques de l'Inde, de la Perse, de la Grèce, de Rome, de l'Italie elle-même, deux siècles après le Dante. Les antiquaires de style ont quelquefois les mêmes superstitions et les mêmes préventions que les antiquaires de monuments. Dante est une merveilleuse antiquité, mais il n'est pas à lui seul le génie italien.

Une nation qui a produit après lui, par la main du Tasse, un poëme épique moins irréprochable, mais plus enchanteur que l'*Énéide*; une nation qui a produit, par la main de l'Arioste, le plus immortel caprice de génie qui ait jamais déridé la muse sévère de l'épopée; une nation qui a produit, dans un homme plus grand qu'eux tous, dans Pétrarque, le Platon de l'amour céleste et de l'amour humain en un seul homme, pour faire parler à la fois à la piété, à l'imagination et au cœur, leurs trois idiomes surhumains, dans des vers qui ne furent et qui ne seront jamais chantés que dans le ciel; une telle nation est ingrate envers ses autres enfants en voulant être trop reconnaissante envers un seul. Dante fut l'aîné, mais il n'a pas emporté avec lui tout l'héritage. Nous le démontrerons bientôt en traitant de l'Arioste, de Machiavel, du Tasse, de Pétrarque et des grands écrivains italiens de notre siècle, et en cela nous croirons faire une œuvre de piété filiale envers cette Italie que nous reconnaissons comme la mère du génie moderne européen.

Elle a des Galilée pour philosophes, des Machiavel pour historiens, des Tasse pour poëtes épiques, des Arioste pour poëtes chevaleresques, des Pétrarque pour poëtes mystiques, des Dante pour poëtes créateurs de langue; mais, quoi qu'elle en dise, et quoi que redisent après elle les fanatiques engoués de la scolastique, elle n'a dans *la Divine Comédie* qu'une apocalypse de génie rêvée dans *Patmos* et écrite dans Florence, par le saint Jean du moyen âge, avec la plume de l'aigle toscan.

Lamartine.

XXIe ENTRETIEN.

9e de la deuxième Année.

LE 16 JUILLET 1857
OU
ŒUVRES ET CARACTÈRE DE BÉRANGER.

I

Le 16 juillet 1857 sera une date pour la France! Ce fut le jour où, dans des funérailles aussi grandioses et plus unanimes que celles de Mirabeau, la France ensevelit son poëte favori dans la personne de Béranger, et où elle parut tout à coup ressusciter elle-même avec tout son cœur national et tout son esprit public, pour dire à ceux qui l'accusent d'une somnolence irrémédiable: Détrompez-vous! je palpite encore! Je suis encore la nation des grands sentiments, le peuple des grands réveils, la terre des grands sursauts de l'humanité! Dans ma capitale seule, cinq cent mille âmes tressaillent au premier glas d'une cloche de faubourg qui leur annonce le dernier soupir d'un homme de gloire et d'un homme de bien.

J'avoue que peu de choses, depuis que je vis, m'ont autant consolé de vivre et m'ont rendu plus d'estime pour mon pays, et surtout pour la saine multitude de mon pays, que cette émotion de Paris et que ces funérailles!

Un homme que l'on pouvait croire redevenu obscur à force de temps et d'oubli, un homme retiré de toute scène par sa modestie, et retiré presque de la vie par sa vieillesse; un homme caché sous les toits, dans une maison muette d'une rue éloignée du cœur de la ville; un homme qui n'affectait pas, comme Diogène ou comme J. J. Rousseau, l'orgueilleuse nudité du tonneau ou du haillon pour se faire un trophée de sa misère; mais un homme dont la médiocrité sans apparat ne pouvait exciter ni l'envie du pauvre, ni la pitié du riche; un homme qui n'avait rempli, pendant sa vie, aucun de ces rôles éclatants ni occupé aucune de ces fonctions puissantes qui laissent à ceux qui en sont sortis ou déchus de vieux clients de leur puissance ou de jeunes clients de leur renommée; un tel homme meurt dans sa petite chambre, entre une garde-malade, deux servantes en pleurs et quelques amis. La nouvelle de sa mort se répand de bouche en bouche depuis le palais jusqu'à l'échoppe, dans tous les quartiers de Paris: aussitôt la vie publique et la vie privée paraissent suspendues dans une vaste capitale; le bruit tombe, le travail cesse dans les ateliers. L'ouvrier, sur le seuil de sa porte, accoste le passant, et lui demande avec des larmes dans la voix s'il est vrai que Béranger soit mort. Les groupes se forment entre inconnus pour s'entretenir à voix émue des circonstances de cet événement. Un serrement de cœur universel oppresse cette multitude;

elle n'a rien à espérer personnellement, rien à redouter de cette respiration de moins dans la poitrine d'un vieillard, au milieu de cette respiration immense et éternellement renouvelée de tout un peuple: n'importe; elle donnerait un des morceaux de pain de la famille pour que cet homme, pour ainsi dire collectif, respirât un jour de plus l'air de la France. Elle l'aimait: l'amour est aussi une puissance! Elle apprend que ses funérailles auront lieu le lendemain; elle se promet de se trouver debout, chapeau bas, tout entière, dussent les rues être trop étroites, à la suite de son convoi, non pas pour que la famille du vieillard note la présence d'un million de visages anonymes dans le cortége, mais pour que le soleil la voie payer un tribut de conscience, de respect et de patriotisme à ce cercueil qui lui semble renfermer quelque chose de mort dans l'image de la patrie. C'est un jour ouvrable; le salaire d'un jour manquant est un vide sur la table frugale de la famille de l'ouvrier: n'importe encore; elle sacrifiera volontairement le salaire d'un jour au devoir pieux qu'elle s'impose pour chômer en l'honneur de ce cercueil d'un inconnu; elle fera plus, elle portera son deuil comme si elle avait perdu un des siens. Elle fouille dans les coffres de ses mansardes pour y trouver la veste noire, le chapeau de feutre, le morceau de crêpe qu'elle réserve aux tristes solennités de ses propres convois; elle les étale sur le lit; elle se promet de les revêtir en masse au lever du soleil, pour que la ville ait changé de couleur pendant cette triste nuit. Ce ne sera pas le deuil d'une maison, ce sera une nation en deuil!

De son côté, le Gouvernement lui-même, craignant que ces honneurs populaires n'anticipent sur les honneurs dont il se réserve jalousement l'initiative, prépare ses armes, ses drapeaux, ses temples, ses pompes. Une armée entière prend position ou poste depuis la porte de la maison jusqu'à la porte de l'éternité, dans le champ des morts. Le convoi s'avance à travers une haie de troupes et une muraille de peuple; pas un pavé qui ne porte un homme attendri, pas une fenêtre qui ne regarde passer en pleurant le char, pas un toit qui ne vocifère son cri d'adieu ou son acclamation d'amour, pas un pan du ciel d'où ne tombe sur le suaire une pluie de couronnes d'immortelles, fleurs funèbres qui n'ont pour rosée que des larmes, et qui n'ont de parfum que dans le souvenir et dans l'éternité!

Ah! quel peuple! On peut le maudire pour ses inconstances, mais il faut l'adorer pour ses fidélités et pour ses retours! Qu'on dise ce qu'on voudra, l'âme de cette terre est mobile, mais c'est une belle âme parmi toutes les âmes populaires de l'antiquité ou du temps présent. On peut se plaindre quelquefois d'y vivre, mais il faut se féliciter au moins d'y mourir!

II

Or quel était donc cet homme si immense qu'un peuple tout entier se trouvait trop peu nombreux encore pour suivre et pour illustrer son convoi? Écoutez!

C'était un petit vieillard à visage sans distinction au premier coup d'œil, à moins qu'on ne pénétrât ce visage avec le regard divinatoire du génie, tant il y avait de simplicité sur sa finesse. Il portait le costume d'un Alcinoüs rustique, sous lequel il était impossible de soupçonner sa presque divinité dans la foule: des souliers noués par un fil de cuir, à fortes semelles sonores dont j'aimais tant le bruit lourd (hélas! que je n'entendrai plus dans mon escalier); des bas gris ou bleus de filosèle, souvent mouchetés d'une tache entre le soulier et le pantalon; le pantalon relevé pour le préserver de la boue ou de la poussière de la rue; un gilet d'indienne propre, mais commune, un peu débraillé sur sa large poitrine, et laissant voir un linge blanc, mais grossier, tel que les ménagères de campagne en filent avec leur propre chanvre pour le tisserand de la maison; une redingote de drap grisâtre, dont le tissu râpé montrait le fil sur les coudes, et dont les basques inégalement pendantes battaient très-bas ses jambes à chaque pas sur le pavé. Enfin un chapeau de feutre gris aussi, à larges bords et sans forme ou déformé, tantôt posé de travers sur la tête, tantôt profondément enfoncé sur le front et laissant flotter quelques boucles de cheveux incultes, mais presque blonds encore, sur son collet ou sur ses joues, complétait ce costume. Il portait à la main un bâton de bois blanc sans pommeau et sans douille; ce n'était pas un bâton de vieillesse, mais une habitude de la main: il ne s'y appuyait pas; il décrivait du bout de cette branche de houx des cercles capricieux sur le parquet, sur le pavé ou sur le sable.

Voilà l'homme extérieur: personne ne se retournait après l'avoir vu passer inaperçu dans la foule. C'était une des apparences d'artisan retiré dans l'oisiveté d'une modique aisance, allant visiter, le dimanche, ses enfants établis dans la banlieue, comme vous en coudoyez cent mille par semaine dans les rues de Londres ou de Paris.

Mais si par hasard vous le reconnaissiez, et que, selon sa cordiale et gracieuse habitude, il vous mît sa grosse main sur l'épaule, et qu'il vous retînt par le collet de votre habit, à la manière de Socrate, pour vous sourire ou pour causer un moment avec vous, alors ce geste, ce sourire, ce regard, cette physionomie, ce son de voix, vous révélaient un tout autre homme, et, si vous étiez le moins du monde physionomiste, c'est-à-dire sachant lire les caractères de Dieu sur le livre du visage humain, vous ne pouviez vous empêcher de regarder et de regarder encore cette délicieuse laideur transfigurée par l'intelligence, qui, de traits vulgaires et presque informes, faisait tout à coup, à force de cœur et d'âme, un visage qu'on aurait voulu embrasser!

III

Ses traits étaient ébauchés à grands coups de pouce dans l'argile, comme dans la rude et fidèle statuette en bas-relief que le jeune sculpteur Adam Salomon nous a pétrie de lui. Le front large et bossué, l'œil bleu et à fleur de front, le nez gros et arqué, les pommettes relevées, les joues lourdes, les lèvres épaisses, le menton à fossette, le visage rond plutôt qu'ovale; le cou bref, mais relié par de beaux muscles à la naissance de la poitrine; les épaules massives, la taille carrée, les jambes courtes; la stature pesante en apparence, mais souple au fond, tant il y avait de ressort physique et moral pour l'alléger; mais ce front était si pensif, ces yeux si transparents et si pénétrants à la fois, le nez si aspirant le souffle de l'enthousiasme par ses narines émues, les joues si modelées de creux et de saillies par la pensée ou par les sentiments qui y palpitaient sans cesse, la bouche si fine et si affectueuse, le sourire bon, l'ironie douce et la tendresse compatissante s'y confondaient tellement pour plaisanter et pour aimer sur les mêmes lèvres; le menton si téméraire, si sarcastique, si défiant et si gracieux tout ensemble en se relevant contre la sottise; de si belles ombres tombées de ses cheveux, et de si belles lumières écoulées de ses yeux flottaient sur cette physionomie pendant qu'elle s'animait de sa parole; l'accent de cette parole elle-même, tantôt grave et vibrante comme le temps, tantôt sereine et impassible comme la postérité, tantôt mélancolique et cassée comme la vieillesse, tantôt badine et à double note comme le vent léger de la vie qui se joue le soir sur les cordes insouciantes de l'âme! tous ces traits, toutes ces expressions, toutes ces intonations diverses, avaient un tel charme qu'on se sentait retenu, fasciné, ravi de contemplation par ce visage, et qu'on se disait intérieurement ce qu'Alcibiade disait de Socrate après l'avoir entendu parler des choses divines et des choses humaines: «Il faut qu'une divinité se soit répandue à notre insu sur ce visage. Cet homme si laid est le plus beau des hommes!»

IV

Son logement n'était pas plus fait que sa personne pour attirer l'attention de la foule indifférente, qui ne se prend ordinairement que par les sens. À l'extrémité la plus reculée de la rue de Vendôme, une des rues mortes du vieux Paris, dort un de ces vastes hôtels des anciennes familles du parlement. L'herbe y croît dans les cours; des jardins, épargnés par le constructeur de l'édifice à cause de l'éloignement du centre, conservent encore, dans leurs allées tirées au cordeau, quelques arpents de silence et quelques éclaboussures du soleil sur le sable, sous les fenêtres des appartements. C'est là que le solitaire s'était caché pendant ces dernières années, comme l'hirondelle sous les corniches des vieilles demeures.

En entrant dans la cour, on laissait en face devant soi une belle façade à grand porche et à grands appartements, habités par des familles opulentes. Quand une concierge, qui semblait sentir la dignité et la responsabilité de gardienne du repos d'un philosophe favori du peuple, vous avait indiqué sa demeure, vous tourniez, à droite en entrant dans la cour, sous une petite voûte conduisant à des écuries; vous rencontriez sous la voûte le premier degré d'un escalier de bois; cet escalier vous conduisait de palier en palier, par des marches douces, comme il convient à l'âge essoufflé, jusqu'au dernier palier, sous les toits, où vous n'aviez plus au-dessus de vous que les tuiles et le ciel. Un large et long corridor, sur lequel s'ouvraient des portes nombreuses et uniformes, semblables à des portes de cellules dans les cloîtres d'un monastère ou à des portes d'infirmeries séparées dans un vestibule d'hospice, servait d'avenue à l'appartement du sage. C'était là sans doute que, dans le temps de l'opulence et de la puissance des parlementaires, l'antique famille logeait les intendants, les aumôniers, les précepteurs des enfants de la maison. L'appartement était tout au bout du long corridor. On sonnait. Une femme âgée d'environ quatre-vingts ans, dont la figure conservait des traces de noblesse et de beauté pâlies par la souffrance, vous indiquait du geste la porte de la chambre adjacente, d'où l'on communiquait par l'intérieur avec sa chambre à elle. Elle vous ouvrait elle-même cet appartement contigu, mais séparé extérieurement du sien. Un second corridor noir s'offrait à vous; vous le suiviez; un jour de reflet vous indiquait au fond du corridor la lumière répercutée d'une pièce éclairée par le soleil. La porte en restait toujours ouverte. Cette pièce était vaste et nue; elle n'avait pour tout ameublement que deux larges fenêtres sans rideaux, une cheminée antique sans feu, un paravent qui cachait un lit de camp de servante, quelques chaises de paille et une centaine de volumes de hasard, amoncelés sous la poussière sur des rayons de sapin.

À l'extrémité de cette chambre, près des fenêtres, une porte basse, que vous ouvriez vous-même, vous introduisait dans la chambre habitée par l'ermite. Un lit, un canapé, une table ronde où les journaux et les brochures du jour faisaient place à leur heure à la bouteille de verre noir et au frugal repas du matin, une cheminée au fond de laquelle couvait un petit feu de fagots dans un massif de cendres, une ou deux gravures pendues à des clous contre la muraille, représentant les amis de sa jeunesse, dieux lares de son cœur: *Manuel*, le favori de ses souvenirs, près de qui il doit lui être doux de reposer dans son tombeau d'emprunt; *Laffitte*, le Mécène bienfaisant des factions, dans un temps où les factions vendaient et achetaient la gloire; *Chateaubriand*, qu'il avait cru aimer, et dont il avait pris les morosités monarchiques pour des convictions républicaines; *Lamennais*, dont il estimait le courage, mais dont il aimait peu le caractère; un masque mort du premier Napoléon couché sur le grabat de Sainte-Hélène, relique obligée chez ce dévot railleur à la grande armée: ce masque est moitié pathétique et moitié lugubre. On y lit dans l'immobile physionomie de l'autre monde la confiance dans le jugement irréfléchi des multitudes et l'inquiétude sur les jugements de Dieu, qui pèse le sang répandu contre l'ambition satisfaite. Enfin un buste de moi sur une planche de noyer, dans un coin de la chambre, buste qui n'était pour Béranger ni celui d'un poëte, ni celui d'un orateur, mais tout simplement le buste d'un ami de la dernière heure: ces amis sont souvent les plus chers, parce qu'ils sont les plus inattendus, et que, s'étant rencontrés tard, ils se donnent rendez-vous dans l'éternité pour s'aimer plus longtemps qu'ici-bas.

Voilà le portrait, voilà le séjour, fidèlement copiés d'après nature, de l'homme caché que tout un peuple allait découvrir sur son matelas, à son cinquième étage, pour lui faire ce que Mirabeau mourant appelait les funérailles d'Achille, et ce que nous appellerions plus justement les funérailles d'un Washington gaulois.

Cet homme, c'était Béranger!

V

Or, à quoi tient cette popularité fabuleuse, posthume, et par conséquent sincère, qui abandonne tant de noms vivants ou morts, et qui s'obstine au nom et à l'amour de Béranger jusque sous la terre? Comment se fait-il qu'un peuple souvent ingrat, toujours oublieux, se fasse de soi-même l'exécuteur testamentaire d'un de ses plus pauvres citoyens perdus dans la foule? Comment se fait-il que ce peuple proclame ce pauvre citoyen parent de tout le monde, père de la patrie, cendre nationale? Comment se fait-il que tout ce peuple offre ses bras en masse pour porter cette dépouille au tombeau plus près de son cœur? Comment se fait-il enfin que ce peuple, passionné d'ardeur funèbre, piétine si fortement cette cendre au cimetière, comme pour la sceller dans son sol sous les pieds d'un million et, s'il le fallait, de vingt millions de Français?

Mystères des inconstances et des constances populaires! s'écriera-t-on.—Mystère, oui; mais le métier de l'écrivain philosophe est précisément de sonder par sa sagacité ce qui paraît mystère à la foule, et de mettre à nu ce cœur du peuple, pour lui dire: Tiens! lis toi-même dans tes caprices ou dans tes fidélités mystérieuses; comprends pourquoi tu abandonnes cet homme qui t'a servi, et pourquoi tu conserves à cet homme qui t'a plu une inexplicable et inaliénable popularité.

VI

La popularité persistante et désormais immortelle de Béranger s'explique, selon nous, par trois causes:

Les circonstances de sa patrie;

Son talent;

Son caractère.

Nous allons examiner rapidement avec vous et à cœur ouvert ces trois explications de sa gloire et de la tendresse d'un peuple pour lui.

Hélas! nous nous étonnons le premier que ce soit nous qui fassions ici cette commémoration pieuse de Béranger? Qui nous l'aurait dit il y a vingt-sept ans, quand les rois de nos pères, rentrés de longs exils et sacrés pour nous par le sang de Louis XVI, régnaient, le testament de leur frère dans une main, une charte libérale dans l'autre main, sur un peuple frémissant, mais à demi libre? quand nous gémissions de ce sophisme, machine de guerre qu'on renverse après l'assaut, sophisme qui représentait l'armée de Brumaire, de Moscou, et du 20 Mars 1815, comme une collection de tribuns du peuple, comme une tribu de Mahomets de la liberté? quand les vers de Béranger faisaient explosion sous le trône comme la poudre dans la mine? quand ses chansons grondaient comme la foudre des cœurs entre les dents des soldats et du peuple? quand les éclats de rire que ces chansons soulevaient dans les multitudes précédaient et présageaient les éclats du tonnerre qui allaient pulvériser la dynastie des Bourbons?

Nous aimions ces Bourbons à cause de leurs malheurs et de leurs services; nous avions dans les veines un sang qui avait coulé pour eux; on nous avait appris leur histoire comme un catéchisme de famille; nous avions dans l'âme un vif instinct de liberté presque républicaine qui trouvait sa satisfaction dans la presse démuselée, dans la tribune éclatante dans l'opinion cosouveraine avec la royauté; nous faisions des vœux d'honnête jeunesse pour que les incitations du parti militaire d'alors ne parvinssent jamais à semer la zizanie entre les Bourbons légitimes et la liberté, plus légitime encore par son droit que les Bourbons ne l'étaient par nos sentiments.

Voilà nos opinions d'alors; nous n'en rougissons pas même aujourd'hui. Le temps peut changer les devoirs, il ne change pas les préférences. Qu'on juge, d'après ces dispositions, ce qu'était pour nous, à cette époque, le nom de Béranger. Nous admirions ses vers, comme la victime admire l'éclat et le tranchant du couteau qu'on va lui plonger dans la gorge. Plus cela était beau, plus cela nous donnait le frisson. Encore une fois, si on nous avait dit dans les jeunes années: «Vous aimerez un jour cet homme; vous l'aimerez, non-seulement d'attrait, mais d'estime; vous l'aimerez passionnément d'une de ces passions tardives et réfléchies de l'âge mûr qui ne meurent plus qu'avec nous,» nous aurions dit: Non, jamais!

Eh bien! nous l'avons aimé, nous l'avons estimé, nous l'avons chéri comme un père et comme le plus tendre des amis. Comment cela? Est-ce lui ou vous qui avez changé, nous dira-t-on, pour que ces antipathies devinssent des tendresses? Un peu tous les deux, ni l'un ni l'autre peut-être; mais les choses, les temps, les hommes, avaient changé autour de nous. Vous allez voir.

Ceci me ramène à l'explication des causes de la popularité de Béranger.

VII

J'ai dit que la première de ces causes était dans les circonstances de notre patrie au moment où il commença à chanter, comme on dit, mais, en réalité, à démolir par le rire.

Il m'est interdit de raconter ici sa vie; je n'en sais, au reste, que ce qui échappe çà et là à un vieillard dans des conversations à propos interrompus, dont je vous rendrai compte. Tout ce que je sais, c'est qu'en 1814 Béranger, consterné, comme tout le monde, des désastres que l'esprit de conquête avait accumulés sur la France, était d'autant moins partisan des conquêtes qu'il était meilleur Français. Je ne répondrais pas même qu'à l'avènement de Louis XVIII ramenant la paix nécessaire et présentant la liberté future à la nation, un soupir involontaire d'humanité et de bonne espérance ne se soit échappé de la poitrine du poëte citoyen. J'en trouve la preuve dans la première préface de ses œuvres; lisez-la.

Je ne pense pas non plus que l'irruption en France d'une poignée d'hommes héroïques de l'île d'Elbe, au 20 mars 1815, irruption qui aboutit à Sainte-Hélène en passant par Waterloo, tentative qui fit bouillonner *Benjamin Constant*, pâlir Laffitte, frémir La Fayette, ces patrons et ces amis de Béranger; je ne pense pas que ce retour du régime militaire ait eu les vœux, les honneurs, les applaudissements secrets du cœur jeune et républicain de Béranger. Je suis certain du contraire. Tyrtée eût fait, non une chanson, mais une Némésis contre la guerre civile venant exposer la Grèce à une seconde invasion des Perses.

Mais, 1814 et 1815 passés, et passés dans des flots de sang dont les soldats ne voulaient pas voir la source, tout changea dans les opinions populaires.

Nous ne pensons pas non plus que la conquête universelle, que la civilisation subordonnée à l'armée, qu'une volonté sans réplique à ses décrets, qu'un concordat rétablissant légalement un sacerdoce d'État sur les consciences, que la résurrection des noblesses, des baronnies du moyen âge, des majorats, des substitutions, des principautés, des féodalités recrépies de gloire, nous ne pensons pas que tant d'autres institutions du premier empire fussent des articles du programme philosophique et républicain de Béranger et de ses amis politiques de 1814. Nous ne voyons donc pas bien clair dans cette confusion de militarisme et de libéralisme qui caractérise, à dater de ce jour et pendant quinze ans d'équivoque ou d'inconséquence, la poésie à double refrain et à double entente de Béranger.

L'esprit d'opposition à toute arme peut seul expliquer ce malentendu du poëte et de ses principes.

Or, d'où venait cet esprit d'opposition à toute arme? Il venait des malheurs récents de la patrie, et par cela seul il était excusable. Le malheur aigrit le cœur, et le cœur aigri fausse l'esprit. Telle était, après 1814 et 1815, la situation morale de la France: elle avait de l'humeur contre le destin, elle attribuait aux Bourbons les torts de la guerre. C'était naturel, mais était-ce juste?

Le culte de la gloire et le dénigrement de la paix étaient-ils bien l'évangile du progrès véritablement rationnel du monde? Était-ce bien au son des tambours qu'on pouvait élever et conduire ce peuple à la liberté? Était-ce bien même à coups de canon qu'on pouvait faire entrer notre philosophie dans la tête des peuples? Béranger avait trop de sagacité pour le croire. Quinze ans d'entretien à cœur ouvert avec lui, et son applaudissement sans réserve à des doctrines tout opposées, dont je fus l'organe en 1848, ne me laissent pas le moindre doute sur ses vraies opinions à cet égard.

Le culte de la gloire rétrospective, c'était la guerre; ce n'était pas la révolution. La guerre, en présentant aux peuples l'ambition de la France au lieu de son exemple, et l'invasion des territoires au lieu de l'apostolat des principes, la guerre devait paraître un outrage français à l'indépendance des nations; la guerre devait, tôt ou tard, les rallier dans l'intérêt d'une défense désespérée. Les nationalités ne pouvaient manquer de se soulever contre une liberté imposée par les armes. Les rois devaient profiter de ce soulèvement d'orgueil blessé de leurs peuples pour transformer leurs sujets en soldats. Le premier empire arma, de son côté, en proportion des forces levées contre lui; il chercha même des ennemis jusque parmi les amis de la France, comme en Espagne. Le sang coula pendant quinze ans entre nous et les nations du continent. Cette guerre fatale les empêcha de se reconnaître et de fraterniser dans la même foi. Les victoires de la France humilièrent ses ennemis, nos revers les enhardirent; en France même l'engouement pour les généraux popularisés dans les camps se substitua trop aisément, dans le peuple, à l'enthousiasme de la liberté; la révolution philosophique et tous ses principes furent jetés comme en dérision aux soldats; toutes les forces du patriotisme furent retournées contre la révolution de 89, qui avait excité ce noble patriotisme. La guerre, qui ne pense pas, mais qui tue, tua la pensée en France et en Europe.

VIII

La guerre défensive, qui avait été le caractère des guerres de la République, est le triomphe de la Révolution, parce que le patriotisme et le libéralisme se confondent dans une telle guerre, et centuplent les forces en centuplant le sentiment du droit et de la légitimité de la gloire. La guerre offensive fut et sera toujours le piége de la Révolution. La Révolution est idée, et n'est pas conquête. Ce sont les idées, invisibles et invulnérables de leur nature, qui doivent combattre pour elle dans l'esprit des peuples; mais, pour que ces idées se naturalisent dans l'esprit de ces peuples, il faut désarmer ces idées. Une vérité présentée à la pointe des baïonnettes n'est plus une vérité: c'est un outrage.

Ce temps-ci l'a du moins compris; c'est une des justices que nous ne refusons pas de lui rendre.

IX

Voilà la véritable philosophie politique de la révolution de 89, sainement comprise et pratiquée. C'était certainement celle de Béranger, comme ce fut la nôtre, comme ce sera celle de tout homme sensé et patient qui ne voudra pas substituer son impatience au progrès naturel et spontané des peuples. C'était aussi la philosophie politique de la grande majorité des hommes de bien en France en 1814 et en 1815. Ils étaient libéraux, ils étaient patriotes, ils étaient affligés du passé, ils étaient résignés au présent, expiation logique, quoique douloureuse, du passé. Ils étaient pleins d'espoir dans un meilleur avenir pour la révolution régulière, mais ils ne confondaient pas une conquête héroïque avec une philosophie.

X

Cependant, ainsi que nous le disions tout à l'heure, le malheur aigrit le cœur, et le cœur aigri fausse l'esprit. C'est ce qui arriva à la France après les désastres de 1814 et de 1815: elle pleurait des larmes de sang. Il lui en coûtait de rentrer dans ses limites territoriales, après avoir tant débordé sur le monde. Ce peuple, à qui on avait donné, depuis l'Empire, des ambitions vastes comme l'univers, trouvait la France bien petite pour sa taille de géant de la guerre; et encore cette France si petite était occupée et rançonnée par les garnisaires de la Russie, de la Prusse, de l'Autriche, de l'Angleterre! On ne se résigne pas à la servitude chez soi, bien qu'on ait porté soi-même son omnipotence chez les autres; de plus, la gloire humiliée se venge par la colère et par la menace. On demande une revanche, un autre coup de dé au dieu des armées; on reproche Moscou, Leipsick, Waterloo à Louis XVIII, et l'on dit dans son délire à ce malheureux gouvernement: «C'est toi qui m'as blessé! C'est toi qui m'enchaînes dans les fers forgés par mes vainqueurs! C'est toi qui m'empêches de lever mes armées de 1792, d'Austerlitz, d'Iéna, de Wagram, et de reconquérir toutes ces capitales!» Et l'on oublie que toutes ces armées de morts héroïques sont couchées au nombre de quinze cent mille cadavres dans les neiges de la Russie, dans les flots de la Bérézina, dans les sillons de l'Espagne, dans les champs de bataille d'Austerlitz, d'Iéna, de Wagram, de Leipsick, de Waterloo! hélas! couchées, où ni la diane, ni le tambour, ni les refrains du Tyrtée de la France ne les réveilleront de leur sommeil!

XI

Ce n'est pas tout: de ces restes, et surtout de ces états-majors survivant à ces armées licenciées au delà de la Loire, s'élève un immense murmure: «Nous nous étions promis, sur les pas de ce conquérant de capitales, les dépouilles opimes de l'univers! Beaucoup devaient mourir, sans doute, mais la fortune au dernier! Et maintenant, nous voilà rentrés jeunes encore dans le village paternel, sans autre perspective qu'une épée pendue au mur et une demi-solde à dépenser dans un indigne loisir! À qui nous en prendre? Aux Bourbons, qui sont là pour recevoir toutes les imprécations de la gloire trompée, de l'ambition déçue! «Haine aux Bourbons! Vive l'armée! Napoléon n'est qu'un captif, mais ne sommes-nous pas captifs avec lui? Ce n'est qu'une ombre, mais c'est l'ombre de notre ambition, de notre gloire et de notre fortune!»

Le peuple, qui ne comprenait pas bien d'abord ce murmure, parce que l'esprit de conquête l'avait fauché comme un pré, finit par s'y associer sans le comprendre, par la puissance d'une éternelle répétition. Les récits villageois de batailles, de conquêtes, d'exploits nationaux, faits à tous les foyers et à toutes les tables populaires par des guerriers, ses fils, ses voisins, ses compatriotes, dont les grades, les uniformes, les blessures, ajoutaient l'autorité de l'héroïsme à l'aigreur du mécontentement, fanatisèrent peu à peu de gloire posthume la France irréfléchie des campagnes et des villes.

XII

Un troisième élément d'irritation vint se joindre à ce murmure sourd de l'armée disséminée dans ses foyers: ce fut l'opposition inattendue d'une ligue inexplicable entre le militarisme humilié, le républicanisme impatient, et l'orléanisme encore irréprochable, mais qui laissait le temps s'approcher de lui avec une couronne dans la main! Ces ambitions coalisées, ayant besoin de recruter des forces dans le peuple qui ne comprend que les idées simples, s'avisèrent de raviver l'esprit de conquête éteint, de souffler sur la gloire assoupie, de verser des larmes très-hypocrites sur les cendres de l'empereur, dont les libéraux avaient été les premiers déserteurs et les plus acharnés blasphémateurs en 1814. Ces hommes construisirent à l'envi ce sophisme, qui jure à Dieu et aux hommes, de despotisme militaire, de républicanisme couronné, et de royauté révolutionnaire confondus dans la même équivoque d'opposition.

XIII

Cependant ce sophisme ne marchait pas encore assez vite au gré de ces ambitieux. Il leur fallait un porte-voix sonore et populaire qui multipliât l'écho de l'opposition, depuis la table de l'opulente bourgeoisie jusqu'à la gamelle de la caserne et jusqu'à la nappe avinée de la guinguette. Ce porte-voix, c'était un chansonnier. Ce chansonnier devait réunir en lui, pour porter coup dans tous les rangs de la société française, l'élégance attique qui se fait entendre à demi-mot à l'homme lettré, l'accent martial qui fait frissonner le soldat, la bonhomie cordiale qui fait larmoyer dans son rire le bon et rude peuple des champs. Ces trois génies, le génie fin et classique du sous-entendu et du ridicule, le génie patriotique et martial du corps de garde, le génie élégiaque et pastoral de la chaumière, étaient difficiles à rencontrer dans un même homme. Un Anacréon pour les amants, un Aristophane pour les malveillants, un Tyrtée pour les escouades, un Théocrite pour les paysans; une lyre, un sifflet, un clairon, une flûte ou un flageolet dans la même main! quel prodige! mais aussi quelle bonne fortune! Ce prodige et cette bonne fortune se rencontrèrent, à l'heure où cela était nécessaire, dans Béranger.

XIV

Si le parti dut beaucoup au poëte, le poëte, il faut le reconnaître, dut beaucoup au parti. Heureux les poëtes qui trouvent, à leur premier vers, un million d'échos échelonnés d'avance sur leur chemin, pour porter leur nom obscur et leurs vers prédestinés aux oreilles, à l'esprit, au cœur de tout un peuple! Ceux-là n'ont pas à se faire lentement, oreille par oreille, leur auditoire étroit et difficile, à conquérir, cœur par cœur, leur pénible renommée, à subir la critique et le dénigrement de leur siècle, pour jouir de cette renommée pendant quelques heures du soir de leur vie, et pour arriver bien vite, avec un nom déjà posthume, avant leur mort, à l'oubli définitif d'un froid tombeau. Un peuple, un gouvernement, une armée, ne se disputent pas la préséance dans leur cortège funèbre; une veuve, un enfant, un vieux serviteur, un chien fidèle, quelquefois suivent seuls leur convoi, à travers les brouillards du matin, dans un faubourg inattentif qui ne sait pas leur nom. Un petit volume enlacé de deux ou trois feuilles de laurier de famille est le seul trophée de leur pauvre cercueil. Pour que le monde se passionne sur votre tombe, il faut avoir servi, volontairement ou involontairement, les passions du monde!

XV

Béranger, en naissant, eut ce bonheur ou ce malheur de naître en pleine popularité, comme ces oiseaux qui éclosent, sans qu'on les couve, en plein soleil. Aussitôt que cinq ou six hommes d'esprit de la conspiration contre les Bourbons, le banquier Laffitte, l'orateur Manuel, le sophiste Benjamin Constant, le diplomate Sébastiani, le républicain la Fayette, le *Crassus* éloquent Casimir Perrier, l'historien Thiers, l'orateur Foy, Mirabeau probe de l'armée, et vingt autres chefs d'opinion plus subalternes, eurent entendu quelques-unes des chansons de Béranger, ils ne s'y trompèrent pas (la haine est clairvoyante); ils s'écrièrent: Voilà notre homme!

Béranger ne les rechercha pas, ils le recherchèrent; ils lui offrirent tout, patronage, solde, honneurs, puissance dans les victoires futures du parti. Il n'accepta rien que la gloire.

«Faites-moi des échos tant que vous pourrez et tant que vous voudrez,» leur répondit-il; «quant à moi, je ne chante qu'à mon heure et qu'à mon goût. J'aime la Révolution, je sers le peuple, j'honore l'armée, j'illustre la gloire, je pleure les malheurs de la patrie, j'espère sa vengeance; je vois en perspective la république: je ne la refoulerai pas, comme je n'anticiperai pas sur elle; mais point de solidarité entre vous et moi. Je hais comme vous la contre-révolution, les Bourbons surtout; cette haine commune sera le seul pacte entre nous. Je veux rester indépendant, même de vous, en respect de moi-même. Je veux rester simple chanteur des rues et des camps quand vous aurez triomphé, pour ne pas être responsable de vos ambitions et de vos fautes! Je veux rester pauvre pour rester plus grand que vous par l'abnégation de vos richesses. Je veux rester peuple pour vivre et mourir plus près du peuple!»

Ces hommes, peu accoutumés à tant de vertu, crurent que cette vertu n'était qu'une affiche, que tant d'abnégation n'était qu'une prétention plus habile et plus haute, et qu'au jour des rétributions le désintéressement de ce *Chansonnier du Danube* céderait, comme tant d'autres, à la séduction du pouvoir et aux blandices de la fortune.

XVI

La campagne des chansons de Béranger contre les Bourbons commença. Nous savons comment elle a fini en 1830.

C'est ici le moment d'examiner le talent de cet homme de guerre. Nous le ferons sans prévention, sans flatterie à la mort, sans feint enthousiasme, sans hypocrisie d'amitié, car nous avons toujours trouvé dans Béranger l'homme immensément encore au-dessus du poëte.

En veut-on la preuve? Nous avons été quinze ans son ami, et, pendant les innombrables entretiens que nous avons eus ensemble, nous ne lui avons pas parlé une seule fois de ses chansons, de même qu'il ne nous a jamais parlé de nos œuvres en vers. Entre nous, c'était l'homme qui aimait l'homme; le poëte était réservé.

Cette réticence était honnête des deux côtés. Il m'aurait fallu louer des chansons qui avaient renversé les dieux et banni les rois de ma famille; il lui aurait fallu louer des vers qu'il avait raillés sans doute, comme son parti les raillait pendant la bataille. Nous aurions manqué l'un et l'autre ou de sincérité ou de dignité. Le silence sous-entendu sauvait tout; il nous empêchait de nous apostasier, il ne nous empêchait pas de nous chérir.

Je suis donc très-libre aujourd'hui de parler de son talent poétique dans la mesure juste de mon estime et de mon admiration, sans ajouter et sans retrancher un gramme au poids vrai de ses œuvres dans la balance de l'avenir.

XVII

On a beaucoup dit et écrit que le talent de Béranger était gaulois; nous croyons plutôt que ce talent est grec. L'atticisme, cette qualité indéfinissable des choses grecques, est le don par excellence de cet écrivain français. La grandeur de ce talent est dans sa finesse; c'est un poëte politique et philosophique, exquis dans ses proportions.

Qu'est-ce en effet qu'un poëte pindarique? C'est un homme possédé et souvent égaré par l'enthousiasme. Béranger a trop d'esprit pour avoir tant d'enthousiasme; il possède son enthousiasme, il n'en est pas possédé; il le conduit avec un fil imperceptible, mais sûr, partout où il veut passer, comme le conducteur des chars, aux jeux Olympiques, conduit au mouvement du doigt ses coursiers qui ne s'emportent jamais dans la carrière:

«Rasant la borne, et ne la touchant pas.»

Il n'y brise jamais son essieu, il n'y fait même ni bruit ni poussière; il arrive sans qu'on s'aperçoive qu'il est arrivé juste, et court au but qu'il s'est proposé.

D'ailleurs la raillerie est exclusive de l'enthousiasme, et Béranger est souvent un poëte moqueur. Il cherche d'un regard malin le défaut de cuirasse de ses ennemis, les rois, les Bourbons, les nobles, les prêtres, pour lancer sa flèche au point vulnérable et pour rire de la goutte de sang que le dard rapporte à l'arc avec lui. Que ferait-on de l'enthousiasme à ce jeu d'adresse? C'est comme si l'on demandait à Molière de s'enthousiasmer en livrant Tartuffe à la risée d'un parterre. L'enthousiasme de Béranger était dans son cœur, et pas dans son verre; il le gardait pour sa vie, pour la liberté, et pour la vertu pratique dont il était sérieusement et intimement possédé. Il faisait ses vers à petit feu, comme on fond la cire: il ne les chauffait à grande flamme que pour la gloire et pour la patrie.

Ajoutons qu'un poëte pindarique ne s'attache, par l'instinct même de son génie, qu'à chanter des choses grandes, permanentes, éternelles s'il le peut, des choses supérieures aux lieux, aux temps, aux mobiles opinions des hommes, aux passions variables et fugitives des partis et des factions, des choses, en un mot, aussi intéressantes et aussi vraies dans la postérité la plus reculée qu'aujourd'hui.

À l'exception du peuple, de la liberté et de l'héroïsme, auxquels il consacre quelquefois un sublime refrain, Béranger ne chante en général que des choses circonstantielles, relatives, passagères, des passions politiques enfin. Or, la politique étant de sa nature une chose courte, temporaire, mobile comme les événements, les systèmes, les factions qui sont les éléments de la politique, la grandeur et l'immortalité du sujet manquent souvent au poëte politique. Il est comme l'orateur politique: l'heure passée, la passion morte, la faction oubliée, on ne l'écoute plus. C'est le malheur des poésies de parti; elles sont presque toujours aussi des poésies de circonstance. Mais la patrie, l'héroïsme, le peuple, éterniseront le nom du poëte. C'est la partie divine de ses chants.

XVIII

Enfin le véritable poëte pindarique ne chante que des vérités absolues et divines, dont la sainteté et la vertu se communiquent, pour ainsi dire, à son génie. La poésie politique, la poésie de parti surtout, est obligée de chanter souvent le sophisme et le mensonge convenus des gouvernements ou des oppositions, pour que ses vers servent d'armes offensives ou défensives au gouvernement qu'elle sert ou aux oppositions qu'elle caresse. Ces vérités conventionnelles, ces sophismes, ces mensonges du moment, périssent avec les passions qui les fomentent. La beauté même des vers qui les contiennent ne les préserve pas toujours de l'évaporation. Malheur aux poésies politiques dans la postérité! Comprises par les contemporains, elles ne le sont plus par les descendants. La critique historique, vraie, arrive avec le temps; elle souffle sur toutes ces vérités de convention, inventées par les factions régnantes à leur usage, et elle plaint le grand poëte qui leur a prêté un jour son génie. La postérité est impartiale, et c'est pour cela qu'elle est véridique.

Et cependant ce n'est pas tout. Le poëte pindarique s'adresse, dans sa pensée et dans ses œuvres, à l'auditoire le plus vaste, le plus élevé de cœur et d'esprit, le plus universel et le plus éternel qu'il puisse concevoir. Ses chants doivent porter dans tous les temps et dans tous les lieux.

Homo sum! humani nihil a me alienum puto.

«Homme je suis, rien de ce qui est de l'homme ne doit rester étranger à moi.»

Telle est, à Paris comme à Rome, la devise du poëte lyrique ou épique, être essentiellement collectif pour rester unanimement compris, universellement sympathique.

Béranger, au commencement, s'est choisi un auditoire restreint, un auditoire borné, non-seulement par les frontières de la nation que le chansonnier célèbre, mais par la condition sociale et par les opinions partielles de cette fraction du pays. Le peuple, le soldat, l'officier en retraite, l'orléaniste en perspective, toute l'opposition aux Bourbons de 1814, voilà l'auditoire exclusif pour lequel il chante. Ses plus beaux poëmes de ce temps sont des pamphlets amers et quelquefois sublimes à la gloire d'un des partis, à la confusion ou à la perte de l'autre; chacun de ses chants est une spirituelle *Marseillaise* de parti, non pas même une *Marseillaise* contre l'étranger, comme celle de *Rouget de Lisle*, un tocsin de la patrie en danger, réveillant en sursaut une nation entière, et faisant vibrer dans chacune de ses notes l'unanime palpitation de tout cœur français; mais une *Marseillaise* d'opinions civiles, glorifiant les uns, humiliant les autres, faisant rire ceux-ci et pleurer ceux-là, et provoquant la risée des Français d'une date contre les Français d'une autre date.

Et même, parmi ces Français de son opinion ou de sa faction, Béranger, à cette époque, rétrécit encore son auditoire. Il a en vue surtout, et il le manifeste par son refrain tantôt grivois, tantôt patois, tantôt soldatesque, l'ouvrier du faubourg, le paysan du village, le soldat, le sergent, la cantinière de la caserne; il affecte, en chantant, l'accent, les mœurs, le costume, le geste, les gallicismes intentionnels de ces classes particulières de la nation. De son œil malicieux et fin, il les regarde avec un sourire d'intelligence qui leur dit: Je suis un d'entre vous, je suis votre compère, je suis votre ménétrier. Tour à tour jovial, populaire, héroïque, on voit (et il ne le cache ni dans ses préfaces, ni dans ses chansons) qu'il s'adresse exclusivement, dans ses couplets ou dans ses strophes, à la guinguette du faubourg, à la mansarde de l'artisan, au cabaret de la banlieue, à la chambrée de la compagnie de vieille garde. La nature restreinte et professionnelle de ces auditoires, et la nature même de la langue qu'il leur fait parler quelquefois pour en être compris, s'opposent fatalement à l'universalité d'intérêt, à la dignité d'images, à l'élévation de sentiments et à la poésie de langage, qui sont le caractère des poètes lyriques universels; l'artisan, le laboureur, le soldat, sont de grandes et dignes catégories dans la nation, mais elles ne sont pas la nation tout entière. S'il s'agit de droits, d'estime, de sollicitude, de pitié, de tendresse, de gloire même, on ne saurait trop leur en porter et leur en rendre; mais, s'il s'agit de littérature, de philosophie et de poésie, ce n'est pas là qu'il faut en chercher les types et les modèles.

Ces classes sont la base immense, solide, respectable de la nation, mais elles n'en sont pas la tête; c'est là qu'on multiplie, c'est là qu'on travaille, c'est là qu'on éprouve le patriotisme du sol plus vivement, parce qu'on y est plus près de terre; c'est là qu'on répand son âme et son sang pour la patrie; c'est là qu'on sent juste et fort, parce que c'est là qu'est le cœur de ce grand être collectif qu'on appelle un peuple: mais ce n'est pas là qu'on pense, qu'on lit, qu'on épure le goût, qu'on crible les langues, qu'on médite les livres universels, qu'on chante les poëmes immortels, qui sont les monuments intellectuels de la nationalité ou de l'esprit humain. C'est dans les régions supérieures, occupées sans distractions du travail de la pensée, qu'on trouve le génie d'un peuple; c'est sur les hauteurs que resplendit le plus de jour. Ceux mêmes parmi les hommes de génie qui sont nés dans ces régions du travail manuel se hâtent de monter aux régions du loisir plus calme et de la pensée plus vaste, pour écrire. Ils quittent comme Homère la boutique de l'armurier de Smyrne, ils quittent comme Socrate l'atelier du sculpteur d'Athènes, ils quittent comme Virgile la charrue du laboureur de Mantoue, ils quittent comme J. J. Rousseau l'établi de l'horloger, pour étendre et pour polir leur intelligence, et pour apprendre la langue du pays des idées, du beau, des arts, avant de parler, d'écrire ou de chanter pour l'univers pensant.

Béranger n'agit pas ainsi, soit par amour évangélique des classes laborieuses, avec lesquelles il lui plaisait de se confondre par la langue et par les préjugés comme par le cœur; soit pour poser son levier d'opinion sur les masses plus résistantes, afin d'y trouver plus de force contre le trône des Bourbons; soit enfin pour complaire à ses amis, et pour servir par une action plus vive la triple opposition monarchique, républicaine et militaire, qui le couronnait alors d'une triple popularité.

À tous ces titres on ne peut le classer encore au rang des lyriques universels. Il pouvait y être classé déjà, s'il avait voulu; il ne voulut être alors que le premier des poëtes populaires, des poëtes de parti. Au lieu d'Homère ou de Racine, il ne fut qu'Anacréon, Aristophane ou Tyrtée. Il faut le prendre pour ce qu'il voulut être; ses funérailles héroïques nous disent assez s'il a réussi à se faire adopter par le cœur de la France.

S'il y a un jour une commotion du sol menacé en France, elle partira du tombeau de Béranger. Son ombre sera la terreur des invasions futures; la chanson tiendra l'épée de la patrie et de la liberté, comme la statue de la Jeanne d'Arc d'un autre peuple à une autre date!

XIX

Nous ne parlons pas encore ici du caractère de Béranger, sa véritable puissance. Nous ne parlons encore que de son talent.

Ce talent, quand on l'analyse à froid aujourd'hui, se compose surtout de trois choses:

L'art de la composition;

La finesse du style;

La vibration du cœur sous le mot.

Béranger compose une chanson comme un poëme épique ou comme un drame en cinq actes. Il n'y a point de hasard dans son inspiration, ni par conséquent de négligence, de défaillance ou de longueur. Tout est conçu lentement dans son esprit, porté longtemps dans sa méditation, aiguisé à loisir par sa sagacité, poli jusqu'au scrupule par son goût, combiné pour l'effet qu'il veut produire, adapté à l'air populaire le plus propre à faire danser les paroles, rire le refrain, vibrer les couplets; puis tout est lancé par le poëte à son adresse avec la sûreté du coup d'œil et du doigt de la brodeuse de dentelle qui lance le fil aminci sur les lèvres dans l'œil de l'aiguille.

«Il y a tel de mes couplets,» disait-il, «qui m'a coûté des semaines de réflexions.»

Il ne s'en cachait pas, il ne se donnait pas pour un improvisateur comme nous, fils du hasard, tantôt bien tantôt mal servis par la loterie de leur inspiration, mais toujours incorrects, même dans leurs bonheurs de style; il était, lui, le fils du travail, qui fait quelquefois attendre ses dons, mais qui ne trompe jamais l'homme de génie et de patience. Les regards très-exercés comme les nôtres aux ouvrages d'art s'aperçoivent seuls de ces limures assidues du doigt de Béranger sur ses vers. On n'y pourrait pas changer un mot; mais aussi ses chansons manquent un peu de cette négligence qui est la souplesse de la force: elles ne sont pas assez jeunes, même quand elles chantent l'amour; elles ne sont pas assez folles, même quand elles célèbrent la folie; elles ne sont pas assez ivres, même quand elles simulent l'ivresse.

«Votre jambe droite n'est pas assez avinée,» disait le grand comédien anglais Garrick à Préville qui lui demandait conseil pour bien rendre un rôle d'ivrogne sur la scène. «Votre main droite, celle qui tient la plume, n'est pas assez avinée,» pourrait-on dire à Béranger quand il raturait une chanson à boire.

Désaugiers, son contemporain, délire plus sincèrement; il est ivre lui-même de l'ivresse de verve qu'il répand à plein verre autour de lui; le plaisir est la seule politique de cet Anacréon de Paris. Les chansons de Béranger ont un but; elles visent aux passions d'un parti, au cœur d'un peuple, au trône des rois; le regard tendu de l'archer roidit la main, la flèche vole plus haut, mais elle vole moins leste; les chansons de Béranger sentent un peu la lampe et l'huile de ses veilles, au lieu de sentir le raisin de la vendange et la mousse du banquet. À cela près, chacune de ses chansons est une combinaison achevée et réussie de facture, une miniature de patience.

Le Béranger des odes, le Béranger philosophique se réservait pour les derniers chants.

XX

La finesse de style est le second caractère distinctif de ces compositions; Béranger écrit pour le peuple avec une plume de diplomate et avec une délicatesse de courtisan. L'allusion transparente, la double entente malicieuse, le sous-entendu furtif suspendu sur ses lèvres, le demi-mot plus incisif que le gros mot, le sens qui s'arrête pour que la malignité l'achève; l'injure qui ne dit pas tout pour que le peuple, en la complétant lui-même, devienne, pour ainsi dire, le complice intelligent du chansonnier, voilà les figures ordinaires du style de Béranger.

Chacune de ses chansons prenait ainsi la physionomie de son visage: le front candide, les yeux clignés, la bouche équivoque, les joues joviales, le regard narquois, le demi-sourire, le doigt sur les lèvres! Sa figure était sa chanson, sa chanson était sa figure. La vérité même ne devient française qu'à la condition d'avoir le sourire sur la bouche.

Cette finesse de style me fit douter longtemps que le peuple fût assez raffiné pour le comprendre; mais la passion est un grand déchiffreur de sphinx. La passion du peuple était si acerbe, à cette époque, contre les Bourbons, contre la noblesse, contre le clergé surtout, que cette passion aidait le cabaret et la caserne à comprendre les finesses trop littéraires de ce style; même quand il ne les comprenait pas, le peuple y entendait malice de confiance. Il applaudissait jusqu'à ces obscurités. Il y avait une telle entente préétablie entre la multitude et son chansonnier qu'un seul geste de Béranger aurait été aussi communicatif qu'une de ses chansons, et que la France aurait ri ou frémi avec lui sur un signe du télégraphe!

Hélas! il faut en convenir, les funestes amis de la Restauration, dans les Chambres de 1815 et depuis, commençaient à prêter trop d'armes au poëte. La France avait accepté dans les Bourbons la révolution raisonnable et la réconciliation des partis dans la liberté; on lui présentait la contre-révolution insatiable, et la monarchie se faisait parti malgré elle.

XXI

Revenons au talent. Cette finesse de style, qui aurait été un défaut grave dans un poëte populaire, devenait, grâce à l'esprit de parti, un mérite de plus dans Béranger. Le buveur illettré croyait se montrer aussi fin que lui en affectant de l'entendre, et l'amour-propre flatté du peuple concourait à la popularité du chansonnier!

Mais la qualité dominante du talent de Béranger n'était ni dans l'habileté de ses compositions, ni dans la finesse de son style; elle était dans son cœur. Ce cœur, véritablement collectif, était le cœur d'un pays plus encore que le cœur d'un homme; tout y vibrait d'une émotion plus universelle que personnelle. Il devinait tout parce qu'il sentait tout: une grandeur ou une douleur de la patrie, un tambour battant la charge à des grenadiers sur quelque champ de bataille de la République ou de l'Empire, un tocsin du 14 juillet appelant les citoyens à l'assaut de la Bastille, un coup de canon de Waterloo mutilant les débris des derniers bataillons décimés de Moscou ou de Leipsick, un adieu funèbre de César vaincu à ses légions anéanties dans une cour de Fontainebleau; le déchirement d'un dernier drapeau tricolore qui déchirait, avec ce même lambeau, l'orgueil et le cœur d'un million de vétérans humiliés; un soupir du Prométhée impérial enchaîné sur son rocher, apporté par le vent à travers l'Océan du rivage de Sainte-Hélène; un bruit de pas des bataillons étrangers sur le sol de la patrie, un murmure encore sourd du peuple contre la moindre atteinte à sa révolution; un gémissement de proscrit de 1815, le bruit d'un coup de feu d'un peloton de soldats dans l'allée de l'Observatoire, dans la plaine de Grenelle, à Toulouse, à Nîmes, à Lyon, balle sous laquelle tombait un maréchal, un colonel ou un sergent des vieilles bandes françaises; une plainte de prisonnier dans le cachot, un cri de faim dans la chaumière, de souffrance dans la mansarde, une agonie du blessé dans un lit d'hôpital; une mère pressant ses trois enfants contre sa mamelle épuisée près de son mari mort sur son grabat, sans suaire, dans un grenier; un sanglot étouffé de veuve dont le fisc emporte la chèvre nourricière; une voix d'enfant aux pieds nus sur la neige, collant ses mains roidies aux grilles du palais du riche pour y respirer de loin l'haleine du feu de ses festins: tout cela retentissait dans l'âme de Béranger, comme si un autre Asmodée avait découvert à ses yeux les toits des capitales ou le chaume des huttes. Sa sensibilité, non feinte, mais vraie, l'associait, par une universelle sympathie, à toutes ces vibrations de la fibre frémissante ou souffrante des multitudes. On a écrit que le tyran de Syracuse avait construit un édifice où tous les entretiens et tous les murmures secrets du peuple venaient, par un effet d'acoustique, se répercuter et se grossir dans un centre sonore qu'on appelait l'*Oreille de Denys*: l'oreille vivante de Denys, c'était véritablement, de nos jours, le cœur de Béranger. Cette puissance de souffrir pour tous, et cette puissance de compatir à tous, lui donnaient la puissance d'exprimer pour tous, et tous aussi reconnaissent leurs gémissements dans sa voix. Son talent, c'était sa nature; sa popularité, c'était son patriotisme; sa puissance, c'était son humanité! Toute rumeur cherche son écho dans la nature: quand cet écho est insensible, il rend un son; quand cet écho est animé, il rend une âme. Béranger était l'écho de la Révolution, l'écho de l'armée; le peuple et l'armée s'écoutaient sentir, penser, aimer, haïr, conspirer en lui. C'était l'homme-nation.

XXII

Or pourquoi la chanson avait-elle été choisie par Béranger pour devenir ainsi l'écho du sentiment des pensées, des haines, des amours, des conspirations du peuple et de l'armée? C'est que la nature des choses avait choisi d'elle-même et avant lui ce mode de propagande des instincts du peuple et du soldat. C'est au peuple et au soldat que Béranger avait à parler; il faut parler à chacun sa langue, si l'on veut être compris, et surtout si l'on veut être répété.

Si Béranger avait eu à parler à l'imagination enthousiaste et poétique des Grecs du Péloponèse ou de l'Archipel, il aurait composé quelques-uns de ces chants de klephtes, de matelots ou de pasteurs, qui célèbrent des brigandages héroïques, des pirateries féroces, des martyres fanatiques, des amours naïfs et tragiques, tels que les *Chants populaires de la Grèce moderne*, renaissance d'Homère et de Théocrite, en contiennent par milliers aujourd'hui; poëmes épiques et naïfs en miniature, qui attestent, même sous la grotte du brigand, sous la tente du berger, sous la voile du corsaire, la fécondité et la beauté de l'imagination indélébile du peuple homérique.

Si Béranger avait eu à parler à la rêverie oisive des pêcheurs, des matelots, des lazzaroni du golfe de Naples, il aurait composé des épopées merveilleuses en récitatifs interminables; il les aurait accompagnées de quelques notes de guitare et du bruit des flots sur la plage; il les aurait chantées sur le môle des ports de cette mer, au coucher du soleil derrière les îles, rideaux mystérieux de l'Océan.

Si Béranger avait eu à émouvoir l'âme aventureuse et voluptueuse du peuple qui gémit, de souvenirs et de tristesse, au bord des quais de Venise, il aurait écrit des stances d'Arioste et du Tasse, en vers dignes d'être soupirés sous ce beau ciel, et il les aurait jetés, comme réminiscence classique, dans la mémoire des gondoliers. Qui mieux que lui aurait chanté la glorieuse élégie de Manin?

S'il avait eu même à parler à des Écossais, race ossianique, contemplative, rêveuse et mélancolique comme ses grèves, ses lacs, ses montagnes, il aurait composé quelques-unes de ces ballades touchantes qui font, comme dit Dante:

CHANTER ET PLEURER À LA FOIS.

Mais il avait à faire à un peuple sarcastique de capitale, de caserne, de faubourg, de champs de bataille. Ce peuple dépasse les Grecs en héroïsme, mais il n'égale ni les Campaniens en rêverie, ni les Vénitiens en poésie, ni les Écossais en sensibilité. Ce peuple rabelaisien n'est pas encore arrivé à son âge poétique dans ses couches profondes, et peut-être n'y arrivera-t-il jamais. Son origine gauloise, son goût excessif pour la raillerie, son père spirituel Rabelais, son trop d'*esprit*, faculté si nuisible au génie poétique d'une race humaine, l'empêcheront peut-être toujours d'être un peuple épique, et encore plus un peuple lyrique. C'est le peuple du rire; il chante des noëls, et il a inventé le vaudeville, deux funestes augures pour qu'il chante jamais des stances héroïques ou des barcaroles sérieuses. Il n'a bien chanté que l'hymne de la guerre, *la Marseillaise*, en 1792, parce qu'il la chantait en face des armées étrangères, avec l'accompagnement du tambour et du canon!

Mais la partie du peuple français des capitales et des camps à laquelle s'adressait Béranger était peu capable de s'engouer pour une poésie à longue haleine et à grand vol; cette poésie aurait passé par-dessus sa tête: le cygne et l'aigle ne s'abattent pas dans la rue. Il fallait évidemment à ce peuple des chansons.

XXIII

La chanson est la littérature de ceux qui ne savent pas lire. On savait peu lire alors dans les campagnes, dans les casernes et dans les ateliers où Béranger voulait retentir. L'air populaire qui court les rues en sortant du Vaudeville, et que les bornes apprennent d'elles-mêmes à force de l'entendre répéter par les orgues ambulants, est un véhicule nécessaire pour porter la poésie narquoise ou politique de porte en porte, comme le facteur quotidien y porte une lettre, à cent mille adresses. L'air musical est nécessaire aussi pour graver le couplet dans la mémoire du peuple par l'obsession d'un écho qui redit un million de fois le même refrain. Cette musique usuelle qui parle à l'esprit, et ce couplet rhythmé qui danse dans l'oreille, se prêtent l'un à l'autre un mutuel secours pour pénétrer partout. On entend malgré soi la mélodie banale, semblable à la voix du crieur public; souvent même on répète soi-même, en dépit de soi, l'air dont on est obsédé et les paroles qui répugnent à vos opinions. Telle est la puissance de la chanson sur le peuple illettré des capitales en France: c'est l'enseignement mutuel de la borne et du pavé; l'air monte souvent jusqu'au grenier du pauvre; il pénètre même dans le salon du riche; mais son théâtre par excellence est le café. Le café, où les Orientaux rêvent, où les Français chantent, est le véritable centre d'acoustique de la chanson grivoise ou de la chanson politique, ce pamphlet en musique. L'oreille de la France est là pour entendre et retenir.

XXIV

Il ne faut donc nullement s'étonner qu'un esprit de la plus exquise délicatesse, tel qu'était Béranger, ait choisi la forme de la chanson pour se faire l'écho, mais l'écho héroïque de la nation. La chanson était la langue du pays; tant pis pour le pays sans doute, tant pis surtout pour Béranger! Il aurait sans doute bien préféré écrire à l'ombre des rochers de Sicile, comme Théocrite, ou des hêtres du Mincio, comme Virgile, ou des oliviers de l'Hymète, comme Anacréon, ou des figuiers de Tibur, comme Horace, ou des orangers de Sorrente, comme le Tasse.

Il aurait aimé à y écrire, soit des églogues pastorales, soit des ivresses et des amours attiques, soit des odes négligées et badines, soit les épopées de la liberté et de l'héroïsme de son pays. Les siècles et l'univers lettrés l'auraient adopté, mais le jour et la rue ne l'auraient jamais connu. C'est au jour, à la rue, à la passion publique, à la faction régnante qu'il avait à faire. Il fallait donc chansonner, eût-il envie de chanter; eût-il même envie de pleurer, il fallait rire.

D'ailleurs la chanson joviale ou politique, la chanson à boire ou la chanson à tuer un gouvernement, n'était pas entièrement une langue étrangère pour ce jeune poète de 1810 à 1820. C'était par là qu'il s'était déjà révélé à quelques esprits d'élite dans ce *monde des bons vivants* dont le dogme, sous l'Empire, était la *Clef du Caveau.*

La *Clef du Caveau*, que nous avons vue alors entre les mains de plusieurs de nos condisciples, devenus des chansonniers et des vaudevillistes, était un livre où se trouvaient notés, figurés et alignés, pour la faculté des débutants, tous les airs populaires sur la mesure desquels il fallait, comme sur le lit de Procuste, allonger ou raccourcir son génie quand on voulait écrire pour *le Caveau.*

Le Caveau était l'académie chantante. Le premier Empire, en comprimant par la censure la pensée, qui vit de liberté, et qui quelquefois en meurt, avait respecté et même favorisé la liberté bachique. La police était de l'avis de César: «Les hommes gras et gros qui chantent à table ou au lit ne sont pas dangereux. Encourageons la chanson; elle tuera la satire.» Une foule d'esprits plus ou moins sincèrement bachiques, depuis Laujon jusqu'à Désaugiers, s'étaient donc relégués au *Caveau*, et ils y célébraient tous les mois les mystères du vin, de l'amour et du refrain. Un ou deux bons couplets rimés spirituellement par un jeune homme étaient un titre d'admission dans cette académie de la goguette. Béranger y avait été reçu. *Le Chansonnier des Grâces* était le Moniteur officiel de ce sénat d'Horaces et d'Anacréons de restaurateur. La gloire mensuelle de ces publications faisait éclore un nom sur une page de ces recueils, comme un rayon de soleil fait éclore le ver à soie sur une feuille de mûrier. La seule littérature populaire de la France, de 1805 à 1815, était à table dans ce Caveau. Béranger y avait connu *Laujon*, *Désaugiers*, et tous les maîtres de la gaie science. Avec cette flexibilité de caractère qui est la faiblesse et la grâce de la jeunesse, il est naturel qu'il y ait admiré ces maîtres; on comprend qu'il ait été possédé, au début, d'une certaine émulation pour rivaliser de jovialité et de gaudriole avec eux. N'ai-je pas pris moi-même, en sortant du collége, Dorat pour un Anacréon et Parny pour un Tibulle? Ce mode bachique d'ajuster sa poésie sur un air des rues était donc déjà familier comme une habitude à Béranger avant qu'il en eût fait un système. Faire chanter l'amour et le vin, c'était vieux comme le vin et l'amour; mais faire chanter le pamphlet, c'était le génie et la nouveauté du genre.

XXV

Je répète que je n'écris pas ici et aujourd'hui la vie de Béranger; je l'écrirai peut-être ailleurs, et certes ce serait, si j'en avais le talent, un charmant poëme que cette histoire qui a voulu se circonscrire elle-même entre l'atelier d'un ouvrier et la mansarde d'un chansonnier, entre l'aiguille et la plume, deux outils de travail, l'un pour le pain de la famille, l'autre pour la gloire de la patrie. Je ne sais de cette histoire que ce que Béranger m'en a souvent raconté épisodiquement à propos de lui ou des autres; j'en ai entendu assez cependant pour savoir que ce jeune homme, devenu une grande mémoire, n'était nullement dépourvu d'éducation, ni même d'instruction classique.

On a affecté de le dire pour flatter l'ignorance; on a voulu faire croire au peuple que l'éducation était inutile aux mœurs, que l'instruction était inutile à l'esprit, et que, dans les couches neuves et incultes de la nation, le génie né de lui-même portait sans racines les fruits exquis de la littérature, de la philosophie, de la politique et de l'art. Rien n'est moins vrai et rien n'est moins sérieusement populaire que cette adulation à la majesté sérieuse du peuple. Rien n'éclôt sans racine et rien ne fructifie sans culture, excepté l'ivraie, dans le champ de l'esprit.

La culture de l'âme, on la reçoit dans l'honnête famille: la profession de cette famille n'y fait rien, l'indigence encore moins; mais la moralité, ordinairement héréditaire, y fait tout.

La culture de l'esprit, on la reçoit de ses maîtres et de ses livres.

Ni cette éducation qui forme les mœurs, ni cette instruction qui achève l'esprit, n'avaient totalement manqué à Béranger. Il y avait même dans sa famille des traditions de vieilles souches et de vieille séve de nature à élever l'âme plus haut que le sort. Il dit, dans deux de ses chansons, qu'il est né en pleine roture; il y parle cinq ou six fois de son grand-père le pauvre tailleur d'habits de la rue Montorgueil; il prend pour armoiries les ciseaux et l'aiguille de cet honnête artisan de Paris. Avec une affectation inverse des ridicules affectations de fausses noblesses, il répudie l'origine plus illustre que la particule DE, jointe dans ses premières œuvres à son nom de Béranger, donnait à sa naissance.

Le poëte ennobli par lui-même ne voulait dater que de soi. De plus, il faut tout dire, il était de la politique du poëte qui voulait personnifier complétement le peuple dans ses obscurités, dans ses misères, dans ses passions fières ou jalouses, selon le temps; il était de la politique de Béranger de se confondre, depuis la cime jusqu'à la souche, avec ce peuple dont il voulait être à la fois l'image et l'orgueil. Il ne fallait pas deux natures entre ce peuple et lui: le poëte aurait été moins populaire, le peuple aurait été moins confiant. C'est ainsi que Mirabeau s'était fait marchand de drap à Marseille pour se confondre dans le tiers état; et, si nous remontons plus haut, c'est ainsi que Tibérius Gracchus s'était fait plèbe à Rome pour faire trembler l'aristocratie de son pays.

Nous n'approuvons pas cette politique, qui fait déroger le nom de famille pour faire monter plus haut l'ambition, la puissance, la popularité de l'individu. Il faut, quand on est vraiment philosophe, vraiment citoyen, vraiment égalitaire, se résigner avec la même indifférence à sa noblesse ou à sa roture: l'une ne dégrade pas plus que l'autre n'avilit le vrai grand homme. Roture ou noblesse ne sont ni des mérites ni des torts; ce sont des lots que nous avons reçus en naissant, dans la loterie de la Providence. Il y a faiblesse à s'en glorifier, faiblesse à en rougir, faiblesse à les abdiquer. Béranger, quand il fut devenu ce qu'il devait être, un aussi grand cœur qu'il était un grand esprit, pensait exactement comme nous. Mais alors il n'était encore qu'un homme de parti. On comprend qu'à cette époque de sa vie il ait fait ce petit sacrifice à l'envie, divinité de la rue qui vit aussi de fumée, comme les divinités antiques.

XXVI

Mais plus tard, et bien souvent, dans la franchise de ses entretiens à demi-voix, voici littéralement ce qu'il me disait à moi-même:

«Je me nomme bien véritablement DE BÉRANGER. Ma famille, quoique déchue par des revers de son ancienne aristocratie, est bien réellement noble; elle est une branche séparée et séchée de la très-ancienne maison de ce nom, enracinée dans plusieurs provinces de France, et surtout en Provence, en Anjou et en Dauphiné. Ma famille a conservé précieusement les titres de cette filiation dans nos pauvres archives domestiques; elle s'en est toujours entretenue, à portes fermées, avec une certaine vanité pieuse de grandeur déchue, qui est de la niaiserie, si vous voulez, mais la niaiserie vénérable des souvenirs. Il y a plus, ma famille a toujours espéré que, par une vicissitude quelconque du sort, elle remonterait au rang légitime d'où elle était tombée par la misère, et qu'elle se ferait reconnaître, ses titres à la main, pour ce qu'elle est.

«Je n'ai jamais partagé, quant à moi,» ajoutait-il, «ces vanités ni ces espérances; je me suis toujours moqué d'eux quand ils me parlaient de notre noblesse vraie ou fausse; je n'ai jamais voulu voir leurs titres et leurs parchemins; mais je sais qu'ils existaient. Il est donc très-naturel qu'à mon entrée dans la vie et dans les lettres, j'aie porté et signé le nom qui était légitimement celui de notre famille.

«Cette famille, poursuivait-il, avait véritablement aussi des puretés de mœurs et des dignités de sentiment à la hauteur de ce qu'elle appelait son origine.» Il citait, entre autres, comme un type de distinction, d'intelligence et de cœur, une de ses tantes, qui lui servit de mère à l'âge où le cœur des mères est à l'âme de leurs enfants grandis ce que la mamelle est à leurs lèvres quand ils sont au berceau.

De sa véritable mère il ne m'a jamais parlé, soit qu'elle fût morte avant qu'il ait pu la connaître, soit que cette femme, ainsi que l'insinue Alexandre Dumas dans sa remarquable confidence au public sur Béranger, n'ait pas laissé à son enfant devenu homme l'image d'une assez tendre mère. On en est réduit à cet égard aux conjectures. Une seule personne vivante pourrait les rectifier: c'est la vénérable sœur de Béranger, religieuse dans un couvent de Paris; femme de prières dont l'homme de chansons aimait à parler avec respect et avec de tendres réminiscences. Quand l'homme a fait le tour de sa vie et qu'il se rapproche par la mémoire du foyer d'où il est parti enfant, il revoit par la pensée les sœurs qui jouaient dans des berceaux à côté du sien, et, s'il en existe une encore, fût-ce derrière les grilles d'un monastère, toute son âme y reflue: les feuilles en automne tombent sur les racines.

XXVII

Quoi qu'il en soit, Béranger, qui ne me parla jamais de sa mère, m'a parlé presque tous les jours de son père. Ce qu'il me disait de ce père, bien que cela fut un peu confus dans ses discours, est la preuve que le poëte avait reçu par ses soins et par ceux de son grand-père une éducation très-au-dessus de la profession à laquelle il se dit prédestiné dans ses chansons. Un enfant voué à l'établi, à l'aiguille et aux ciseaux, n'aurait pas eu besoin de passer six ans dans une maison d'études libérales de Paris. Or le petit-fils du tailleur étudia pendant ce nombre d'années chez un précepteur ecclésiastique, logé dans les environs de la Bastille. Il y a évidemment dans ce dénuement prétendu de toute éducation, dont Béranger parle au public, la même exagération de subalternité que dans le titre de *garçon d'auberge* qu'il se donne dans la même chanson. On va voir ce qu'il entendait par garçon d'auberge.

«J'avais,» me disait-il très-souvent, «une excellente tante, qui me recueillit dans sa maison après la mort de mon grand-père. Elle habitait une province du nord de la France. Son mari y jouissait d'une large aisance. Il associait au travail rural de ses champs les profits d'une hôtellerie de faubourg, que ma tante dirigeait, à l'aide de ses nombreux domestiques de ferme. Non-seulement c'était une femme du cœur le plus maternel pour moi, qu'elle traitait comme son propre fils, mais c'était une femme d'une éducation supérieure à son état; je lui dois tout ce qui a pu germer ou fleurir plus tard en moi de bons instincts, de haute raison, de tardive sagesse. Je ne pense jamais sans m'attendrir aux bontés de cette femme accomplie pour moi; à ses conseils, qui sont devenus mes proverbes; aux soins qu'elle se donnait pour me procurer, à Péronne, l'éducation et l'instruction les plus propres à faire de moi, un jour, ou un artisan supérieur à sa condition, ou un homme distingué dans les professions libérales, vers lesquelles elle se complaisait à me diriger.»

On peut lire à cet égard de très-intéressants détails justificatifs de mon opinion dans le *Petit Évangile de la jeunesse de Béranger, selon un artisan son disciple, M. Savinien Lepointe.* M. Mornand, dans une série d'articles à cœur ouvert, le juge avec autant d'amour et plus de liberté.

On voit qu'il y a loin de cette situation de l'enfant de quatorze ans chez le modèle des tantes à la situation de garçon d'auberge rinçant les verres et changeant l'assiette des rouliers de Péronne. C'était une tutelle, ce n'était point une domesticité. Une laborieuse et fidèle domesticité ne l'aurait pas, à mes yeux, subalternisé moralement davantage; mais il faut appeler les choses par leur nom: le petit Béranger n'était pas garçon d'auberge; il était le neveu et le pupille chéri d'une tante aisée, pieuse, lettrée pour sa condition, qui lui prêtait sa maison, sa bourse et son cœur pour l'élever, par une éducation vigilante, à une honorable profession dans la société.

XXVIII

Ce que Béranger nous a dit tant et tant de fois de cette tante s'accorde parfaitement avec ce qu'Alexandre Dumas a recueilli de sa propre bouche ou des traditions de Péronne.

L'enfant reprit, sous la surveillance de sa tante, les études au moins élémentaires commencées à Paris. La tante y ajouta les études religieuses. Elle le nourrissait de Fénelon et de Racine, de *Télémaque* et d'*Athalie*. Quel garçon d'auberge ne deviendrait un enfant d'élite à un pareil régime? Enfin elle le fit entrer à Péronne dans une carrière à la fois lucrative et libérale, carrière qui nécessitait par sa nature des études préalables, et qui par sa nature aussi devait compléter ces études.

Cette carrière était l'imprimerie. À seize ans le poëte futur était apprenti typographe.

La typographie est le vestibule de la littérature; elle suppose dans la classe très-lettrée qui l'exerce une instruction assez universelle, car elle suppose la connaissance minutieuse de la langue, et la langue est la clef de tout savoir.

Les typographes sont par leur art une sorte de noviciat de la littérature; ils sont par leur métier les premiers confidents de l'idée: on pourrait les appeler les secrétaires intimes de leur siècle. Cette intimité confidentielle dans laquelle ils vivent avec les écrivains, les orateurs, les poëtes, les savants, initient forcément ces ouvriers de la pensée à la science, à la politique, aux lettres. Pourrait-on supposer un copiste de musique qui ne comprendrait pas les notes? Pourrait-on supposer un graveur de tableaux qui ne saurait pas le dessin? Il en est de même des typographes. C'est la profession la plus rapprochée de celle de l'écrivain, si toutefois penser, sentir et écrire est une profession. C'est du moins la plus intellectuelle des professions manuelles. Une foule d'hommes de science ou de style, chez toutes les nations, est sortie des ateliers de la typographie. Sans parler de Diderot, de Mercier, et de tant d'autres en France, la typographie en Amérique ne fut-elle pas le métier de Franklin, cet homme qui fondait la liberté religieuse et la liberté républicaine dans le même moule où il fondait les caractères de la pensée?

Béranger n'était donc ni un manœuvre, ni un garçon d'auberge à Péronne et ensuite à Paris; il était le Franklin en germe de la France.

Son talent futur ne naissait donc nullement d'une enfance illettrée et mercenaire; ce talent naissait d'une famille déchue, mais qui se respectait elle-même dans son passé; il naissait des soins d'une tante qui rêvait pour son pupille une restauration du nom de la famille; enfin il naissait d'une première profession essentiellement lettrée, et qui, ayant fait naître un Franklin dans un autre monde, pouvait bien faire éclore un Béranger dans celui-ci. Voilà la vérité sur l'éducation du poëte.

XXIX

Il a laissé dire et il a fait entendre lui-même qu'il ne savait pas le latin, cette langue mère de la littérature occidentale. C'est possible; mais cela ne serait pas une raison d'impuissance dans un homme né pour penser par lui-même et pour écrire dans la langue usuelle de son pays. Il y a si longtemps qu'on parle, qu'on écrit et qu'on traduit le latin dans notre Occident, que l'esprit de l'éloquence, de l'histoire, de la poésie latine, a été tout entier transvasé dans les langues de l'Europe. Qu'importe le mot, quand la latinité de l'idée a passé dans les mœurs et dans le style? J. J. Rousseau lui-même ne savait guère le latin quand il commença à écrire, et cette ignorance l'empêcha-t-elle de se faire le plus pénétrant, le plus harmonieux et le plus éloquent des styles?

Nous avons peine à croire cependant à la complète sincérité de cette ignorance de la langue d'Horace dans le poëte des chansons politiques. Le tour de ces chansons est, selon nous, trop essentiellement latin, sous sa prétention gauloise, pour n'y pas reconnaître à chaque construction de couplet des réminiscences savantes, et trop savantes peut-être, de latinité. Si ces chansons ont un défaut pour les classes mercenaires auxquelles elles sont dédiées, c'est précisément la construction un peu laborieuse, un peu antique et un peu obscure de la phrase. Il y a trop de *Tacite*, dans ce prétendu ménétrier des tavernes de la Gaule, pour croire qu'il n'ait pas fréquenté dans son enfance les historiens, les satiristes et les politiques de Rome.

XXX

Après son retour à Paris, à l'âge de dix-huit ans, en 1796, on perdait même dans sa conversation le fil de sa vie et de ses études. Il paraît que son grand-père et son père l'avaient rappelé auprès d'eux pour une tout autre occupation que celle de typographe. On le destinait alors à ce qu'on appelle aujourd'hui les affaires, c'est-à-dire à la banque, aux fournitures d'armée et aux spéculations d'argent et de papier, qui avaient pris une grande place dans la vie des Parisiens de cette époque, comme sous la *Régence* et comme de nos jours. Les conspirations politiques s'y mêlaient aux agiotages de finances. Le père du jeune Béranger, homme spirituel, entreprenant, léger et aimable, disait son fils, s'était jeté tout à la fois dans les jeux de la banque et dans les aventures contre-révolutionnaires.

«C'était un homme bien charmant et bien étourdi que mon père», me disait souvent Béranger. «Quoique je n'eusse que dix-huit ans, j'étais plus sensé et plus prudent que lui dans les affaires auxquelles il m'initiait, et qu'il avait fini par me remettre presque entièrement pour s'occuper plus librement de ses plaisirs et de ses machinations politiques. Le croiriez-vous? mon père était un royaliste de ce qu'on a appelé la *Jeunesse dorée* du temps. Il avait la main dans toutes les conspirations bourboniennes pour la restauration de la monarchie; il était lié d'opinion et d'amitié avec les chefs vendéens qui rêvaient de rétablir, par les bras de quelques braves paysans, le trône renversé par la république. Il sacrifiait ses intérêts de banque à ses affections d'homme de parti; il encourait, pour ses amis de l'aristocratie, les procès, les exils, les prisons du gouvernement républicain. Sa fortune tout entière y coula; il disparut et me laissa à moi, seul et inexpérimenté, le soin de sauver ses débris et d'honorer ses revers. Je m'en acquittai avec dévouement et honneur, à la satisfaction de tous les créanciers. Ce fut alors que je pris cette intelligence nette et active des affaires qui a si souvent étonné en moi ceux qui ne peuvent pas ajuster deux flèches sur le même arc. Ce fut alors aussi que je pris cet esprit d'ordre, de ponctualité, d'aisance dans l'étroit, qui me caractérise encore aujourd'hui.

«Mais j'y pris en même temps ce dégoût de la fortune et ce goût de la médiocrité qu'on appelle mon désintéressement, qui est vrai, et ce qu'on appelle ma pauvreté, qui est simplement ma liberté. Je n'ai pas voulu entendre parler des affaires pour moi-même, mais j'ai toujours été apte à les bien comprendre et à les bien conseiller dans les autres: les puissances financières, les Laffitte, les Pereire, qui ont été et qui sont mes amis, vous en rendraient au besoin témoignage. J'ai manqué ma vocation; j'aurais été un grand financier.»—Je le crois, lui répondis-je, et surtout un très-grand politique.

«Bah! reprenait-il, à quoi bon? Emporte-t-on son or ou sa puissance à la semelle de ses souliers? J'ai mieux aimé n'être rien. J'ai eu l'ambition de Diogène; mais mon tonneau est plus commode et plus grand que le sien,» poursuivait-il avec un fin sourire; «il contient bien des amis, et il a contenu un fidèle amour; il dépasse encore mes désirs. Je me suis mesuré, et je me suis bâti une destinée juste à la proportion de mon ombre au soleil.»

XXXI

Quant aux années qui suivirent le désastre de son père, la mort de son grand-père, la dispersion et l'indigence de cette famille, il ne m'en dit jamais rien.

Il paraît, d'après ses chansons et ses notes, que tout tomba à cette époque autour de lui dans une pauvreté irrémédiable, et que le jeune poëte chercha pour la première fois dans son esprit les ressources bien douteuses et bien précaires que le talent littéraire encore ignoré du public et de soi-même peut offrir à une famille écroulée.

Ce fut alors aussi que ce jeune homme fut confondu quelque temps par l'adversité avec ceux qui souffrent de la vie dans les misères d'une capitale. Il y contracta des opinions républicaines et soldatesques très-opposées à celles de son père; il y respira le sentiment plébéien, noblesse inverse du prolétaire, jusqu'au dédain pour des classes plus favorisées du sort. Enfin il y fut initié par les mœurs communes à la langue triviale du peuple dont il goûtait les larmes au fond du verre.

Mais ce qu'il y contracta surtout, ce fut la pitié pour ce peuple et l'amour réel des déshérités. Cette compassion et cet amour du peuple honnête et souffrant des ateliers des grandes villes devint sa seconde nature: le malheur fut sa famille. Cela se conçoit; on s'attache à ce que l'on fréquente. C'est ainsi que moi-même, élevé dans les champs et NÉ PARMI LES PASTEURS, comme je l'ai chanté un jour, j'ai contracté, en vivant presque constamment parmi les ouvriers de la campagne, une estime, un goût, une tendresse pour les paysans, qui me firent toujours et qui me font encore préférer la table, la veillée d'une chaumière aux banquets et aux fêtes des palais. Béranger ne connaissait pas les paysans, moi je ne connaissais pas les prolétaires des villes avant 1848; j'avais chanté des idylles, il devait chanter des couplets.

XXXII

Ce fut alors, si l'on en croit l'esquisse biographique d'Alexandre Dumas, que l'âme de Béranger s'ouvrit pour la première fois, et peut-être pour la seule fois de sa vie, à l'amour.

Rien n'est plus près d'aimer qu'un malheureux: les larmes communes sont la soudure des cœurs. L'aventure racontée par Dumas est si étrange qu'elle doit être vraie: on n'invente jamais autant de poésie que la nature, la vie et les hasards du cœur en jettent sur le chemin des hommes d'aventures. Le grand poëte, c'est le sort; nous ne sommes que les personnages avec lesquels il compose ses drames. J'ai connu les deux personnages vieillis de ce drame de jeunesse et d'amour. Je parlerai tout à l'heure de celle qui fut Lisette, compagne de la jeunesse, de l'âge mûr, de la poésie et de la vieillesse de Béranger. Voici comment, selon la biographie intime, ces deux enfants se connurent, s'aimèrent, et mêlèrent leurs destinées qui devaient se confondre jusqu'au tombeau.

XXXIII

Dans le temps où le jeune Béranger, sans souci de sa fortune, se consolait de l'indigence par l'étourderie, il fréquentait la salle d'armes d'un maître d'escrime du faubourg Saint-Antoine, nommé Valois. Ce Valois, par une bizarrerie qui servait peut-être à achalander sa salle d'armes, avait pris pour prévôt, c'est-à-dire pour second dans ses exercices, une de ses nièces, jeune fille de quatorze à quinze ans, nommée Judith Frère. Cette jeune fille, d'une taille élevée, d'une souplesse énergique d'avant-bras, d'une physionomie noble et douce, d'un regard de reine tempéré par une délicate réserve, montrait encore à quatre-vingts ans les traces d'une beauté qui avait dû éblouir les élèves du maître d'armes. La sandale retentissante sur la dalle, chaussée au pied droit, le gant de combat à la main, le plastron sur le sein, l'épée mouchetée au poing, le masque de fil de fer sur le visage, treillis à travers lequel brillait l'ardeur des joues colorées par le jeu du combat, tout ce costume obligé d'un prévôt de salle d'armes devait faire, de la belle Judith, une Clorinde de quinze ans, plus facile à admirer qu'à combattre.

Judith et Béranger ne tardèrent pas à s'aimer et à s'avouer leur amour. Quelles furent les vicissitudes de cet attachement contrarié par leur âge et par leur misère; comment triompha-t-il de longs obstacles; comment, sous le nom plébéien de Lisette, Béranger célébra-t-il constamment la même personne poétisée dans ses chansons; comment Judith sembla-t-elle disparaître pendant quelques années, non de son cœur, mais de la vie de son poëte; comment la vit-on reparaître dans son âge mûr; comment un mariage à demi secret, à demi avoué dans une lettre équivoque et transparente cependant de Béranger au public, laissa-t-il ses amis dans une ambiguïté d'affirmation ou de doute sur la nature de cette vieille amitié; comment Judith et son poëte finirent-ils pourtant par se réunir sous le même toit pour mourir ensemble; c'est ce qu'il n'appartient qu'aux historiens de la vie de Béranger de savoir et de dire. La seule chose qui nous importe dans un examen des vers et du caractère du poëte, c'est que la Lisette dont parle Chateaubriand fut un sentiment de son cœur, et non une rime de ses couplets; c'est que le poëte aima pendant soixante ans, avec délicatesse, avec estime, avec constance, et que les apparentes légèretés de ses chansons ne furent que des convenances du genre, et nullement des débauches du cœur.

XXXIV

C'est sans doute cet amour, amour qui rend le cœur bien plus prudent, parce qu'il le force à penser à deux, c'est sans doute cet amour qui pressa instinctivement Béranger de songer à se créer par les lettres une existence qui pût suffire à deux vies.

«Judith pourtant,» me disait-il souvent, «n'était pas si pauvre que moi: d'abord elle avait par ses parents un modique patrimoine, et puis elle avait à cause de moi un esprit d'ordre et d'épargne féminine qui doublait sa modique aisance. C'est elle qui a pourvu cent fois à toutes mes nécessités dans les moments pénibles de ma vie. Je lui ai dû beaucoup d'argent, et, si nous liquidions nos petites fortunes, c'est moi qui serais redevable à Judith.»

Béranger ne commença pas par des chansons. Ce genre de poésie spirituel, mais plébéien, qu'il n'avait pas transfiguré encore, lui paraissait au-dessous de la dignité de la poésie. Comme tout le monde il rêva plus haut. Il composa le plan et les premiers chants d'un poëme épique intitulé *Clovis*; puis il écrivit dans les intervalles des *Méditations poétiques*; enfin il pensa à chercher dans la tragédie une de ces renommées soudaines et éclatantes qui grandissent comme l'aloès en un soir, aux rayons du lustre, sur une scène à dix mille échos. Chose singulière et cependant exacte, moi-même, quinze ans plus tard, je composais le plan et les premiers chants d'un poëme épique de *Clovis*; j'écrivais, sous le titre de *Méditations poétiques*, des vers qui ne trouvaient pas à exprimer leur nature sous un autre titre; enfin j'ébauchais cinq ou six tragédies avortées pour une scène où ma destinée n'était pas de monter au rang des Sophocle, des Shakspeare, des Corneille, ou de leurs rivaux d'aujourd'hui!

XXXV

Nous possédons quelques fragments de ce poëme de *Clovis* et de ces *Méditations*, de ces élégies de Béranger de vingt ans. L'élévation, la pureté, la mélancolie de ces vers inachevés démontrent qu'il serait devenu aussi poëte en suivant ces voies des grandes lettres, mais il ne serait pas devenu aussi populaire. Or il était pressé de gloire et de pain; il ne devait pas tarder à changer de note: le poëte devait se faire chansonnier. Cependant on ne peut éviter son sort; il allait trouver une gloire historique dans un refrain où il ne cherchait que l'écho de la rue et l'engouement d'un soir.

Mais, avant de feuilleter ses chansons, citons, pour caractériser son génie naissant, une ou deux de ces poésies sérieuses et élégiaques qui tombaient de son âme sensible, plus printanières et plus irréfléchies peut-être que ses couplets. Un studieux et pieux commentateur de Béranger, M. Fournier, nous a restauré hier une de ces ébauches dans le *Courrier de Paris*; nous ne la connaissions pas; elle gisait enfouie dans les éphémérides poétiques des premières années de l'Empire. Elle est intitulée *Glycère*. Je voudrais bien qu'elle fût une page de mes propres *Méditations*. Cette élégie est aussi grecque et plus grecque encore que française; elle ressemble à s'y méprendre à une feuille de cyprès d'André Chénier.

Écoutez ces vers:

GLYCÈRE.

UN VIEILLARD.

Jeune fille au riant visage,
Que cherches-tu sous cet ombrage?

LA JEUNE FILLE.

Des fleurs pour orner mes cheveux.
Je me rends au prochain village.
Avec le printemps et ses feux,
Bergères, bergers amoureux
Vont danser sur l'herbe nouvelle.
Déjà le sistre les appelle;
Glycère est sans doute avec eux.
De ces hameaux c'est la plus belle;
Je veux l'effacer à leurs yeux.
Voyez ces fleurs, c'est un présage.

LE VIEILLARD.

Sais-tu quel est ce lieu sauvage?

LA JEUNE FILLE.

Non, et tout m'y semble nouveau.

LE VIEILLARD.

Là repose, jeune étrangère,
La plus belle de ce hameau.
Ces fleurs, pour effacer Glycère,
Tu les cueillis sur son tombeau!...

J. P. de Béranger.

Une autre *Méditation* dialoguée du même style a été découverte par M. Fournier dans le même recueil; elle est datée de 1803 et signée du même nom. Béranger avait alors vingt-cinq ans.

LE CONQUÉRANT ET LE VIEILLARD.

LE CONQUÉRANT.

Je me suis, en chassant, égaré dans ces bois;
Guide-moi, bon vieillard, jusques à la sortie.

LE VIEILLARD.

Quittez votre coursier, les chemins sont étroits;
Allons, et soutenez ma marche appesantie.

LE CONQUÉRANT.

Te serais-je inconnu?

LE VIEILLARD.

Jamais je ne vous vis...

LE CONQUÉRANT.

À défaut de mes traits tu connais mon histoire?

LE VIEILLARD.

Le silence est profond sous le chaume où je vis.

LE CONQUÉRANT.

Depuis vingt ans le monde est rempli de ma gloire;
C'est moi dont le courage a soumis tant d'États

Que mon nom, prononcé dans la paix, dans la guerre,
Fait trembler l'univers.

LE VIEILLARD.

Je ne vous connais pas!
Mes bras sont pourtant las de cultiver la terre.

LE CONQUÉRANT.

Homme qui me confonds, quel est donc ton destin?

LE VIEILLARD.

Je suis né dans ces bois, j'y passai ma jeunesse;
Une épouse et deux fils embellissent ma fin.
Six chèvres et nos bras, voilà notre richesse;
Elle nous a suffi: nous en bénissons Dieu.
Mais voici le chemin, seigneur, et je vous laisse.
Pardonnez à mon âge...

LE CONQUÉRANT.

Heureux vieillard, adieu.

J. P. de Béranger.

XXXVI

On voit que le chantre futur de l'amour de la gloire sentait déjà le néant de la gloire et de l'amour, et qu'il avait le pressentiment lointain de ce détachement des grandeurs humaines, qui devint longtemps après la sagesse de ses vieux jours.

On voit aussi que, si Béranger avait persévéré dans ce genre sérieux et mélancolique de poésie, qui était plus qu'on ne le croit la tendance de son âme, il aurait égalé les poëtes les plus sensibles et les plus mélodieux de son siècle.

C'est à peu près à la même époque qu'il composa une épître sur le rétablissement du culte public en France, et une méditation funèbre sur les révolutions des empires, dans laquelle il parle ainsi des Bourbons immolés ou proscrits:

Des hommes étaient nés pour le trône du monde;
Huit siècles l'assuraient à leur race féconde.
Dieu veut! soudain, aux yeux de cent peuples surpris,
Les uns sont égorgés, les autres en partage
Portent, au lieu de sceptre, un bâton de voyage.

. . . .
. . . .

Au milieu des tombeaux qu'environnait la nuit,
Ainsi je méditais, par leur silence instruit.
Les fils viennent ici se réunir aux pères,
Qu'ils n'y retrouvent plus, qu'ils y foulaient naguères,
Disais-je, quand l'éclat des premiers feux du jour
Par le chant des oiseaux ranima ce séjour.
Le soleil voit, du haut des voûtes éternelles,
Passer par des palais des familles nouvelles.
Familles et palais, il verra tout périr.
Il a vu mourir tout, tout renaître et mourir;
Sortir l'homme, produit par la cendre des hommes;
Et, lugubre flambeau du sépulcre où nous sommes,
Lui-même, à ce grand deuil fatigué d'avoir lui,
S'éteindra devant Dieu, comme nous devant lui!...»

À ces élégies grecques, à ces vers sur le rétablissement du culte des aïeux, à ces méditations bibliques sur l'écroulement des Bourbons égorgés ou proscrits, à ces évocations au nouvel empire fondé, selon le poëte, par un homme suscité de Dieu, ne croit-on pas entendre un néophite de Fontanes, de Chateaubriand, dans ce jeune homme qui sera un jour l'ennemi du trône, la terreur du temple, le moqueur des Bourbons, l'Homère populaire de la Grande-Armée, le républicain, non du présent, mais de l'avenir?... On a beaucoup parlé de l'instabilité des choses humaines; mais l'instabilité de l'esprit humain, y a-t-on jamais fait assez d'attention? Et cette instabilité, comme on l'a trop dit, est-elle toujours mobilité, intérêt, faiblesse, apostasie dans les hommes pensants? Non, elle s'appelle aussi progrès dans les fortes têtes capables de contenir plus d'une idée pendant la durée d'une longue vie. Cette vie ne change-t-elle pas constamment le point de vue de l'homme et l'aspect des choses? Quand le navire qui vous porte vogue sur le fleuve, voyez-vous donc toujours le même rivage? Et quand le rivage mobile a changé en effet, est-ce donc un devoir stupide de soutenir que vous voyez toujours le même arbre ou la même masure devant vous? Non, ce n'est pas là devoir; c'est obstination ou cécité! Changer en mal, c'est faiblesse; changer en bien, c'est vertu. Béranger changea d'abord en mal, selon nous; puis il changea en bien; et c'est de ce dernier changement que nous parlons ici.

Quoi qu'il en soit, voilà le Béranger de vingt ans; nous allons voir le Béranger de quarante. Mais j'avoue que j'ai hâte d'arriver au Béranger de soixante; car je n'ai pas connu d'homme qui ait été aussi élaboré, aussi perfectionné moralement par les années que ce vieillard. Nul ne fut plus près d'arriver à la sublimité de sa nature, quand le temps le cueillit mûrissant toujours. Le vrai nom de Béranger, selon moi, c'était PROGRÈS: progrès de la raison, progrès de la philosophie, progrès de la politique, progrès de la charité, progrès de la vérité dans un ami sincère du bien, progrès du peuple dont il était le symbole et à qui il devait apprendre à grandir en lui.

Lamartine.

XXIIe ENTRETIEN.

10e de la deuxième Année.

SUR LE CARACTÈRE ET LES ŒUVRES DE BÉRANGER

I

Nous avons laissé Béranger jeune, pauvre, cherchant son talent en lui-même, et cherchant sa voie dans le monde, indécis comme tout homme l'est à cet âge sur ses propres opinions, rêvant un poëme épique national et monarchique, attendri sur les destinées tragiques des Bourbons, célébrant le rétablissement du culte d'État dans sa patrie, applaudissant à l'inauguration providentielle d'une dynastie militaire sur un trône recrépi de gloire et de force; en un mot nous avons laissé ce jeune homme faisant tout ce que M. de Fontanes, M. de Chateaubriand, M. de Bonald auraient pu faire pour la restauration poétique du passé: disons mieux, nous l'avons laissé ne sachant pas ce qu'il faisait, écolier du hasard ébauchant les thèmes de l'inexpérience et de l'imagination.

Il lui fallait des patrons; il eut le malheur de les trouver dans le groupe des poëtes lauréats de l'Empire. Ce groupe tenait à cette époque les clefs de la fortune et de la renommée. Cette école des poëtes administratifs se composait d'une centaine d'hommes d'esprit et de talent parmi lesquels primaient au-dessus de tous les Fontanes, les Arnault, les Étienne. Cette école, très-monarchique alors, ne devait pas tarder à devenir très-libérale, révolutionnaire contre les Bourbons; il faut en excepter M. de Fontanes, qui ne vit plus qu'un usurpateur dans son demi-dieu aussitôt que ce demi-dieu fut le vaincu de l'Europe.

Ces administrateurs de la poésie officielle eurent bien vite le pressentiment du talent futur de ce jeune homme; ils songèrent à l'accaparer pour le parti du gouvernement par une de ces petites places qui soldent mal, mais qui enrégimentent souvent pour toujours le génie indigent. Mais, indépendamment de ces patrons littéraires, le jeune Béranger en avait trouvé un plus haut et plus puissant dans Lucien Bonaparte.

Lucien Bonaparte avait quelque chose de romain de la vieille république dans le caractère et dans l'attitude. Bien qu'il eût été le complice le plus pressé, le plus intrépide et le plus éloquent du coup d'État de famille au dix-huit brumaire; bien qu'il eût été le ministre le plus intime et le plus habile de la dictature de son frère sous le Consulat, Lucien conservait contre la monarchie je ne sais quel vieux levain de républicain déchu qui le faisait chef d'une certaine opposition bien séante. Cette opposition n'avait pas de danger pour la monarchie, mais elle avait encore une certaine grâce fière qui plaisait aux anciens conventionnels: quand on ne veut plus agir on aime encore à murmurer. Lucien était le représentant de ce murmure sourd de la république déçue; il était de plus orateur et poëte; à tous ces titres une popularité aussi littéraire que politique s'attachait à son nom. Il a montré depuis, par son noble exil pendant la monarchie universelle de son frère et par son dédain des trônes offerts, qu'il avait réellement un grand cœur et que l'honnête homme dominait en lui l'ambitieux.

II

Béranger lui adressa ses premières poésies comme au Mécène naturel des jeunes talents qui se souvenaient de la République et qui voulaient, tout en aspirant à la renommée, garder la dignité de leurs préférences. La lettre de Béranger, dit-il lui-même, était admirablement calculée pour que le républicanisme avoué par le jeune poëte fut une caresse noble aux opinions présumées de Lucien, sans être une brutalité démagogique. On ne connaît pas la lettre, mais on peut s'en rapporter en fait de nuance à la dignité fière et fine de Béranger, un des plus habiles écrivains qui aient jamais aiguisé sur une page la pointe d'une plume de diplomate.

Lucien lut la lettre, accueillit le jeune homme, le caressa et lui conseilla d'être neuf par le sujet sans cesser jamais d'être classique par le style. Il fit mieux; joignant la libéralité à la leçon, il pria Béranger d'accepter son propre traitement de 1,500 francs comme membre de l'Institut. Il voulait, disait-il, lui assurer ainsi le loisir poétique. Béranger ne crut pas déroger à sa dignité en acceptant de l'amitié ce qu'il aurait refusé de la puissance. Ce traitement, tout littéraire de sa nature, inutile à l'opulent césarien, n'était que le gage de l'indépendance au lieu d'être la solde de la servilité. Jamais le jeune poëte n'oublia ce service: il avait coulé du cœur de Lucien comme une prière, il avait touché le cœur de Béranger comme un sentiment. Il y eut peut-être toujours un peu de cette reconnaissance honorable dans la faiblesse de Béranger pour la gloire militaire du héros de la famille.

III

Quelque temps après, le poëte Arnault, qui occupait une haute situation dans le gouvernement des lettres, obtint pour Béranger de M. de Fontanes, grand maître de l'Université, un emploi de bureau au traitement de 1,800 francs dans l'administration de l'instruction publique. C'était un premier degré à des fonctions littéraires plus lucratives et plus élevées, un prétexte à traitement. C'était le temps où Parny, qu'on appelait le Tibulle français, était commis dans les bureaux de M. Français de Nantes, directeur des droits réunis, et où Chateaubriand était ministre plénipotentiaire dans une bourgade des Alpes un peu moins grande que Nanterre. On voulait discipliner le génie en soldant la littérature. Tout prétexte était bon.

Un autre patronage, moins élevé et plus dangereux pour Béranger, fut celui de cette réunion bachique de chansonniers dont nous avons parlé en commençant, le Caveau. Il y avait là une gloire joviale, facile, enivrante, gloire de table qu'on se renvoyait au dessert de convive à convive, qui ne coûtait que l'écot d'un dîner et un refrain grivois ou gastronomique, et qui cependant se répandait assez promptement de la salle à manger dans la rue, par la voix des chanteurs publics. Béranger fut tenté de cette gloriole. C'était naturel à un jeune employé de bureau qui débordait d'esprit et qui ne savait où le répandre. Le plus séduisant, le plus naïf et le plus sincère des chansonniers de tous nos siècles chantants, *Désaugiers*, introduisit Béranger dans cette académie des couplets de table. Béranger eut la mauvaise fortune d'y être applaudi. Son talent, au commencement, prit le pli de la nappe. Son inspiration se rétrécit à la mesure des cinq ou six vers auxquels on attachait le refrain comme un grelot de folie à la robe d'Épicure. L'épigramme remplaça l'enthousiasme. Il s'en fallut peu que le poëte fût perdu dans le chansonnier et que la poésie ne fût noyée dans son propre verre. Heureusement le génie résiste à tout; la nature avait fait Béranger politique et philosophe, le Caveau ne put jamais en faire un buveur. Il n'emporta de la table du restaurateur que le sel piquant et amer dont Désaugiers et Collé avant lui salaient leur atticisme dans leurs inimitables gaietés de vers.

Cependant Béranger les égala quelquefois, à force de travail caché, dans quelques chansons de cette époque épicurienne de sa vie, notamment dans la chanson du *Roi d'Yvetot*. On croit y voir ressusciter Collé, un siècle après sa mort, pour fustiger légèrement l'Empire et la gloire avec une barbe de plume qui chatouille, mais qui ne fouette pas jusqu'au sang.

Il était un roi d'Yvetot
Peu connu dans l'histoire,
Se levant tard, se couchant tôt,
Dormant fort bien sans gloire.

. . . .
. . . .

Il faisait ses quatre repas
Dans son palais de chaume,
Et sur un âne, pas à pas,
Parcourait son royaume.
Joyeux, simple, et croyant le bien
Pour toute garde il n'avait rien
Qu'un chien.

. . . .
. . . .

Il n'agrandit point ses États.
Fut un voisin commode,
Et, modèle des potentats,
Prit le plaisir pour code.
Ce n'est que lorsqu'il expira
Que le peuple qui l'enterra
Pleura.

. . . .
. . . .

Ajoutez les refrains, c'est *Collé*; ôtez les refrains, c'est *La Fontaine*. Mais déjà entre *La Fontaine* et *Collé* il y a Béranger.

Ces couplets, qui n'ont l'air que de sourire, cachent sous la jovialité la pointe de l'épigramme. Béranger les chanta, dit-on, à M. de Fontanes, son patron; celui-ci les lut à son tour à l'empereur. Il fallait que l'empereur et le ministre fussent bien aveuglés par la fortune pour ne pas entendre à demi-mot, sous ces premiers couplets d'opposition, le murmure sourd de l'opinion qui commençait le sarcasme contre le despotisme et la conquête.

La chanson, dit-on encore, dérida César: dans ce grotesque miroir il ne reconnut pas son image renversée. Mais le peuple la reconnut, et cette chanson, devenue proverbe populaire, fut une des premières flèches de l'opinion contre le dominateur du monde.

La chanson du *Sénateur*, modèle achevé de raillerie grivoise contre la vanité sénatoriale et l'obséquiosité bourgeoise, fut un autre trait qui passa par-dessus la tête de Napoléon pour aller effleurer d'un premier ridicule un corps jusque-là inviolable de l'État. On en rit au palais, et l'empereur, dit-on, la chanta lui-même, sans se douter que le rire viendrait un jour ricocher de son sénat jusque sur son trône.

Le prodigieux succès de ces deux bluettes fit comprendre tout de suite à Béranger combien la politique était un assaisonnement piquant à la chanson, et combien l'opposition était supérieure à l'ivresse ou à l'amour pour la popularité d'un couplet.

Bientôt après il commença à caresser le plébéianisme prolétaire dans sa remarquable chanson des *Gueux*, véritable philosophie de la misère. Un grain de sel d'opposition relevait aussi ces couplets:

Vous qu'afflige la détresse,
Croyez que plus d'un héros
Dans le soulier qui le blesse
Peut regretter ses sabots.

Du faste qui vous étonne
L'exil punit plus d'un grand;
Diogène, dans sa tonne,
Brave en paix un conquérant.

D'un palais l'éclat vous frappe,
Mais l'ennui vient y gémir:
On peut bien manger sans nappe,
Sur la paille on peut dormir.

IV

L'invasion de 1814 interrompit à peine ces chansons; dès le mois de mai de cette année, nous retrouvons Béranger au Caveau, en compagnie de Désaugiers, chantant en convive patriote, mais toujours gai, les meilleures espérances de la patrie après ses revers. Quatre vers de sa chanson autorisent suffisamment à croire qu'il n'accusait point alors les Bourbons des désastres de l'Espagne, de Moscou, de Leipsick. Un de ces couplets fait une allusion approbative au mot de Charles X: «Il n'y a qu'un Français de plus.» Un autre couplet fait une allusion reconnaissante aux secours que Louis XVIII avait distribués aux prisonniers français en Angleterre. On voit que le royalisme, résigné, sentiment presque unanime de cette époque, respirait à son insu dans ses vers:

. . . .
. . . .
Lorsqu'ici nos cœurs émus
Comptent des Français de plus,
Mes amis, mes amis,
Soyons de notre pays.

Et plus loin:

Louis, dit-on, fut sensible
Aux malheurs de ces guerriers
Dont l'hiver le plus terrible
À seul flétri les lauriers.
Près des lis, qu'ils soutiendront,
Ces lauriers reverdiront.
Mes amis, mes amis,
Soyons de notre pays.

Enchaîné par la souffrance,
Un roi fatal aux Anglais[1]
A jadis sauvé la France
Sans sortir de son palais.

On sait, quand il le faudra,
Sur qui Louis s'appuiera.

Aimons, Louis le permet,
Tout ce qu'Henri Quatre aimait.

On parle de l'inébranlable fixité des hommes, fixité qui ne serait qu'une incorrigible stupidité! Que l'on concilie cependant de pareils vers dans le poëte de 1814 avec ceux qu'il écrivit quelques années plus tard! Le poëte ne songeait évidemment alors, comme tout le monde, qu'à panser les plaies de la France et de l'Europe et qu'à rallier tous les combattants pacifiés dans une concorde patriotique.

En veut-on une autre preuve? Qu'on lise les deux couplets suivants de la chanson de cette date, intitulée: LA GRANDE ORGIE:

Que le vin pleuve dans Paris,
Pour voir les gens les plus aigris
Gris.
Fi d'un honneur
Suborneur!
Enfin du vrai bonheur
Nous porterons les signes.
Les rois boiront
Tous en rond,
Les lauriers serviront
D'échalas à nos vignes.

L'opposition prématurée et inique y reçoit même un coup de marotte:

Graves auteurs,
Froids rhéteurs,
Tristes prédicateurs,
Endormeurs d'auditoires,
Gens à pamphlets,
À couplets,
Changez en gobelets
Vos larges écritoires.
Que le vin pleuve dans Paris,
Pour voir les gens les plus aigris
Gris.

V

Au mois de juin, la note commence à changer avec le souffle populaire; mais l'opposition, dans les couplets de cette année, ne s'adresse encore qu'à la Chambre obséquieuse, à l'aristocratie gourmée du faubourg Saint-Germain, au clergé envahissant, à la censure ombrageuse. On voit cependant que le poëte, accoutumé, sous M. de Rovigo et sous M. de Fontanes, à la rude discipline de la pensée, avait pris vite au sérieux la liberté de la presse.

Il s'en explique avec une loyale modération dans la chanson du NOUVEAU DIOGENE:

Où je suis bien, aisément je séjourne;
Mais, comme nous, les dieux sont inconstants;
Dans mon tonneau, sur ce globe qui tourne,
Je tourne avec la fortune et le temps.

Pour les partis, dont cent fois j'osai rire,
Ne pouvant être un utile soutien,
Devant ma tonne on ne viendra pas dire:
Pour qui tiens-tu, toi qui ne tiens à rien?

J'aime à fronder les préjugés gothiques,
Et les cordons de toutes les couleurs;
Mais, étrangère aux excès politiques,
Ma *Liberté* n'a qu'un chapeau de fleurs.

Pendant les Cent-Jours on n'entend pas sa voix. Il est évident qu'il gémit en secret sur l'invasion de la France par l'île d'Elbe et sur les funérailles de Waterloo. Mais, aussitôt après cet holocauste de notre malheureuse armée, sa voix s'attriste et se résigne ironiquement au deuil patriotique de son pays. Sa chanson intitulée: PLUS DE POLITIQUE avait tellement l'accent tragique du cœur consterné de la France qu'elle associa, plus qu'aucune autre, le nom de Béranger aux larmes et aux indignations sourdes de la nation.

L'armée adopta l'homme qui la pleurait ainsi:

Moi, peureux dont on se raille,
Après d'amoureux combats,
J'osais vous parler bataille
Et chanter nos fiers soldats.
Par eux la terre asservie
Voyait tous ses rois vaincus.
Rassurez-vous, ma mie:
Je n'en parlerai plus.

Sans me lasser de vos chaînes,
J'invoquai la liberté;
Du nom de Rome et d'Athènes
J'effrayais votre gaîté.
Quoiqu'au fond je me défie
De nos modernes Titus,

Rassurez-vous, ma mie:
Je n'en parlerai plus.

Oui, ma mie, il faut vous croire;
Faisons-nous d'obscurs loisirs.
Sans plus songer à la gloire,
Dormons au sein des plaisirs.
Sous une ligue ennemie
Les Français sont abattus.
Rassurez-vous, ma mie:
Je n'en parlerai plus.

Ces vers ne sont pas d'une bien haute poésie, mais ils sont d'un profond accent de patriotisme, qui est la poésie du poëte politique. Où est la grande pensée de la Marseillaise? Dans l'accent! Elle chantait mal, mais c'était la voix des frontières; la voix de Béranger était le cri de Waterloo.

VI

Le chansonnier devenait de plus en plus un poëte politique; c'est sous ce rapport seulement que nous le considérons ici.

Les chansons de table ou de jeunesse dont ce premier volume est enrichi suivant les uns, maculé selon nous, ne sont pas de la compétence de la critique; elles sont de la compétence de la morale. Nous n'en méconnaissons pas la double verve, mais cette verve bachique ou érotique n'est pas de la littérature, encore moins de la politique: c'est de l'agrément, de la folie, de l'ivresse, du scandale, du badinage si l'on veut; mais, quand on a l'oreille du peuple, il ne faut pas badiner avec le vice. D'ailleurs la critique est à jeun et le poëte est ivre; il n'y a pas de parité entre eux, ils ne pourraient s'entendre: l'un raisonne et l'autre délire. Ne relisons donc pas ces pages. Toutefois nous ne pouvons nous empêcher d'éprouver un sentiment de tristesse quand nous rencontrons sous nos doigts les débauches de gaieté folle dans ces volumes, dont les mères déchireront bien des pages pour préserver l'innocence de leurs fils. Ces pages nous font l'effet de ces couronnes de roses, de ces boucles de cheveux blonds noués de faveurs déteintes que l'on trouve quelquefois au fond d'une cassette, dans l'inventaire après décès d'un vieillard, souvenirs des joies de la vie qui jurent avec la gravité du moment. Ces roses qu'on a respirées un jour avec délices, à table ou au bal, ont un aspect morose et une odeur malséante sur le cercueil d'un sage que nous n'avons jamais connu que sous la couronne de ses cheveux blancs. Laissons donc le poëte des heureux, et revenons au poëte du peuple.

VII

À mesure que le gouvernement de la Restauration durait, sa nature, ses difficultés, ses fautes, et surtout celles de son parti et de ses Chambres parlementaires, aliénaient de la royauté des Bourbons une plus grande masse d'opinions désaffectionnées, aigries ou hostiles.

Les impôts et les emprunts dont il avait fallu charger la propriété, après les deux invasions dont la Restauration était innocente, puisqu'il fallait payer la rançon du territoire, les fureurs mal contenues de la Chambre de 1815, les massacres de Nîmes et de Toulouse, les listes de proscription dressées à regret par le roi sous le doigt impérieux d'une Chambre vengeresse; les meurtres incléments et impolitiques des généraux, de Labédoyère, du maréchal Ney, meurtres qui, dans quelques hommes, atteignaient l'armée tout entière; les procès pour cause de libelles, les prisons pour cause de couplets, les missions plus royalistes que religieuses parcourant le pays, présentant la croix à la pointe des baïonnettes, et répandant sur toute la surface de la France moins des apôtres de religion que des proconsuls d'agitations civiles; la guerre d'Espagne, guerre qui était en réalité française, mais qui paraissait une guerre intéressée de la maison de Bourbon seule contre la liberté des peuples; enfin la mort de Louis XVIII, ce modérateur emporté malgré lui par l'emportement de son parti; l'avénement de Charles X, qu'on supposait le Joas vieilli d'un souverain pontife prêt à lui inféoder le royaume; les oscillations de son gouvernement, jeté, des mains prudentes de M. de Villèle, aux mains conciliantes de M. de Martignac, pour passer aux mains égarées de M. de Polignac; l'abolition de la garde nationale de Paris, cette déclaration de guerre entre la bourgeoisie et le trône: toutes ces circonstances, tous ces malheurs, tous ces excès, toutes ces fautes, toutes ces faiblesses, toutes ces violences, toutes ces folies avaient progressivement fait de l'opposition populaire en France une puissance plus forte que le Gouvernement.

Béranger avait ressenti ces torts dans son cœur par le contre-coup du cœur du peuple. On pourrait écrire par ses chansons l'histoire de l'esprit public pendant la Restauration; elles sont véritablement l'almanach chantant des drames divers, comiques ou sérieux, qui firent rire, gronder, saigner la France jusqu'à la chute tragique de la monarchie des Bourbons. Jamais un pays ne se personnifia davantage dans son poëte. Il faut dire aussi, à la gloire du poëte des révolutions, que son talent, d'abord badin et moqueur, grandit avec les circonstances, et qu'après avoir joué avec l'opinion il finit par frémir avec elle; la passion publique le trouva à la hauteur de ses colères. Il avait été l'Aristophane du trône, de l'aristocratie, de l'Église; il devint le Tyrtée de la nation et de la Révolution. C'est alors que ses chansons devinrent, en réalité, des odes. Ce sont celles-là surtout que nous citerons.

VIII

Mais, d'abord, disons un mot des trois éléments qui concoururent alors à former cette opposition terrible contre les Bourbons de 1814 et qui donnèrent à Béranger cette popularité combinée et irrésistible sous laquelle il fit écrouler une dynastie, hélas! pour en relever une autre moins légitime. La décomposition historique de ces trois éléments nous donnera le secret de ce qu'il y a eu de fugitif et de ce qu'il y aura de permanent dans la popularité du nom de Béranger.

Ces trois éléments d'opposition étaient, de 1826 à 1830, d'abord le bonapartisme de l'armée, force immense dans un peuple de soldats où cent mille légionnaires, généraux, officiers ou sous-officiers, licenciés ou aigris par les revers et par l'inaction, semaient dans toutes les villes et dans toutes les chaumières l'éternelle légende des exploits de leur César et l'éternelle complainte de leur propre déchéance. Béranger, en faisant vibrer la corde de la gloire, faisait vibrer du même doigt la corde de cet innombrable parti.

Le second de ces éléments était la Révolution.

La liberté dont on jouissait depuis la chute de l'Empire réveillait les âmes. On ne peut pas impunément laisser penser la France; dès qu'elle pense, elle conspire: elle conspire à haute voix sous les gouvernements despotiques; elle conspire à voix basse sous les gouvernements absolus.

Or dans ce qu'on appelle la Révolution en France il y a deux natures: une nature irréfléchie, inquiète, convulsive, incapable de repos, sans autre but que sa propre agitation, envieuse des supériorités et inhabile à en produire elle-même; toujours prête à renverser sans savoir ce qu'elle veut construire, sorte de fièvre nerveuse nationale qui donne des convulsions au corps social au lieu de lui donner la croissance régulière et l'action progressive qui forment ce qu'on appelle la civilisation: c'est ce qui distingue l'esprit de faction et de démagogie de l'esprit de civisme et de liberté.

Cet esprit de faction et de démagogie a sa langue à part, langue triviale, dénigrante, quelquefois ordurière, jetant le mépris, l'offense, l'injure, le ridicule sur les choses et sur les hommes qu'elle veut saper; prêtant des pierres à la multitude pour lapider les noms qui l'offusquent, comme les démagogues d'Athènes prêtaient des coquilles aux Athéniens pour proscrire Aristide.

Les tribuns ambitieux se servent de cette langue des démagogues, tout en les redoutant, comme on se sert de la poudre pour faire éclater le rocher. Béranger a eu le tort de s'en servir quelquefois dans ses chansons de guerre contre le gouvernement des Bourbons. Nous n'offensons pas sa chère mémoire en l'avouant ici, car lui-même, quand il eut généreusement déposé les armes après la victoire, reconnaissait devant nous que la sainte colère de la liberté l'avait emporté quelquefois, dans sa jeunesse, au delà du juste. Qui de nous, hommes qui avons traversé un demi-siècle de combats d'opinion, de presse, de tribune, peut se rendre témoignage qu'il ne regrette pas un mot tombé de sa bouche ou de sa plume? Un tel homme ne serait pas un homme, ce serait le dieu de l'impartialité!

IX

Nous en avons dit assez pour montrer notre désapprobation de ce genre d'opposition dans les opinions. Nous ne l'approuvons pas davantage dans le style. Ce genre de littérature, quand on s'y livre, a l'inconvénient de ne faire considérer les choses et les hommes que du côté ridicule, et, par conséquent, de rabaisser, de ravaler, de fausser l'esprit, comme de dégrader la langue. *Vadé* était un poissard, ce n'était pas un Français.

Il en est exactement de ces chansonniers de carrefour ce qu'il en est des peintres de caricatures, qui s'étudient à prendre la figure humaine en moquerie et à la traduire en dérision. À force de peindre le laid ils finissent par ne plus pouvoir peindre le beau. C'est Callot et Raphaël: il y a un monde entre eux. Voilà pourquoi j'ai toujours haï la caricature, cette ironie de l'œuvre de Dieu, ce blasphème au crayon. Béranger n'était pas fait pour ce jargon; aussi le dépouilla-t-il bientôt comme une grimace de la langue qui n'allait pas à son génie. Il reprit sa langue naturelle, celle d'Anacréon, d'Horace, de Pindare et de Racine.

Mais il y avait un troisième élément dans l'opposition de Béranger, élément qui purifiait et qui transformait en lui les deux autres: c'était la charité du peuple, le *charitas generis humani* de Cicéron; son âme en était réellement pétrie.

Cette charité du genre humain le dévorait d'un amour patient, mais actif, des progrès de la raison humaine, d'une sainte haine contre les barbaries, les ignorances, les crédulités, les langes, les lisières de toute espèce dans lesquels l'esprit humain est enveloppé par des institutions plus propres à l'enfance qu'à la maturité des peuples. Il voulait une liberté de penser et de croire respectueuse pour la pensée et pour la foi d'autrui; une indépendance mutuelle de l'État, qui est le gouvernement des corps par les lois, et de la religion, qui est le gouvernement de Dieu par la conscience; une égalité, non de nivellement, égalité contre nature, qui n'a fait que des inégalités dans toutes ses œuvres, égalité qui ne serait pas la perpétuelle violence des infériorités aux supériorités naturelles. Mais il voulait une égalité de droit qui donne à chacun la faculté de s'élever par le travail et la vertu au niveau relatif de ses forces, une assistance paternelle et fraternelle des gouvernements et des citoyens aux classes les plus déshéritées de lumières et de fortune; une Providence de tous pour tous, exprimée et administrée par un gouvernement de la misère publique, sans faiblesse pour la paresse, sans indulgence pour le vice, mais sans insensibilité pour le vrai malheur. Enfin il concevait un amour sévère, intelligent, mais efficace et ardent, du peuple: c'était la passion innée de ce bon et grand citoyen; c'était l'âme cachée de son opposition à tous les régimes qui ne réalisaient pas sa pensée; c'était le feu sacré de ses poésies comme de sa vie; c'était sa philosophie politique; c'était tout son républicanisme.

De ces trois éléments de son opposition, les deux premiers devaient mourir parce qu'ils n'étaient que des esprits de parti; mais le troisième élément de l'opposition de Béranger était immortel comme la philosophie de la raison et comme la charité des peuples dont il était l'expression. Par ces deux premiers éléments de sa poésie aussi Béranger devait mourir; par le troisième il devait durer autant que le souvenir et la reconnaissance du peuple. L'homme de l'opposition bonapartiste est mort; l'homme de l'opposition orléaniste contre les Bourbons de 1815 est mort; l'homme de la raison humaine et de la charité populaire ne mourra pas!

Voilà, selon nous, le secret de la popularité vivace, renaissante, éternelle en France de Béranger. On a enseveli avec lui les passions de sa jeunesse, mais on n'a pas enseveli sa vertu publique: elle percera les pierres de son tombeau, et elle refleurira tant qu'il y aura une âme du peuple en France pour la recueillir!

X

Revenons aux chansons.

Nous remarquons d'abord *les Oiseaux*, chanson touchante adressée à son protecteur, le poëte Arnault, partant pour l'exil: elle rappelle la fidélité de La Fontaine à Fouquet. Elle n'est pas de l'opposition, elle est de la reconnaissance.

LES OISEAUX.

L'hiver, redoublant ses ravages,
Désole nos toits et nos champs;
Les oiseaux sur d'autres rivages
Portent leurs amours et leurs chants.
Mais le calme d'un autre asile
Ne les rendra pas inconstants;
Les oiseaux que l'hiver exile
Reviendront avec le printemps.

À l'exil le sort les condamne,
Et plus qu'eux nous en gémissons!
Du palais et de la cabane
L'écho redisait leurs chansons.
Qu'ils aillent d'un bord plus tranquille
Charmer les heureux habitants.
Les oiseaux que l'hiver exile
Reviendront avec le printemps.

Oiseaux fixés sur cette plage,
Nous portons envie à leur sort.
Déjà plus d'un sombre nuage
S'élève et gronde au fond du nord.
Heureux qui sur une aile agile
Peut s'éloigner quelques instants!
Les oiseaux que l'hiver exile
Reviendront avec le printemps.

Ils penseront à notre peine,
Et, l'orage enfin dissipé,
Ils reviendront sur le vieux chêne
Que tant de fois il a frappé.
Pour prédire au vallon fertile
De beaux jours alors plus constants,
Les oiseaux que l'hiver exile
Reviendront avec le printemps.

Le Marquis de Carabas et *la Marquise de Pretintailles*, deux petits pamphlets à double but, l'un de dérider la bourgeoisie, l'autre de désinféoder le paysan, sont restés des proverbes de gaieté et de comique dans l'oreille du peuple. Les prétentions surannées de la noblesse, exagérées par le pinceau d'un autre Molière, y sont livrées à la risée de la multitude comme des tartufes de vanité.

Le poëte s'élève dans la chanson du *Dieu des bonnes gens* jusqu'à des hauteurs lyriques; la patrie humiliée frémit dans ces vers:

Il est un Dieu: devant lui je m'incline,
Pauvre et content, sans lui demander rien.
De l'univers observant la machine,
J'y vois du mal, et n'aime que le bien.
Mais le plaisir à ma philosophie
Révèle assez des cieux intelligents.
Le verre en main, gaîment je me confie
Au Dieu des bonnes gens.

Dans ma retraite, où l'on voit l'indigence,
Sans m'éveiller, assise à mon chevet,
Grâce aux amours, bercé par l'espérance,
D'un lit plus doux je rêve le duvet.
Aux dieux des cours qu'un autre sacrifie!
Moi, qui ne crois qu'à des dieux indulgents,
Le verre en main, gaîment je me confie
Au Dieu des bonnes gens.

Un conquérant, dans sa fortune altière,
Se fit un jeu des sceptres et des lois,
Et de ses pieds on peut voir la poussière
Empreinte encor sur le bandeau des rois.
Vous rampiez tous, ô rois qu'on déifie!
Moi, pour braver des maîtres exigeants,
Le verre en main, gaîment je me confie
Au Dieu des bonnes gens.

Dans nos palais, où, près de la Victoire,
Brillaient les arts, doux fruits des beaux climats,
J'ai vu du Nord les peuplades sans gloire
De leurs manteaux secouer les frimas.
Sur nos débris Albion nous défie;
Mais les destins et les flots sont changeants:
Le verre en main, gaîment je me confie
Au Dieu des bonnes gens.

On regrette seulement dans ces beaux vers que le refrain, sans rapport avec la pensée, vienne terminer la strophe, qui serait une ode, et qui redevient ainsi malheureusement un couplet. Quelle logique y a-t-il entre l'Empire qu'on pleure en larmes épiques et le dieu des bonnes gens auquel on se confie *gaîment*? C'est le vice du genre, et c'est en même temps sa trop grande facilité; le refrain remplace le coup de massue que doit frapper l'ode à la fin de la strophe.

XI

Le Retour dans la patrie, élégie chantée par un soldat ou un proscrit, n'a pas ce vice. Le refrain y est le cri de l'amour de la patrie à l'aspect du rivage paternel:

Qu'il va lentement le navire
À qui j'ai confié mon sort!
Au rivage où mon cœur aspire
Qu'il est lent à trouver un port!
France adorée!
Douce contrée!
Mes yeux cent fois ont cru te découvrir.
Qu'un vent rapide
Soudain nous guide
Aux bords sacrés où je reviens mourir.
Mais enfin le matelot crie:
Terre! terre! là-bas, voyez!
Ah! tous mes maux sont oubliés.
Salut à ma patrie!

Oui, voilà les rives de France;
Oui, voilà le port vaste et sûr,
Voisin des champs où mon enfance
S'écoula sous un chaume obscur.
France adorée!
Douce contrée!
Après vingt ans enfin je te revois!
De mon village
Je vois la plage,
Je vois fumer la cime de nos toits.
Combien mon âme est attendrie!
Là furent mes premiers amours;
Là ma mère m'attend toujours.
Salut à ma patrie!

Au bruit des transports d'allégresse
Enfin le navire entre au port.
Dans cette barque où l'on se presse,
Hâtons-nous d'atteindre le bord.
France adorée!
Douce contrée!
Puissent tes fils te revoir ainsi tous!
Enfin j'arrive,
Et sur la rive
Je rends au Ciel, je rends grâce à genoux.
Je t'embrasse, ô terre chérie!
Dieu! qu'un exilé doit souffrir!
Moi, désormais je puis mourir.
Salut à ma patrie!

Il est impossible de ne pas remarquer combien l'art exquis du poëte sait contenir comme un paysagiste un grand horizon dans le petit cadre de ses couplets! La nécessité d'abréger le rend précis: il a peu de notes, mais il frappe toujours sur la note juste, et la brièveté ajoute à la force du sentiment.

XII

La chanson de *la Sainte Alliance des peuples* est moins une chanson qu'un *chant*; j'y trouve une grande analogie de principes politiques avec *la Marseillaise de la paix*, chant lyrique que je composai après lui sur le même thème, mais qui n'avait pas les ailes de la musique pour le porter aux oreilles des peuples. Il y a d'ailleurs dans cette chanson de Béranger un accent de bonhomie, et on dirait presque de vieillesse anticipée, qui donne bien plus de charme et bien plus de persuasion populaire à sa philosophie. Écoutez! vous croiriez entendre Platon politique devenu chansonnier pour apostoliser le peuple d'Athènes:

J'ai vu la Paix descendre sur la terre,
Semant de l'or, des fleurs et des épis;
L'air était calme, et du dieu de la guerre
Elle étouffait les foudres assoupis.
«Ah! disait-elle, égaux par la vaillance,
Français, Anglais, Belge, Russe ou Germain,
Peuples, formez une sainte alliance,
Et donnez-vous la main.

«Pauvres mortels, tant de haine vous lasse;
Vous ne goûtez qu'un pénible sommeil.
D'un globe étroit divisez mieux l'espace:
Chacun de vous aura place au soleil.
Tous, attelés au char de la puissance,
Du vrai bonheur vous quittez le chemin.
Peuples, formez une sainte alliance,
Et donnez-vous la main.

«Chez vos voisins vous portez l'incendie;
L'aquilon souffle, et vos toits sont brûlés;
Et, quand la terre est enfin refroidie,
Le soc languit sous des bras mutilés.
Près de la borne où chaque État commence
Aucun épi n'est pur de sang humain.
Peuples, formez une sainte alliance,
Et donnez-vous la main.

«Des potentats, dans vos cités en flammes,
Osent, du bout de leur sceptre insolent,
Marquer, compter et recompter les âmes
Que leur adjuge un triomphe sanglant.
Faibles troupeaux, vous passez sans défense
D'un joug pesant sous un joug inhumain.
Peuples, formez une sainte alliance,
Et donnez-vous la main.

«Que Mars en vain n'arrête point sa course:
Fondez les lois dans vos pays souffrants;
De votre sang ne livrez plus la source
Aux rois ingrats, aux vastes conquérants.
Des astres faux conjurez l'influence;
Effroi d'un jour, ils pâliront demain.

Peuples, formez une sainte alliance,
Et donnez-vous la main.»

Les vers sont de cette correction classique et de cette sobriété vigoureuse qui caractérisent les chefs-d'œuvre du dix-septième siècle; la bonhomie y est sincère, mais elle y est habile: elle retourne contre la Restauration impuissante et contre les rois de l'Europe coalisés les calamités de la guerre dont son héros n'était certes pas innocent.

XIII

Les Enfants de la France, à peu près de la même date, sont un cri consolateur de patriotisme qui relève par la main de la poésie la patrie de sa prostration d'un jour.

Reine du monde, ô France! ô ma patrie!
Soulève enfin ton front cicatrisé;
Sans qu'à tes yeux leur gloire en soit flétrie,
De tes enfants l'étendard s'est brisé....

De tes grandeurs tu sus te faire absoudre,
France, et ton nom triomphe des revers.
Tu peux tomber, mais c'est comme la foudre,
Qui se relève et gronde au haut des airs....

Le Vieux Drapeau tricolore est la complainte héroïque du soldat désarmé de la République et de l'Empire.

Il est caché sous l'humble paille
Où je dors pauvre et mutilé,
Lui qui, sûr de vaincre, a volé
Vingt ans de bataille en bataille!
Chargé de lauriers et de fleurs,
Il brilla sur l'Europe entière.
Quand secouerai-je la poussière
Qui ternit ses nobles couleurs?

Ce drapeau payait à la France
Tout le sang qu'il nous a coûté;
Sur le sein de la Liberté
Nos fils jouaient avec sa lance.
Qu'il prouve encore aux oppresseurs
Combien la gloire est roturière.
Quand secouerai-je la poussière
Qui ternit ses nobles couleurs?

Son aigle est resté dans la poudre,
Fatigué de lointains exploits.

Rendons-lui le coq des Gaulois:
Il sut aussi lancer la foudre.
La France, oubliant ses douleurs,
Le rebénira, libre et fière.
Quand secouerai-je la poussière
Qui ternit ses nobles couleurs?

Las d'errer avec la Victoire,
Des lois il deviendra l'appui.
Chaque soldat fut, grâce à lui,
Citoyen aux bords de la Loire.
Seul il peut voiler nos malheurs:
Déployons-le sur la frontière.
Quand secouerai-je la poussière
Qui ternit ses nobles couleurs?

Mais il est là, près de mes armes:
Un instant osons l'entrevoir.
Viens, mon drapeau! viens, mon espoir!
C'est à toi d'essuyer mes larmes.
D'un guerrier qui verse des pleurs
Le Ciel entendra la prière.
Oui, je secouerai la poussière
Qui ternit tes nobles couleurs!

Ici le refrain n'a rien de banal ou de pastiche, comme dans tant d'autres de ses meilleures chansons. Il sort du sujet, il en fait partie; sa répétition même lui donne de la force; c'est le cri de guerre comprimé dans la poitrine du soldat, c'est le cri du peuple, c'est la clameur du chœur antique qui semble répondre aux larmes du vétéran. L'habileté du poëte d'opposition n'y est pas moins sensible que dans les chansons précédentes; car, en face du drapeau blanc qui règne par la paix, le cri de la gloire devient un cri séditieux. Derrière le rideau il y a un tribun dans le soldat, dans le peuple, dans le poëte.

XIV

L'audace de Béranger s'accroît avec le succès.

La chanson de *Louis XI* est plus qu'un cri séditieux, c'est une invective sanglante, disons-le, injuste contre le vieux roi libéral, Louis XVIII, à qui sa vieillesse et ses infirmités mêmes sont imputées à crime. Ce sont des villageois qui parlent:

Notre vieux roi, caché dans ces tourelles,
Louis, dont nous parlons tout bas,
Veut essayer, au temps des fleurs nouvelles,
S'il peut sourire à nos ébats.

Quand sur nos bords on rit, on chante, on aime,
Louis se retient prisonnier:
Il craint les grands, et le peuple, et Dieu même;
Surtout il craint son héritier.

Voyez d'ici briller cent hallebardes
Aux feux d'un soleil pur et doux.
N'entend-on pas le *Qui vive* des gardes
Qui se mêle au bruit des verrous?

Il vient! il vient! Ah! du plus humble chaume
Ce roi peut envier la paix.
Le voyez-vous, comme un pâle fantôme,
À travers ces barreaux épais?

Dans nos hameaux quelle image brillante
Nous nous faisions d'un souverain!
Quoi! pour le sceptre une main défaillante!
Pour la couronne un front chagrin!

Malgré nos chants il se trouble, il frissonne;
L'horloge a causé son effroi.
Ainsi toujours il prend l'heure qui sonne
Pour un signal de son beffroi.

Mais notre joie, hélas! le désespère:
Il fuit avec son favori.
Craignons sa haine, et disons qu'en bon père
À ses enfants il a souri.

Or le favori était le bourreau!

Qu'on se figure jusqu'à quelle ébullition de haine ou de mépris de pareils chants, insaisissables par la loi, trop saisissables par l'allusion, portaient l'opinion d'un peuple irritable et illettré, qui voyait un Louis XI dans son roi et un bourreau dans M. de Martignac. Aussi l'opinion personnifiée et incriminée dans Béranger, son organe et son provocateur, commençait-elle à être poursuivie dans les tribunaux. Mais les emprisonnements du poëte donnaient des ailes plus fortes à ses chants. La chanson devenait tragédie!

Plus le dénoûment approchait, plus Béranger ravivait le bonapartisme par la gloire; ses chansons sur Sainte-Hélène ont l'accent d'un remords national qui ronge la conscience d'un peuple découronné.

Peut-être il dort ce boulet invincible
Qui fracassa vingt trônes à la fois.
Ne peut-il pas, se relevant terrible,
Aller mourir sur la tête des rois?

Ah! ce rocher repousse l'espérance:
L'aigle n'est plus dans le secret des dieux.
Pauvre soldat, je reverrai la France:
La main d'un fils me fermera les yeux.

Il fatiguait la Victoire à le suivre;
Elle était lasse: il ne l'attendit pas.
Trahi dcux fois, ce grand homme a su vivre.
Mais quels serpents enveloppent ses pas!
De tout laurier un poison est l'essence;
La mort couronne un front victorieux.
Pauvre soldat, je reverrai la France:
La main d'un fils me fermera les yeux.

Dès qu'on signale une nef vagabonde:
«Serait-ce lui? disent les potentats;
Vient-il encor redemander le monde?
Armons soudain deux millions de soldats.»
Et lui, peut-être accablé de souffrance,
À la patrie adresse ses adieux.
Pauvre soldat, je reverrai la France:
La main d'un fils me fermera les yeux.

Grand de génie et grand de caractère,
Pourquoi du sceptre arma-t-il son orgueil?
Bien au-dessus des trônes de la terre
Il apparaît brillant sur cet écueil.
Sa gloire est là comme le phare immense
D'un nouveau monde et d'un monde trop vieux.
Pauvre soldat, je reverrai la France!
La main d'un fils me fermera les yeux.

Bons Espagnols, que voit-on au rivage?
Un drapeau noir! Ah! grand Dieu, je frémis!
Quoi! lui mourir! Ô Gloire! quel veuvage!
Autour de moi pleurent ses ennemis.
Loin de ce roc nous fuyons en silence;
L'astre du jour abandonne les cieux.
Pauvre soldat, je reverrai la France:
La main d'un fils me fermera les yeux.

Indépendamment de la magnificence du style, vous voyez avec quelle diplomatie d'instinct le poëte des oppositions combinées associe des regrets de république à des glorifications de conquête. Comment le peuple, mauvais historien, pouvait-il faire ce triage et séparer la République de l'Empire dans ses vœux contre la Restauration? Son poëte lui-même lui jetait la poussière dans les yeux. Il devait s'y tromper un jour.

Aussi 1830 ne tarda-t-il pas à emporter le trône des Bourbons. Certes les saccades de gouvernail données par Charles X à sa politique et le coup d'État des ordonnances contre la Charte furent l'occasion trop légitime offerte aux oppositions pour renverser ce trône dans le sang; mais on a dit avec raison que les chansons de Béranger ont été les cartouches du peuple pendant le combat des trois journées de Juillet.

XV

Ici le rôle du poëte change tout à coup: il devient homme d'État. Ajoutons, à la gloire de son caractère et de son génie, qu'il fut, d'après le témoignage universel, le seul homme d'État de ce coup de feu. Fut-il également inspiré le lendemain? C'est ce que nous allons voir.

Béranger avait renversé un trône; mais à peine ce trône était-il en poudre qu'il en reconstruit et en élève un autre. Ce trône d'expédient ne fut ni celui de Napoléon, son héros, ni celui de l'héritier naturel de la couronne, la victime des trois jours; ce fut le trône du duc d'Orléans. Ainsi, la république? il l'écarta après l'avoir appelée; l'empire? il le répudia après l'avoir provoqué; l'héritier naturel? l'orphelin? il le déshérita sans avoir aucun crime à reprocher à un berceau; la monarchie? il la rappela en toute hâte après l'avoir décréditée: trois inconséquences étranges dont nous lui avons souvent demandé compte dans nos conversations seul à seul aux pieds des chênes du bois de Boulogne.

Ici nous le laisserons parler lui-même avec autant de fidélité que notre mémoire, aidée de quelques notes prises au crayon sur le fait, peut donner d'exactitude et de littéralité à ses paroles.

XVI

Mais disons d'abord comment je l'ai connu.

On voit assez par ce qui précède que je n'étais nullement prédisposé, par mes antécédents si contraires aux siens, à le rechercher, encore moins à l'aimer. Personne peut-être en France n'avait déploré plus amèrement et plus prophétiquement que moi la révolution de 1830. Je n'avais pas moins déploré la construction illogique et inopinée d'un trône de rechange qui ne portait sur aucun principe, mais qui portait sur de justes mécontentements. Ce n'était pas un intérêt personnel qui me faisait répugner à ce trône de 1830; au contraire, j'aurais pu m'y faire de fête, comme on dit en langage vulgaire. Je n'avais pas trempé dans la *congrégation*, sorte de ligue sacrée et sourde qui se nouait derrière l'autel et qui s'assurait mutuellement les importances du gouvernement. Je m'étais absolument refusé à la confiance et à la faveur de M. de Polignac: j'aimais sa personne, je plaignais ses hallucinations, je voyais avec la certitude de l'évidence sa catastrophe. Je connaissais l'auguste famille d'Orléans, j'honorais ses vertus privées, je ne croyais pas à la conspiration; mais je voyais avec regret, comme je l'ai dit plus tard, que, si ce prince *ne conspirait pas, sa situation conspirait.* Or il n'était pas suffisamment innocent, selon moi, de laisser conspirer même sa *situation.* Il fallait s'abstenir, s'éloigner, se laver les mains des fautes; mais, aux jours des revers, il fallait être le plus fidèle sujet d'un roi d'autant plus roi qu'il était plus découronné; il fallait être le plus fidèle tuteur d'un pupille d'autant plus inviolable qu'il était plus orphelin et plus abandonné!

J'avais donc résisté inflexiblement, le lendemain de la révolution de Juillet, à toutes les avances du prince nouveau et à son gouvernement, qui m'offraient avec instance un rôle dans le drame. J'avais même cessé avec scrupule de voir le roi que je ne pouvais en conscience ni approuver ni servir. Je m'étais retiré de toutes fonctions diplomatiques; je m'étais fermé résolument, quoique à regret, toute carrière; j'avais voyagé, puis j'étais rentré dans mon pays: j'y avais été nommé député indépendant, pour débattre les intérêts de la nation. Sans lien avec le gouvernement, sans affiliation avec les oppositions dynastiques et antidynastiques, je m'étudiais à l'éloquence par les beaux exemples que j'avais sous mes yeux dans les Chambres; je cultivais la poésie dans les intervalles, ou j'écrivais l'histoire pour bien comprendre la politique dont elle est l'interprète.

XVII

Je venais de publier l'*Histoire des Girondins.* Accoutumé aux alternatives presque régulières de gloriole et de revers qui marquent la carrière des poëtes, des écrivains, des politiques, je doutais encore du succès de l'*Histoire des Girondins.* La publication datait à peine de trois jours quand je reçus une lettre très-inattendue de Béranger.

Cette lettre, la première que je décachetais depuis la publication du livre, respirait un enthousiasme grave et profond qui faisait encore vibrer le papier sous la main du patriote. Elle était longue; elle contenait des maximes et des considérations d'homme d'État; elle me prophétisait je ne sais quelles destinées grandioses trompées depuis. J'ai encore cette lettre; je la chercherai à loisir dans l'innombrable archive d'opinions diverses que trente ans de littérature, de tribune, de politique, ont accumulée dans mes portefeuilles, et je la donnerai aux éditeurs de la correspondance de Béranger.

J'avoue que cette lettre de l'oracle du passé, qui pouvait bien être aussi l'oracle de l'avenir, me fut une satisfaction de cœur et d'esprit supérieure à tout le retentissement de cette histoire. Les hommes de génie ont l'oreille fine, ils entendent de loin venir la postérité; on peut se fier à eux quand ils parlent pour elle.

Cette lettre de Béranger sur les *Girondins* me rappela tout à coup une lettre de M. de Talleyrand sur les *Méditations poétiques*, lettre plus étonnante encore et plus littérairement prophétique. Les *Méditations* avaient paru le soir du 13 mars 1820. Le lendemain matin, à mon réveil, on m'apporta une lettre du prince de Talleyrand à une femme de ses amies, qui lui avait prêté le livre la veille. Ce billet était daté de cinq heures du matin; le prince, que l'on aurait supposé si peu susceptible d'une impression poétique et d'une insomnie littéraire, disait à son amie «qu'il n'avait pas dormi avant d'avoir lu le volume, et qu'un poëte était né cette nuit.»

M. de Talleyrand et Béranger, deux hommes si semblables d'esprit, si divers de caractères, parrains de mon avenir!... Je fus frappé et je le suis encore; je fus même tenté de croire à leur don prophétique. Je n'y crois plus: toutes mes gloires ont menti, ainsi que toutes mes fortunes; mais je croirai toujours à leur amitié.

XVIII

Quelque temps après, je m'informai de la demeure de Béranger, et j'allai visiter l'oracle.

Béranger demeurait alors à Passy, dans une jolie maisonnette de faubourg, à l'extrémité de la rue Vineuse. Cette rue était attenante à ces vastes terres labourées et creusées d'ornières qui s'étendent entre le village de Passy et les lisières du bois de Boulogne. La demeure de Béranger n'avait rien d'indigent; au contraire, une élégante propreté d'appartements et de meubles; une femme âgée et gracieuse qu'on entrevoyait sous la tonnelle de lilas d'un petit jardin; une belle jeune fille, plus semblable à une pupille qu'à une servante, qui ouvrait la porte; un chien caressant sur l'escalier, des oiseaux en cage à la fenêtre, des fleurs sur la cheminée: tout respirait un air de *Charmettes* de J.-J. Rousseau plutôt que la sordidité d'une maison de faubourg. On voyait que c'était là une existence étroite, mais une existence qui s'était bornée elle-même par modération et non par dénûment, une indigence philosophique en un mot.

XIX

Je fus accueilli dans cette retraite avec une simplicité de cœur et avec un naturel de manières qui doublait le prix de l'accueil; aucun compliment, aucun embarras, aucune de ces cérémonies feintes et fastidieuses qui retardent la familiarité entre deux hommes décidés d'avance à s'aimer. Nous eûmes l'air de deux amis qui reprennent sans préambule le lendemain la conversation de la veille. Rien sur nos antécédents opposés, rien sur nos opinions, rien sur nos ouvrages: tout le passé resta sous-entendu entre nous.

Je me retirai ravi d'avoir trouvé un homme là où je ne m'attendais qu'à voir un génie. Je pouvais me figurer en sortant que je sortais d'un de ces presbytères de campagne où j'allais si souvent, dans mon enfance, visiter quelque aimable curé de village, voisin de mon père. Béranger, au costume près, rappelait complétement l'extérieur et la rondeur d'un de ces hommes noirs des champs, nichés comme l'hirondelle sous le clocher. Je m'aperçus que je lui avais plu aussi, et que la sincérité de mon attrait pour lui avait promptement prévalu, dans son esprit si scrutateur, sur les ombrages que la naissance, la fortune, les opinions, les prétentions supposées devaient lui avoir inspirés contre moi. À dater de ce jour, tantôt chez lui, tantôt chez moi, nous ne cessâmes pas de nous voir et nous commençâmes à nous aimer.

XX

Cette amitié devint plus étroite et ces visites plus fréquentes à mesure que les circonstances politiques devinrent plus menaçantes pour le gouvernement de Louis-Philippe, et que les crises, dont ce gouvernement et la France étaient agités par l'ambition des orateurs et des écrivains dont ce gouvernement était l'ouvrage, se rapprochèrent davantage d'un tragique et inévitable dénoûment.

On a vu que la royauté de 1830 était à son origine aussi antipathique à mon cœur qu'à ma raison; à tort ou à droit, je ne croyais ni à son titre, ni à son utilité, ni à sa durée; mais puisque la France, qui a tous les droits, l'avait adoptée, et puisque le pire des gouvernements est d'être sans gouvernement, je ne conspirais pas contre cette royauté; je la subissais en bon citoyen qui ne veut pas, pour des préférences ou pour des répugnances, précipiter son pays dans l'anarchie et l'Europe dans une mer de sang. Le roi m'avait fait appeler déjà deux fois pour vaincre ma résistance et pour me séduire. Il avait employé, avec l'habileté qui lui était naturelle, tout ce qui peut toucher le cœur, convaincre l'esprit, flatter l'amour-propre, griser l'ambition; tout, jusqu'aux confidences les plus abandonnées, jusqu'aux prières, et, le croira-t-on? jusqu'aux larmes de situation, en pressant mes deux mains dans les siennes.

J'étais resté respectueux, ému, mais inébranlable.

«Je ne juge pas votre conduite en 1830, lui avais-je répondu: votre conscience est votre seul juge. Vous pouvez avoir cru que votre royauté était nécessaire pour sauver votre patrie; mais il n'y a que vous en France qui ayez le droit de vous croire nécessaire; quant à nous, simples et obscurs citoyens, ces sacrifices de nous-mêmes et ces sacrifices de notre famille ne nous sont jamais commandés. Nous pouvons donc rester fidèles à nos sentiments et à nos convictions sans nuire au pays; mes sentiments et mes convictions sont également opposés à ce qui a été fait par votre parti et accepté par vous en juillet 1830. Je ne puis donc à aucun prix me rallier à votre gouvernement autrement qu'en votant et en parlant à la Chambre dans l'intérêt impartial de mon pays. C'est le rôle ingrat que j'y ai pris et que je suis résolu à y tenir. Vous m'avez touché par votre éloquence; vous seriez un orateur très-éminent et très-persuasif dans les conseils de votre pays, si vous n'étiez pas son roi; mais vous ne m'avez pas convaincu. Je vous admire comme homme et je vous plains comme roi. Restons chacun ce que nous sommes: vous sur ce trône auquel vous vous êtes condamné; moi dans l'obscurité, mon seul apanage et mon seul devoir. Je n'attaquerai pas votre gouvernement; je pourrai même avoir à le défendre comme volontaire de l'ordre, mais je ne m'y rallierai jamais par un intérêt.»

Ceci fut dit dans les formes indirectes et respectueuses commandées par l'usage à un simple député parlant à un roi.

XXI

Je n'avais pas tardé à défendre en effet presque seul ce gouvernement de raison si déloyalement et si impolitiquement attaqué par ce qu'on a appelé la *coalition parlementaire*; il n'y avait pas même besoin de l'intérêt évident de l'ordre en France et de la paix en Europe pour me décider à le défendre; il suffisait de l'indignation d'honnête homme.

Cette généreuse indignation était soulevée en moi par cette coalition malséante des hommes de 1815, des hommes de la République, des hommes de l'anarchie et des hommes sortis le plus récemment des conseils de Louis-Philippe, tout courbés sous ses faveurs et devenus tout à coup des *Coriolans* de ministères ameutant de la voix et du geste les ennemis les plus acharnés de leur prince, et menant la France à l'assaut de cette royauté dont ils étaient les fondateurs. Ce crime contre la bienséance a eu son expiation en 1848; leur gouvernement, miné par eux, est tombé sur eux, hélas! et il est tombé sur moi, innocent, plus que sur eux, coupables. Qu'ils disent ce qu'ils voudront! j'ai fait la république quand il n'y avait plus, grâce à eux, pierre sur pierre dans mon pays; mais ils ne diront pas du moins que j'ai fait la coalition de 1840! À chacun ses œuvres.

XXII

Béranger, en homme honnête et vraiment politique, bien qu'il fût comme moi partisan des grands développements de la liberté et de la charité populaire en France, ne trempa pas de cœur ou du doigt dans cette coalition des ministres de Louis-Philippe contre leur propre trône. Il fut vivement ému de quelques harangues prononcées par moi à la Chambre pour soutenir, au nom de la conscience publique, le ministère de M. Molé contre les assauts des anciens amis du roi, devenus ses plus implacables adversaires.

Il accourut chez moi. «Bravo! me dit-il; jusqu'ici je ne vous croyais qu'un poëte, plus tard je vous ai cru un orateur; à dater de ce jour je vous crois un homme politique. Ces hommes ne savent ni ce qu'ils disent ni ce qu'ils font. Ils sapent l'édifice que nous avons construit ensemble, et, quand ils auront réussi, il n'y aura plus de place pour personne. Jugez de leur conduite, puisqu'elle révolte même des républicains comme moi! car le cri de la conscience est au-dessus même des opinions! Continuez, et lavez-vous les mains de leurs coalitions! Ces hommes ne sont pas des Samsons! Ils ne soutiendront pas le toit quand ils auront ébranlé le pilier! Si jamais ils réussissent, vous nous aiderez à sauver le peuple qui est dessous!» Ce furent ses propres paroles; elles eurent des témoins qui parlent encore. Nos liens furent resserrés par cette approbation, et notre relation devint familiarité; plus tard encore elle devint tendresse.

C'est ainsi que j'avais connu Béranger. Revenons à son grand rôle dans la révolution de 1830 et à l'explication qu'il donnait volontiers de ce rôle tant reproché par les impatients de son parti.

«Les révolutions, me dit-il, sont toujours des surprises; voilà pourquoi elles sont si dangereuses. Nous fûmes surpris par les journées de Juillet; nous ne nous attendions pas à tant d'audace et à tant d'étourderie de la part de Charles X. La partie n'était pas liée entre nous; nous étions une (ligue) de mécontents, nous n'étions nullement une conjuration avec un but, un mot d'ordre, un chef nommé d'avance. Les uns étaient des soldats, comme les officiers de la Loire; les autres des républicains, comme Lafayette; ceux-ci des constitutionnels, ceux-là des anarchistes, le plus grand nombre des combattants sortis du pavé et animés par la poudre sans autre but que de verser leur sang pour quelque chose, peu importe quoi! Il y a des heures où le sang a besoin de se répandre généreusement en France: le peuple a plus de sang que d'idées; enfin il y avait les vaniteux, parti inconséquent, immense à Paris, dans l'industrie, le commerce, la banque. Ce parti qui voulait bien substituer son orgueil plébéien au vieil orgueil aristocratique, mais il ne voulait pas élever le peuple à sa hauteur par une égalité périlleuse. Dans cette Babel d'opinions qui se fusillaient dans les rues de Paris, nul n'entendait l'autre. Je sentis qu'une fusillade n'était pas une société, qu'une révolution n'était pas à elle-même son propre but, et qu'il fallait se hâter de lui imposer à elle-même un gouvernement pour qu'elle eût un terme et un nom.

«J'étais lié d'opinions avec tous les hommes principaux de l'opposition et d'amitié plus étroite avec Laffitte. Son hôtel était devenu le quartier général des meneurs et des menés: je m'y rendis pour souffler la paix dans les rues, une idée dans les têtes, une initiative dans les cœurs. J'y vis Thiers, Sébastiani, Mauguin, le duc de Choiseul, Lafayette, Mignet, Benjamin Constant et cent autres. Ils écoutaient les bruits de la rue et ils attendaient pour se décider l'heure du hasard. C'était le conseil de l'hésitation; nul n'osait dire ce qu'il voulait, le plus grand nombre ne le savait pas. Chaque flot du peuple qui pénétrait dans les vastes cours et dans les vestibules de l'hôtel faisait changer, par ses cris de victoire ou de colère, les paroles sur les lèvres des orateurs délibérants. Ma popularité libérale parmi la jeunesse lettrée, mon républicanisme présumé parmi les républicains, mon nom, mes chansons dans la mémoire du peuple, mon costume d'artisan aisé qui coudoie sans l'offusquer la multitude, me faisaient passer, entrer, sortir, acclamer partout. Je ne haranguais pas: ce n'est pas ma manière; chacun me prenant à part dans une embrasure de croisée ou dans une cour pour me demander: Que faut-il faire? Je ne le disais pas, je l'insinuais; je voyais que cette révolution allait se perdre si on ne lui creusait pas vite son lit. Les uns voulaient négocier avec Charles X et se contenter d'un changement de ministère; les autres étaient satisfaits d'une abdication et d'une régence; ceux-ci formaient un gouvernement municipal et provisoire à l'hôtel de ville avec Mauguin; ceux-là exhumaient l'honnête et intrépide Lafayette de ses quarante ans d'obscurité pour exhumer avec lui la république dont il était le symbole; le plus grand nombre flottait sans parti pris dans les rues et sur les places publiques, dans l'ivresse d'une victoire où Paris n'avait gagné qu'un champ de bataille.

«Laffitte, dont j'étais l'oracle et l'ami, était étendu sur un fauteuil, son pied foulé sur un tabouret, écoutant tout le monde, souriant à tous les avis, semant selon son habitude les mots spirituels à l'oreille de l'un et de l'autre, penchant secrètement pour la monarchie et pour le duc d'Orléans, mais n'osant le dire trop haut de peur d'avorter dans un cri de trahison poussé par le peuple.

«Il m'envoyait chercher à chaque instant dans ses jardins ou dans ses cours, pour avoir un conseil ou un appui dans ma personne; il ne craignait pas de se tromper s'il se trompait avec moi: n'étais-je pas la popularité vivante?

«Dépêchez-vous de proclamer la royauté du duc d'Orléans, lui dis-je à l'oreille, accoudé sur le dossier de son fauteuil, sans quoi la révolution ne sera qu'une émeute.

«Je me retirai.

«Dans la nuit, les négociations avec le duc d'Orléans aboutirent à ce que vous savez.

«Le lendemain matin j'étais chez Laffitte quand on commença à jeter le nom du roi futur dans le peuple. Il y eut un frémissement de mauvais augure dans la multitude qui remplissait les cours. Mes amis m'interpellèrent quand je sortis.—Eh quoi! vous aussi, Béranger, vous, républicain, vous nous créez un roi?—Je pris à part les plus échauffés.—Non, leur dis-je, comprenez-moi bien, je ne crée pas un roi, je jette une planche sur le ruisseau! Et je m'en allai.

«Ce ruisseau était de sang, ne l'oubliez pas! Lafayette ne fit-il pas comme moi quelques heures après? Cependant Lafayette était plus engagé que moi avec la république; moi je n'étais engagé qu'avec le peuple.

«On m'aborda de tous côtés dans les rues pour me demander compte de ce qu'ils appelaient mon revirement et mon imprudence.—N'était-ce pas le moment, me disaient-ils, d'abolir la royauté, qui s'était abolie elle-même?—

Patience, mes amis, disais-je avec impatience: on n'abolit pas la royauté, on l'use. Allez par degrés à la liberté, si vous ne voulez pas que votre triomphe soit une chute. Cette royauté sera usée avant peu d'années. Quant à moi, je l'ai prise comme un expédient qui vous est utile aujourd'hui, mais je n'en prends pas la responsabilité, et j'en sors avant d'y être entré, pour me conserver libre de la combattre si elle s'arrête ou si elle recule!

«Voilà, mon ami, ajouta-t-il, tout mon rôle dans les journées de 1830: j'ai été le souffleur de l'événement, j'ai laissé la responsabilité aux ambitieux et aux dupes: qu'en pensez-vous?

«—Je pense sincèrement que vous avez eu tort à cette époque, lui dis-je, tort non pas de refaire une monarchie constitutionnelle pour terminer vite la guerre civile par une transaction prompte et souveraine entre tous les partis, mais tort d'avoir pris votre monarchie ailleurs qu'où elle était.

«Rappeler Charles X, vous ne le pouviez pas: c'était vous déclarer vaincus; relever une dynastie napoléonienne, vous ne le pouviez pas: vous n'aviez pas sous la main le rejeton, et l'Europe à ce moment aurait vu dans le rétablissement d'un Napoléon une déclaration de guerre au genre humain à peine pacifié. La République! Elle s'appelait alors *terreur*; elle n'avait pas montré alors, comme en 1848, qu'elle pouvait être innocente contre les têtes et les propriétés, et qu'elle pouvait se défendre contre les utopies et les démagogismes avec le bras de la France. Le duc d'Orléans! vous ne le deviez pas: pour faire respecter une monarchie vous commenciez par abaisser le monarque, car vous ne lui offriez un trône qu'à la condition de répudier son devoir de prince, de proscrire sa famille et d'éloigner les royalistes. Une telle contradiction entre le nom d'un prince du sang et son rôle de roi révolutionnaire faisait du duc d'Orléans un instrument de parti, votre complice, mais n'en faisait pas un vrai roi. Quelle force vouliez-vous qu'il eût contre les républicains qu'il avait écartés, contre les royalistes qu'il avait offensés, et contre vous-même de qui il avait reçu la couronne par une mauvaise complaisance? Vous vouliez user la royauté en sa personne, vous n'aviez pas besoin de temps pour cela: en un jour vous l'aviez descendue de sa base! Vous n'aviez donc, vous et vos amis, puisque vous reculiez d'effroi, vous n'aviez qu'à couronner l'héritier légitime dans la personne d'un enfant sorti du trône et innocent du règne. Cet enfant était roi de l'ancien régime, vous l'auriez fait roi du nouveau siècle. Une régence, dont vous étiez les conseillers, des Chambres, dont vous étiez les élus, vous garantissaient le gouvernement. L'Europe vous admirait, les royalistes se ralliaient à vous, les constitutionnels vous livraient la Constitution comme à ceux qui avaient su la défendre et la sauver! Vous auriez été vous-même moins populaire pendant trois jours, mais plus approuvé pendant un siècle. Ah! si j'avais cru comme vous, en 1848, qu'il fallait rétablir une royauté, et si j'avais eu dans la main un enfant-roi, héritier légal d'un trône séculaire, un berceau aurait pu être à cette époque une politique! Mais je ne l'ai pas cru.

«—Peut-être avez-vous raison, me dit-il en penchant sa lourde tête, mais moi je n'avais pas tort: vous étiez Lamartine, j'étais Béranger.»

XXIII

Quoi qu'il en soit, Béranger se tint parole à lui-même et se retira stoïquement dans l'ombre et dans la médiocrité volontaire. Aussitôt que son œuvre de 1830 fut accomplie, il souffla ce ballon, coupa la corde et l'abandonna aux vents.

Mais il reprit avec son opposition sa popularité et ses chansons, contre tous les hommes de la royauté de juillet, excepté contre Laffitte et Dupont de l'Eure: il aimait l'un et respectait l'autre. Je n'ai pas connu Laffitte et je ne crois pas que j'eusse jamais aimé un homme dans lequel l'inconséquence et la gloriole se mêlaient, dit-on, à des qualités réelles; mais j'ai vu de près Dupont de l'Eure dans les épreuves les plus périlleuses de 1848, et j'ai gardé de son intrépidité civique et de son patriotisme dévoué une vénération que je reporte tous les jours à sa tombe.

Peu de temps après, Béranger se déclare franchement en opposition contre ses amis; il prend congé d'eux. Il se déclare nettement républicain dans sa chanson du *Déluge*, épitaphe de tous les trônes; enfin, il caresse de nouveau l'Empire dans son sublime *Chant du Cosaque*, hymne de vengeance où le patriotisme prend la forme de l'ironie. Lisons ces strophes du Pindare gaulois:

Viens, mon coursier, noble ami du Cosaque!
Vole au signal des trompettes du Nord;
Prompt au pillage, intrépide à l'attaque,
Prête sous moi des ailes à la Mort.
L'or n'enrichit ni ton frein ni ta selle;
Mais attends tout du prix de mes exploits.
Hennis d'orgueil, ô mon coursier fidèle!
Et foule aux pieds les peuples et les rois.

La Paix, qui fuit, m'abandonne tes guides;
La vieille Europe a perdu ses remparts.
Viens de trésors combler mes mains avides;
Viens reposer dans l'asile des arts.
Retourne boire à la Seine rebelle,
Où, tout sanglant, tu t'es lavé deux fois.
Hennis d'orgueil, ô mon coursier fidèle!
Et foule aux pieds les peuples et les rois.

Comme en un fort, princes, nobles et prêtres,
Tous assiégés par des sujets souffrants.
Nous ont crié: Venez, soyez nos maîtres!
Nous serons serfs pour demeurer tyrans.
J'ai pris ma lance, et tous vont devant elle
Humilier et le sceptre et la croix.
Hennis d'orgueil, ô mon coursier fidèle!
Et foule aux pieds les peuples et les rois.

J'ai d'un géant vu le fantôme immense
Sur nos bivacs fixer un œil ardent.
Il s'écriait: Mon règne recommence!
Et de sa hache il montrait l'Occident.
Du roi des Huns c'était l'ombre immortelle:
Fils d'Attila, j'obéis à sa voix.
Hennis d'orgueil, ô mon coursier fidèle!
Et foule aux pieds les peuples et les rois.

Tout cet éclat dont l'Europe est si fière,
Tout ce savoir qui ne la défend pas,
S'engloutira dans les flots de poussière
Qu'autour de moi vont soulever tes pas.
Efface, efface, en ta course nouvelle,
Temples, palais, mœurs, souvenirs et lois.
Hennis d'orgueil, ô mon coursier fidèle!
Et foule aux pieds les peuples et les rois.

Dans *le vieux Sergent*, le républicain et le bonapartiste se confondent:

De quel éclat brillaient dans la bataille
Ces habits bleus par la victoire usés!
La Liberté mêlait à la mitraille
Des fers rompus et des sceptres brisés.
Les nations, reines par nos conquêtes,
Ceignaient de fleurs le front de nos soldats.
Heureux celui qui mourut dans ces fêtes!
Dieu, mes enfants, vous donne un beau trépas!

Dans *les Souvenirs du peuple* il saisit mieux que jamais l'accent populaire pour enfoncer l'enthousiasme et le remords de voir abandonner son héros dans le cœur des enfants et des femmes.

LES SOUVENIRS DU PEUPLE.

On parlera de sa gloire
Sous le chaume bien longtemps;
L'humble toit, dans cinquante ans,

Ne connaîtra plus d'autre histoire.
Là viendront les villageois
Dire alors à quelque vieille:
Par des récits d'autrefois,
Mère, abrégez notre veille.
Bien, dit-on, qu'il nous ait nui,
Le peuple encor le révère,
Oui, le révère.
Parlez-nous de lui, grand'mère,
Parlez-nous de lui.

Mes enfants, dans ce village,
Suivi de rois il passa;
Voilà bien longtemps de ça:
Je venais d'entrer en ménage.
À pied grimpant le coteau
Où pour voir je m'étais mise,
Il avait petit chapeau
Avec redingote grise.
Près de lui je me troublai.
Il me dit: Bonjour, ma chère,
Bonjour, ma chère.
—Il vous a parlé, grand'mère!
Il vous a parlé!

L'an d'après, moi, pauvre femme,
À Paris étant un jour,
Je le vis avec sa cour:
Il se rendait à Notre-Dame.
Tous les cœurs étaient contents;
On admirait son cortége.
Chacun disait: Quel beau temps!
Le Ciel toujours le protége.
Son sourire était bien doux;
D'un fils Dieu le rendait père,
Le rendait père.
—Quel beau jour pour vous, grand'mère!
Quel beau jour pour vous!

Mais quand la pauvre Champagne
Fut en proie aux étrangers,
Lui, bravant tous les dangers,
Semblait seul tenir la campagne.
Un soir, tout comme aujourd'hui.
J'entends frapper à la porte;

J'ouvre: bon Dieu! c'était lui.
Suivi d'une faible escorte.
Il s'assoit où me voilà,
S'écriant: Oh! quelle guerre!
Oh! quelle guerre!
—Il s'est assis là, grand'mère!
Il s'est assis là!

J'ai faim, dit-il; et bien vite
Je sers piquette et pain bis;
Puis il sèche ses habits,
Même à dormir le feu l'invite.
Au réveil, voyant mes pleurs,
Il me dit: Bonne espérance;
Je cours, de tous ses malheurs,
Sous Paris venger la France.
Il part; et, comme un trésor,
J'ai depuis gardé son verre,
Gardé son verre.
—Vous l'avez encor, grand'mère!
Vous l'avez encor!

Le voici. Mais à sa perte
Le héros fut entraîné.
Lui, qu'un pape a couronné,
Est mort dans une île déserte.
Longtemps aucun ne l'a cru;
On disait: Il va paraître;
Par mer il est accouru,
L'étranger va voir son maître.
Quand d'erreur on nous tira,
Ma douleur fut bien amère!
Fut bien amère!
—Dieu vous bénira, grand'mère;
Dieu vous bénira.

La gloire devient douce de sanglante qu'elle est, quand elle est éternisée ainsi dans les veillées de chaumières, arrosée des larmes des mères; mais ces larmes avaient coulé sur les cadavres de tant de fils!

Dans la chanson *la Comète de 1832*, il s'impatiente sans pitié contre les amis qu'il a lancés au trône et au pouvoir, et contre un monde qui s'agite, mais qui ne se transforme pas.

N'est-on pas las d'ambitions vulgaires,
De sots parés de pompeux sobriquets,

D'abus, d'erreurs, de rapines, de guerres,
De laquais-rois, de peuples de laquais?
N'est-on pas las de tous nos dieux de plâtre;
Vers l'avenir las de tourner les yeux?
Ah! c'en est trop pour si petit théâtre;
Finissons-en: le monde est assez vieux,
Le monde est assez vieux.

Les jeunes gens me disent: Tout chemine:
À petit bruit chacun lime ses fers;
La presse éclaire, et le gaz illumine,
Et la vapeur vole aplanir les mers.
Vingt ans au plus, bonhomme, attends encore;
L'œuf éclôra sous un rayon des cieux.
Trente ans, amis, j'ai cru le voir éclore;
Finissons-en: le monde est assez vieux,
Le monde est assez vieux.

Dans la touchante *ballade* de *Jeanne la Rousse*, il descend par sa pitié jusqu'aux haillons de la misère. Il y a du Shakspeare dans ce chansonnier: écoutez!

JEANNE LA ROUSSE
OU LA FEMME DU BRACONNIER.

Un enfant dort à sa mamelle;
Elle en porte un autre à son dos.
L'aîné, qu'elle traîne après elle,
Gèle pieds nus dans ses sabots.
Hélas! des gardes qu'il courrouce
Au loin le père est prisonnier.
Dieu, veillez sur Jeanne la Rousse!
On a surpris le braconnier.

Je l'ai vue heureuse et parée;
Elle cousait, chantait, lisait.
Du magister fille adorée,
Par son bon cœur elle plaisait.
J'ai pressé sa main blanche et douce
En dansant sous le marronnier.
Dieu, veillez sur Jeanne la Rousse!
On a surpris le braconnier.

Un fermier riche et de son âge,
Qu'elle espérait voir son époux,
La quitta, parce qu'au village
On riait de ses cheveux roux.

Puis deux, puis trois; chacun repousse
Jeanne, qui n'a pas un denier.
Dieu, veillez sur Jeanne la Rousse!
On a surpris le braconnier.

Mais un vaurien dit: «Rousse ou blonde,
Moi, pour femme, je te choisis.
En vain les gardes font la ronde;
J'ai bon repaire et trois fusils.
Faut-il bénir mon lit de mousse:
Du château payons l'aumônier.»
Dieu, veillez sur Jeanne la Rousse!
On a surpris le braconnier.

Doux besoin d'être épouse et mère
Fit céder Jeanne, qui, trois fois
Depuis, dans une joie amère,
Accoucha seule au fond des bois.
Pauvres enfants! chacun d'eux pousse
Frais comme un bouton printanier.
Dieu, veillez sur Jeanne la Rousse!
On a surpris le braconnier.

Quel miracle un bon cœur opère!
Jeanne, fidèle à ses devoirs,
Sourit encor; car de leur père
Ses fils auront les cheveux noirs.
Elle sourit, car sa voix douce
Rend l'espoir à son prisonnier.
Dieu, veillez sur Jeanne la Rousse!
On a surpris le braconnier.

XXIV

Le Vieux Vagabond va plus loin encore; il y a des grincements de dents de la faim et des imprécations de désespoir contre la société et contre la nature. On y pressent le souffle de feu des premières chimères antisociales. Ces chimères, excusables quand elles sont les cauchemars de la faim, sont déplorables quand elles sont les aberrations de l'esprit, criminelles quand elles sont la solde en fausse monnaie du radicalisme. Ces chimères étaient nées après 1830; elles agitaient convulsivement les dernières années du gouvernement de Juillet. La République, que l'on accuse à tort de leur avoir donné naissance, les étouffa vigoureusement au contraire entre les bras du peuple tout entier aux journées de juin.

On remarque avec peine la même aigreur, trop consonnante avec l'aigreur croissante du peuple et avec les récits subversifs des rénovateurs de fond en comble de l'édifice social, dans la *Chanson philosophique des Fous*. Béranger n'était rien moins que sectaire, encore moins radical, pas même systématique. Il y avait contradiction ici entre ses couplets et ses idées. Il ne faut chanter au peuple que des vérités utiles ou des passions pratiques, telles que la patrie, la liberté, la charité fraternelle entre les classes et entre les citoyens. C'est de la force, et non du délire, qu'il faut donner au peuple pour qu'il grandisse. Il y a de la force dans l'enthousiasme, il n'y en a point dans l'ivresse.

La chanson *des Fous*, en glorifiant toutes les sectes, même les plus téméraires, n'était propre qu'à devenir la Marseillaise des chimères contre les frontières sacrées de la société connue. Si cette Marseillaise avait été sincère sous la plume du poëte, il aurait fallu plaindre son esprit; si elle n'avait été qu'une complaisance, il aurait fallu la reprocher à sa conscience. Elle n'était ni tout à fait sincère, ni tout à fait complaisante; elle n'était qu'une boutade philosophique à travers l'infini des idées, un coup de plume qui cherche aventure dans l'inconnu. Mais la société, sur qui tout repose, ne doit point chercher aventure comme l'imagination qui ne répond de rien, elle doit chercher progrès et raison. Elle n'a pas pour guide la conjecture, elle a pour guide l'expérience. Nul ne le disait mieux, dans les dernières années, que Béranger.

Après cette chanson, Béranger se tut et s'enveloppa de plus en plus dans son manteau, attendant les orages.

Le 24 février 1848 le réveilla, comme tout le monde, en sursaut. La royauté de Juillet, expression confuse des trois oppositions incompatibles, mal conciliées par Béranger en 1830, bonapartisme, républicanisme, orléanisme, ne pouvait aboutir, un jour ou l'autre, qu'à un avortement. Cette royauté, mal conçue elle-même, avorta en effet, le 24 février, sous une secousse qui n'aurait pas déraciné un hysope. Par un hasard que j'étais loin de prévoir la veille, c'est moi qui reçus l'enfant sur mes bras; mais l'enfant était mort! La France, selon l'expression de Béranger, n'avait pas eu le temps de le concevoir encore et de le porter à maturité.

XXV

Je ne fis qu'entrevoir Béranger pendant les trois mois de modération et de périls, toujours sauvés par le civisme inespéré de ce grand peuple, mois qui précédèrent l'avénement de l'Assemblée constituante, seule souveraineté que nous pussions retrouver sous ces débris.

Je le vis cependant un soir, après la mémorable journée du 16 avril 1848; journée inconnue et mystérieuse, où tout fut sauvé par ma confiance dans le peuple seul contre ce qu'on appelait faussement le peuple.

—Où en sommes-nous? me dit-il à l'oreille, le visage tout ému et tout transfiguré d'anxiété pour la patrie.—*Au port*, lui répondis-je tout bas; cette journée est le neuf thermidor des terroristes et des communistes. J'ai osé tâter le pouls à la France; tranquillisez-vous, elle est immortelle.

—Il me serra dans ses bras, ses yeux se mouillèrent de larmes.

—«Encore un mot, lui dis-je, puisque vous voilà, et que vous êtes un des oracles de ce peuple.—Qu'auriez-vous fait à ma place le 24 février, dans ce grand sauvetage d'une nation sous laquelle sombrait votre royauté de Juillet?—Belle demande! me répondit-il; j'aurais fait ce que vous avez fait; et d'ailleurs pouviez-vous faire autre chose?—C'est bien, lui dis-je, je suis satisfait; ce mot de vous me donne confiance. Voici la France qui va arriver dans sa représentation impartiale et souveraine: à dater de ce matin je suis sûr de la faire entrer sans résistance dans Paris. Au nom de la France et du salut du peuple, laissez-vous élire parmi les représentants qui vont la personnifier. Il est si rare de rencontrer dans un même homme la popularité, la résistance et la politique: donnez ce spectacle au monde et cette consolation aux bons citoyens. La république a cent fois plus de force qu'il ne lui en faut; tout son danger est dans l'excès: en voyant voter Béranger pour la sagesse, qui donc osera être fou? il y a une heure dans la vie où il faut savoir dépenser et perdre toute la popularité acquise en soixante et dix ans de désintéressement; autrement c'est un trésor d'avare, un trésor perdu, qui ne profite ni à vous ni aux autres. Voyez! ajoutai-je: je me dépense, je me perds, en résistant aux folies des uns, aux dictatures prématurées des autres; je ne sortirai pas de là bon à gouverner un village, mais la représentation nationale en sortira toute-puissante et invincible. Souvenez-vous du mot de Danton, appliqué à un crime; appliquons-le à une vertu: Périsse notre nom et que la France soit sauvée!»

XXVI

Sa modestie combattait son dévouement; mais le dévouement l'emporta, il se laissa nommer à un million de voix à l'Assemblée constituante. Une immense popularité y entra avec lui: c'était le seul service qu'il consentit à rendre sous cette forme à la patrie.

Une fois l'Assemblée nationale assise et consolidée dans Paris, il se dit: «Que ferai-je là? Je suis philosophe et je ne suis point politique; je suis chansonnier et je ne suis point orateur; je suis républicain et je ne suis point démagogue; je suis peuple et je ne suis point bourgeoisie; je suis vieux et je n'ai plus la main assez ferme pour résister à une multitude qui tendra longtemps à emporter les rênes et à ronger le frein de la république. De grandes questions vont se poser, de gros orages s'accumulent; il faudra me dessiner par mes votes et par mes actes pour ou contre le peuple accoutumé à voir en moi sa personnification: si je me dessine pour lui, je donnerai de la force à ses excès et je contribuerai à le perdre; si je me dessine contre lui, je me trouverai groupé avec les royalistes et les réactionnaires qu'il regarde comme ses ennemis, et je ne conserverai plus dans le peuple que le renom d'un traître ou d'un apostat. Retirons-nous; réfugions-nous dans ma vieillesse et dans mon obscurité: c'est plus sage; ne nous séparons plus de ce peuple où est ma force: je serai plus véritablement utile là que dans le gouvernement. Le peuple, en me voyant rentrer dans son sein, ne se défiera pas de moi, et j'aurai plus d'empire sur lui dans ses propres rangs que je n'aurais d'ascendant sur les bancs de ses maîtres.»

Ce furent évidemment là ses pensées; je ne les approuve pas, je les explique.

Béranger donna sa démission. L'Assemblée nationale, qui sentait unanimement comme moi l'utilité et l'honneur de ce grand nom d'honnête homme populaire dans son sein, se leva tout entière de douleur et de respect à la lecture de cette démission; elle la refusa et fit supplier le simple citoyen de ne pas faire une lacune dans la représentation de la France en remettant son mandat au peuple.

Béranger fut touché, mais inflexible. Il demanda indulgence pour sa vieillesse. Moi-même je ne pus le vaincre.—«Vous êtes de ceux qui ne sont jamais vieux, lui dis-je, parce qu'ils vivent après leur mort bien plus que pendant leur vie, et que leur temps à eux est la postérité; mais, d'ailleurs, fussiez-vous vieux et n'eussiez-vous plus de sang dans les veines, dans des crises comme celle-ci il n'y a ni jeunes gens ni vieillards: on doit autant à sa patrie la dernière goutte de son sang que la première.»

«—Non, me dit-il tristement, je me suis bien interrogé, je sens que mon devoir n'est pas là, et qu'il est ici, ajouta-t-il en me montrant du geste sa petite chambre, sa petite table et sa petite écritoire. J'ai encore la force de penser, je ne me sens pas la force d'agir. Je tiendrais la place d'un homme utile à la patrie; m'effacer pour qu'elle soit mieux servie c'est encore la servir.»

XXVII

Je ne tardai pas moi-même, non pas à me retirer du service de mon pays, mais à être écarté par mes concitoyens. L'obscurité m'abrita salutairement sans que j'eusse la peine et peut-être la faiblesse de la chercher. L'adversité ne m'y laissa pas le repos, cet *otium cum dignitate* qui est l'oreiller des disgrâces, loisir et silence que Béranger, plus sage que moi, avait eu la prévoyance et la modération de désirs de préparer à sa retraite. Cette adversité, qui attirait Béranger comme la bonne fortune attire le commun des hommes, le rapprocha plus assidûment et plus intimement de moi. Dès que j'eus besoin d'un consolateur il me prodigua sa présence, son intérêt, sa tendresse. La reconnaissance lui ouvrit mon cœur tout entier. Il se forma insensiblement entre nous une de ces amitiés tardives qui n'ont pas les primeurs d'âme et les soudainetés d'attrait de celles de la jeunesse, mais qui ont les souvenirs, les recueillements, les retours en arrière, les sérénités et les mélancolies des jours avancés. Les expériences, les confidences, les repentirs y tombent de plus haut de l'âme de l'un dans l'âme de l'autre, comme les grandes ombres des montagnes dont parle Virgile tombent sur leurs pieds à mesure que le soleil baisse:

Majoresque cadunt altis de montibus umbræ.

Ce fut alors que j'appris à connaître le vrai caractère de ce grand homme de cœur et les vraies opinions de ce grand homme de sens.

XXVIII

Ce grand homme avait peut-être le caractère un peu vert d'un homme de parti; dans les premières périodes de sa vie, il avait pu prendre quelquefois la popularité pour la vertu et l'opposition pour la politique; il avait pu verser à trop pleine coupe le souvenir de ses victoires comme consolation à un peuple affaissé par ses revers; il avait pu badiner un peu trop vivement avec le vin et l'amour pour se faire rechercher en bon convive et en indulgent moraliste à la table et dans les rondes suburbaines du peuple. Socrate gaulois déguisé chez Aspasie en Anacréon, il avait pu faire une révolution plébéienne qui s'était transformée en trois jours en royauté oligarchique.

Voilà ses fautes: il ne se les déguisait pas à lui-même. Mais la réflexion, l'expérience, le temps avaient complètement tué en lui le vieil homme et enfanté l'homme nouveau. Jamais peut-être, dans aucun esprit supérieur de nos jours, ce travail intérieur du temps, qui tue les illusions, qui convertit les faiblesses, qui fait éclore les vérités du sein de l'expérience et qui régénère les vertus naturelles dans les résipiscences d'esprit; jamais, disons-nous, ce travail de vivre pour s'améliorer ne fut aussi sensible et aussi *réussi* que dans Béranger. C'était lui qui était son poëme; il le revoyait, il le retouchait, il le raturait tous les jours, et il avait fini par en faire ce chef-d'œuvre de génie, de bonté, de raison que nous avons connu. Qui aurait osé seulement se souvenir du chansonnier quand on avait comme moi le bonheur de voir agir et d'entendre parler l'homme qui avait été Béranger, mais qui savait être Tacite ou Montaigne selon l'heure?

«Mon ami, me disait-il un jour, il faut aimer le peuple malgré le peuple, comme on aime un enfant malgré ses légèretés, ses ignorances et ses inconstances. Et pourquoi faut-il aimer le peuple? Parce que c'est la partie la plus nombreuse de l'humanité, et parce que, notre devoir étant d'aimer nos semblables (puisque c'est là encore nous aimer nous-même), c'est dans le plus grand nombre que nous devons aimer l'homme ou nous aimer véritablement nous-même. Si je n'ai pas le bonheur d'avoir la religion du Dieu de la paroisse, j'ai toujours eu et j'ai de jour en jour davantage la religion du Dieu de l'univers.

«Eh bien! l'amour du peuple est ma religion à moi! Je me suis dit de bonne heure: l'homme sensé ne peut pas vivre sans Dieu et sans religion: ce serait un effet qui voudrait subsister sans relation avec sa cause; mais la foi en Dieu suppose un culte qui l'adore, une morale qui se conforme à ses perfections, une action qui concourt à sa divine et souveraine volonté. Ce culte qui l'adore, je le pratique dans mon intelligence, qui s'élève à lui comme l'encens de l'âme, qui le glorifie en s'humiliant dans mon néant. Cette morale qui se modèle de si loin sur ses perfections ineffables, je la trouve écrite par lui-même dans ma conscience. Cette action qui concourt à ses desseins et à sa bonté, je tâche de m'y conformer le plus que je peux par ma charité d'esprit et de main (quand, hélas! ma main n'est pas vide) envers les hommes, et surtout envers cette classe des hommes, mes semblables, qu'on appelle le peuple.

«Si tout le monde faisait cela dans la proportion de son amour et de ses forces, tout le monde serait heureux, ou du moins tout le monde serait consolé; donc ma religion, au moins pour moi, est bonne; donc mon devoir religieux est d'aimer et de servir le peuple.

«Ne concluez pas, ajouta-t-il, que je croie que la politique, qui est la science du gouvernement, soit un vain mot, et qu'il faille s'en rapporter à la liberté, à la fraternité, à la charité pour laisser le peuple se gouverner lui-même par ses seuls instincts et par ses seules vertus; non! Je n'ai jamais donné dans ces utopies de libertés illimitées et de vertus infaillibles qui sont les paradoxes de la nature humaine, et qui seraient en huit jours la perte de tous par tous. Je suis plus politique qu'on ne pense. Vous m'avez comparé, dans un de vos écrits, à M. de Talleyrand: on a ri de vous et de moi; mais ce mot prouve que vous m'avez mieux regardé que bien d'autres.

«M. de Talleyrand, que j'ai beaucoup connu, qu'on a fait bien pire qu'il n'était, et à qui vous avez rendu justice, était un très-profond politique sous son apparente nonchalance, un politique inné, un politique d'instinct, ce qui veut dire un politique de génie, car on ne sait bien que ce qu'on n'a pas appris; mais, dans sa politique, il avait principalement pour but son intérêt propre; quant à moi, je n'ai jamais eu dans ma politique d'autre intérêt que ce que j'ai cru l'intérêt du peuple.

«Toute saine politique, selon moi, se compose de deux éléments indivisibles: une philosophie et une action. La philosophie imprime à l'action sa tendance divine à l'amélioration du sort de toutes les classes, sans exception, de la société humaine; l'action donne à cette philosophie politique son efficacité, sa force, sa mesure, son opportunité, sa modération. Selon moi, ajouta-t-il, il faut donc d'abord une vertu, puis une force dans toute politique. Voilà pourquoi, bien que je paraisse un révolutionnaire dans mes rimes, je suis très-gouvernemental dans mes instincts. La république elle-même, qui paraît à quelques-uns la dissémination des forces du peuple, doit en être, à mon avis, la plus puissante concentration. Quand le droit de tous est représenté, quand la volonté de tous est exprimée, cette volonté doit être irrésistible. Qu'a-t-il manqué à votre république de 1848? Un gouvernement, que l'Assemblée nationale n'a pas su ou n'a pas voulu lui faire. Vous ne pouviez pas le lui faire, vous, le lendemain de l'écroulement du trône: une dictature proclamée par vous ce jour-là aurait paru, avec raison, un outrage à la France, une mise hors la loi de la nation, une tyrannie insolemment prise au nom de la liberté sur un peuple à terre! La république même eût été à l'instant dépopularisée par un pareil acte dans la main des républicains. Je ne suis pas de ceux qui vous accusent de ne l'avoir pas fait alors; aucune faute du peuple, aucun péril évident de la liberté ne motivait une telle violence de ceux qui s'étaient jetés entre les ruines du trône et l'anarchie; mais, une fois la France interrogée, une fois l'Assemblée nationale assise dans Paris, une fois la bataille de la république gagnée contre les démagogues et les communistes dans les rues de Paris, mon avis est qu'il fallait donner à la république un gouvernement plus concentré et plus dictatorial encore que vos gouvernements parlementaires, meilleurs pour saccader des trônes que pour fonder des pouvoirs forts.

«Et croyez-moi, poursuivait-il en plaisantant, si jamais vous ressuscitez sur cette pauvre terre et que la Providence vous rende, dans une révolution de votre pays, un rôle semblable à celui qu'elle vous a donné en 1848 en France, demandez pour vous, ou pour tout autre, une dictature de dix ans ou une dictature à vie, avec faculté de désigner votre successeur, pour donner à la liberté le temps de devenir une habitude, pour refréner vigoureusement les factions et pour modérer sévèrement les sectes qui perdent la liberté. La liberté a tout autant besoin de gouvernement que la monarchie; le peuple est un beau nom, mais il lui faut une forme: le chef-d'œuvre de l'humanité, c'est un gouvernement.»

XXIX

Ces pensées étaient précisément les miennes. On comprend que je me gardais bien de les réfuter.

Elles expliquent la profonde tristesse civique qui saisit Béranger quand, à la place de l'unanime et patriotique enthousiasme qui soulevait le peuple et l'Assemblée nationale au-dessus de terre en 1848, il vit l'Assemblée législative jouer, comme une assemblée d'enfants en cheveux blancs, à l'utopie, à la Terreur, à la Montagne, à la réaction, à l'orléanisme, au militarisme, à l'anarchie, à tous les jeux où l'on perd la liberté, la dignité, l'ordre social et la patrie.

Il s'efforçait, dans sa sphère privée, comme moi dans la mienne, d'inspirer un peu de raison à ces sectes imprudentes: il n'y réussit pas. Il avait, comme moi aussi, prévu le dénoûment. Il ne fallait pas être grand prophète pour prophétiser la ruine d'une assemblée souveraine qui portait tous les jours des défis sans force à des armes hors du fourreau et à des intérêts sans sécurité.

C'est peut-être à ce sentiment de secret mépris pour l'Assemblée législative qu'il faut attribuer le peu d'étonnement que Béranger eut de la catastrophe et le peu de ressentiment qu'il manifesta contre le nouveau gouvernement napoléonien. «Ceci, lui dis-je un jour après l'élection qui ressuscita l'Empire, est une chanson de Béranger!»

Il détourna la tête, secoua ses cheveux gris, rougit, se pinça les lèvres et ne répondit pas. Je vis que ce souvenir de l'immense influence de ses chansons impériales sur les suffrages de la multitude lui était importun devant moi. Je n'y fis plus la moindre allusion pendant tout le reste de sa vie.

Il était affligé sans aucun doute de l'avortement de la république, mais peut-être, sous cette affliction sincère, y avait-il une secrète consolation d'amour-propre. Peut-être pensait-il qu'il avait bien eu le premier le sens de ce peuple plus soldat que citoyen. Ceci, du reste, n'est qu'une supposition de ma part; jamais un seul mot de lui ne m'a donné le droit d'une conjecture à cet égard. Mais, pourvu que la nationalité fût sauvée, il était très-patient pour la démocratie. Ceci, il me le disait tous les jours: les ambitions ou les factions sont pressées, la philosophie est patiente; Béranger était avant tout philosophe.

XXX

Dans ces dernières années il s'était tellement rapproché de moi que nous passions rarement deux jours sans nous voir; c'était tantôt chez moi, au milieu du jour, lorsque les affaires, les travaux ou les tristesses me retenaient forcément dans ma chambre d'angoisse; tantôt chez lui, à l'heure où le tumulte des rues de Paris rend plus intime et plus recueilli l'entretien deux à deux au coin du feu d'un solitaire; tantôt dans les allées désertes alors du bois de Boulogne, où les paroles tombaient çà et là et à demi-voix de sa bouche comme les feuilles jaunies sous le vent d'automne.

Ah! que ces arbres de la longue avenue de marronniers qui mène de la porte Maillot au château de Madrid, que j'habitais alors, ont entendu de belles choses! Quand Béranger, s'arrêtant tout à coup comme saisi au pan de sa redingote par quelque main invisible, et prenant à deux mains son gros bâton de bois blanc à pommeau d'ivoire, il dessinait sur le sable des figures inintelligibles, tout en dissertant avec une éloquence rude, mais fine, sur les plus hautes questions de religion, de philosophie ou de politique!

Ces dissertations étaient en général mêlées d'anecdotes qui les rendaient vivantes. «Voilà, me disait-il, ce que je conseillais à mon ami Laffitte; voilà ce que je confiais à Manuel, l'homme que j'ai le plus aimé parce qu'il a été, selon moi, le plus désintéressé, le plus calomnié et le plus salarié d'ingratitude; voilà ce que j'essayais de faire comprendre à Chateaubriand, que j'aimais par admiration littéraire et dont j'avais eu la niaiserie de prendre l'amitié au sérieux, lui qui n'aimait de moi que son plaisir et ma popularité; voilà ce que je répétais vainement à ce grand enfant de Lamennais, qui voyait partout des trappes et des traîtres de mélodrame!»

XXXI

Souvent il était interrompu par quelques noces de paysans ou d'ouvriers qui venaient passer leur journée de miel dans les guinguettes de Neuilly et qui le reconnaissaient sous son chapeau de feutre gris et sous sa redingote couleur de muraille.

Ils se rangeaient respectueusement et se chuchotaient l'un à l'autre le nom du *Père la joie*, comme disent les Arabes; ils levaient leur chapeau et criaient, quand il avait passé: *Vive Béranger!*

Béranger se retournait, leur souriait d'un sourire moitié attendri, moitié jovial. «Merci, mes enfants! merci, leur disait-il; amusez-vous bien aujourd'hui, mais songez à demain. Chantez une de mes chansons puisqu'elles vous consolent, mais surtout suivez ma morale: le bon Dieu, le travail et les honnêtes gens!»

Ces scènes se renouvelaient pour lui à chaque promenade que nous faisions ensemble. Il y avait autant de couplets de Béranger chantés que de verres de vin versés dans les jours de fête de ce pauvre peuple. Combien de fois moi-même, dans des réunions d'un ordre moins plébéien, à la campagne, avec le riche cultivateur, le curé, le notaire, le médecin, l'officier en retraite groupés autour d'une table rustique à la fin du jour, combien de fois n'ai-je pas entendu le coryphée libéral du canton entonner au dessert, d'une voix chevrotante, la chanson du *Dieu des bonnes gens*, du *Vieux Sergent*, de *la Bonne Vieille*, tandis que la table tout entière répétait en chœur, excepté moi, le refrain aviné, et qu'une larme d'enthousiasme mal essuyée sur la manche du vieil uniforme tombait entre la poire et la noix dans le verre du vétéran!... Béranger, pour ces ouvriers, pour ces soldats, pour cette bourgeoisie française, n'était réellement plus un homme; c'était un ménétrier national dont chaque coup d'archet avait pour cordes les cœurs de trente millions d'hommes exaltés ou attendris.

XXXII

Il en était reconnaissant, et il aimait véritablement sa patrie dans sa gloire et sa gloire dans sa patrie. Il aimait surtout les plus malheureux. Depuis que la politique avait tour à tour accompli ou trompé ses espérances, il avait replié son âme, pour ainsi dire, dans la bienfaisance. Il avait trouvé plus facile et plus sûr de faire tout le bien qu'il pouvait faire, homme par homme, dans un cercle privé autour de soi, que de faire un bien abstrait, incertain et problématique aux nations et à l'humanité dans l'ordre social ou politique. Il avait, si j'ose dire toute ma pensée, rétréci son devoir, afin de l'accomplir toujours et d'être plus sûr de l'accomplir.

Car il ne faut pas croire qu'il n'y eût un coin de scepticisme, de découragement triste, de laisser-faire et de laisser-aller dans cette belle âme, quand il considérait le monde en masse dans ses éternelles aspirations et dans ses éternelles rechutes. Il désirait l'amélioration de l'humanité en masse plus qu'il n'y croyait. L'histoire, qui se répète avec tant de monotonie de siècle en siècle, lui faisait peur. «Si elle allait se répéter encore après nous?» me disait-il quelquefois...

Mais ces courts moments de doute ne prévalaient pas sur sa charité active pour le genre humain. Le *misereor super turbam*, ce mot de l'Évangile, était devenu le sien. Il se consolait de moins espérer en agissant de jour en jour davantage pour le soulagement des misères humaines. De poëte de fête qu'il avait été jadis il s'était fait poëte de douleurs, sœur de charité de tout ce qui recourait à lui, soit pour une misère de corps, soit pour une misère d'esprit; ses journées entières appartenaient à la foule.

Il faut avoir assisté cent fois comme moi à ces consultations de ce médecin des âmes, dans son antichambre, pour se faire une idée du bien qu'il avait fait à la fin de sa journée, avant de reposer sa tête sur son oreiller de bonnes œuvres.

On sonnait, il allait ouvrir. C'était un pauvre ouvrier qui venait de perdre sa femme dans la nuit et qui n'avait pas de quoi lui acheter un linceul ou une bière! Béranger le faisait asseoir, pleurait avec lui, lui donnait un verre de vin pour relever ses forces, ouvrait son tiroir, comptait en petites pièces de monnaie la somme strictement nécessaire pour le pieux devoir, l'enveloppait dans une page déchirée de ses vieilles éditions pour la glisser dans les doigts du pauvre veuf, afin de ménager sa pudeur en ne laissant ni briller ni sonner le métal de l'éclat ou du bruit de l'aumône. Il accompagnait l'ouvrier jusque sur l'escalier; je l'entendais embrasser l'inconnu et lui adresser de marche en marche, avec sa grosse voix voilée, un adieu aussi ému et aussi prolongé que si cet inconnu avait été son frère.

Puis venait une belle jeune fille dont le père, mécanicien ou typographe, avait parlé de Béranger à sa pauvre famille; elle entrait en rougissant et demandait à parler en particulier au vieux poëte. Il l'emmenait dans une embrasure de croisée au fond de la chambre, et j'entendais de ma place des sanglots mal étouffés, interrompus de délicates confidences: c'était une consultation de l'amour indécis pour savoir si elle devait accueillir ou repousser des propositions de mariage d'un jeune ouvrier sans fortune, dont la demande n'agréait pas à ses parents. Il fallait que Béranger se chargeât de la négociation sans connaître ni le père, ni la mère, ni le prétendant.

Il s'en chargeait, après une enquête scrupuleuse sur la situation, sur le caractère et jusque sur le cœur des deux amants. Il prenait son crayon, il écrivait les noms, les adresses, les heures. «—J'irai, mon enfant, j'irai demain, disait-il; je tâcherai d'arranger cela pour le mieux. Votre mère me dira ses raisons, votre fiancé ses ressources. Je le recommanderai à nos bons amis les Pereire, qui font du travail le ministre de l'opulence.»

La jeune fille, dans sa joie, jetait naïvement ses bras autour du cou du poëte. «—Allons, allons! pourquoi m'embrasser ainsi avant le succès?» lui disait, en se refusant à ses étreintes, le vieillard; «je n'ai pas encore mérité ma récompense.» Mais les larmes de la belle enfant mouillaient déjà ses mains.

Puis deux vieux concierges infirmes, l'un soutenant l'autre, sonnaient timidement à la porte de ce cinquième étage. Béranger les conduisait lui-même à son canapé de paille; il écoutait patiemment le récit de leur détresse et les vœux de leur vieillesse: c'étaient deux lits dans le même hospice, pour ne pas mourir séparés après une longue vie de bonheur, de travail et de souffrance en commun. Béranger écrivait à l'instant pour eux une lettre à quelques-unes des administrations de la charité publique; son nom était une clef qui ouvrait les cœurs comme les ministères. On savait assez qu'il ne demandait jamais que pour les autres et qu'il se dépensait lui-même jusqu'au nu avant de demander une obole de la pitié d'autrui. Les pauvres infirmes s'en allaient consolés; on entendait leurs bénédictions monter à mesure qu'ils descendaient, du fond de l'escalier: «Ah! quelle bonne pensée nous avons eue de monter à lui en voyant son portrait dans notre loge!»

XXXIII

Puis c'étaient de jeunes ouvriers en grand nombre qui se trompaient de vocation en prenant leur travail manuel en dégoût et qui s'admiraient eux-mêmes dans des vers incultes qu'ils prenaient pour des promesses de génie, parce qu'ils ignoraient les conditions rares et providentielles du vrai génie. Ils venaient, leur rouleau crasseux sous le bras, solliciter un encouragement du maître. Béranger avait la patience de les lire ou de les écouter, mais il avait la conscience de les décourager rudement. «Allez, allez, cela ne vaut rien; faites des souliers, faites des chapeaux, faites des habits, et ne faites jamais de vers. Vous me voulez du mal aujourd'hui de contrister votre amour-propre déplacé, vous m'en voudriez bien davantage dans dix ans de l'avoir encouragé. Laissez chanter les rossignols pour les heureux oisifs de la terre qui se lèvent tard; quant à vous, mes amis, n'écoutez chanter que le coq, qui est le réveille-matin du bon ouvrier!»

XXXIV

Ainsi se passait toute sa matinée jusqu'à l'heure où ce courtier des misères prenait sa canne et son chapeau pour sortir.

Il s'en allait à pied, dans la poussière ou dans la boue, d'une extrémité de Paris à l'autre: il présentait ses requêtes à toutes les administrations, il quêtait pour le pauvre chez tous les riches, il visitait dans tous les hôpitaux les malades pour lesquels il avait obtenu un lit; puis, quand il lui restait un peu de marge de sa journée, après ces sacrés devoirs accomplis, il venait s'asseoir et causer au coin de mon foyer ou au chevet de mon lit avec la quiétude d'une conscience qui a la satisfaction de sa journée sur le cœur.

Et cette vie il ne la dévouait plus à aucune vaine et secrète popularité; il la dévouait véritablement et uniquement à Dieu et aux hommes: on le voyait au recueillement respectueux de sa physionomie et au timbre ému de sa voix quand la conversation déviait vers les choses éternelles. Sa piété philosophique croissait en lui avec les années sérieuses de la vie. Ses œuvres n'étaient pas seulement des instincts satisfaits, ses œuvres étaient ses prières. Une des femmes qui le servaient dans ses derniers mois raconte qu'elle le surprit quelquefois agenouillé dans sa chambre, les mains jointes sur le bord du lit, comme l'enfant qui se souvient des attitudes de sa mère. Il avait trop de goût pour être impie; il avait trop d'âme pour être sans conversation dans la langue des soupirs avec le pays des âmes.

XXXV

La mort récente de la compagne de sa vie jeta une ombre visiblement plus grave sur sa physionomie. Je le vis le lendemain de cette perte: il n'affecta point un de ces deuils qui refusent d'être consolés. Il sentait que l'heure naturelle des départs était arrivée pour tous les deux, et que les douleurs qui finissent la vie ne peuvent pas être déplorées comme celles qui les commencent. «Cette pauvre Judith,» me disait-il en essuyant ses yeux encore humides de la matinée des funérailles, «cette pauvre Judith me précède de peu dans le voyage. J'aurais regretté qu'elle m'eût survécu, infirme et isolée comme elle était! Je serais mort avec des angoisses sur son sort, et tout est pour le mieux. Je vais faire mes préparatifs afin que le peu que je laisserai en m'en allant ne soit pas perdu pour ma pauvre famille.

«Vous ne le croiriez pas, mon ami,» ajouta-t-il avec un accent de tendresse qui vibre encore dans mon oreille, «vous ne croiriez pas que ce qui m'inquiète le plus maintenant, c'est vous! Où en êtes-vous de vos lourdes affaires? J'en suis plus tourmenté que de mon propre sort! Je songe à vous le jour et la nuit.» Je le remerciai et je le rassurai en lui affirmant que, si la Providence me laissait encore quelques heures de travail avant le soir, j'étais sûr de suffire à tout et de ne laisser personne dans la peine ou dans l'embarras après moi, et j'entrai avec lui dans quelques détails de coin du feu. «Ah! que vous me faites de bien!» reprit-il en me serrant la main dans ses deux mains. «Je m'en irai plus content si je vous laisse, vous et ce qui vous appartient, dans le repos et dans la sérénité des derniers jours.»

XXXVI

La femme âgée qu'il venait d'ensevelir s'était appelée Lisette dans sa folle jeunesse, elle s'était appelée madame Judith dans son âge mûr; on a cru qu'on pouvait l'appeler tout bas du nom du poëte dans sa vieillesse: je l'ignore; c'était une femme de quatre-vingts ans passés, d'un port d'impératrice déchue, d'une conversation contenue, mais très-distinguée et très-fine, à la hauteur de tout esprit et de toute âme. «Je ne suis pas la rose, mais j'ai habité avec elle.»

On voyait que Béranger, Manuel, Chateaubriand, Lamennais, Hugo, Michelet, Benjamin Constant, Thiers, Mignet et cent autres, Lebrun, Havin, homme d'élite, avaient passé par cette chambre qui précédait celle du solitaire, salle d'attente de cette royauté de l'esprit et de la bonté qu'on venait saluer dans Béranger.

Je m'y arrêtais souvent pour attendre le poëte quand par hasard il n'était pas rentré à l'heure de mes visites. Cette femme était si belle, si gracieuse, si intelligente à demi-mot, d'une sagesse si souriante et cependant si sérieuse sous son poids d'années, que je ne trouvais jamais l'heure longue dans son entretien. J'aurais aimé à connaître son histoire; d'autres la raconteront sans doute.

En traversant la chambre vide de Judith, quelques jours après sa mort, je fus étonné et attendri de voir un chapelet encore suspendu à un clou contre la muraille, à la place où avait été son lit; tout auprès, un petit portrait de Béranger jeune était suspendu à un autre clou. Tout se rencontre dans ces longues vies qui traversent mille hasards, qui passent par tous les caprices du sort et par toutes les aventures du cœur, depuis l'amour jusqu'à la célébrité et depuis la célébrité jusqu'à la solitude. Nous sommes tous un poëme ou une chanson: il ne faut que savoir y lire!

XXXVII

Cette mort, que je ne croyais qu'un accident, fut un signal; depuis ce jour Béranger s'affaiblit, non de la tête ni du cœur, mais des jambes. Il regretta vivement de ne plus avoir la force de traverser à pied la ville pour venir, comme l'année dernière, s'asseoir quelques heures au foyer de ses amis éloignés et souvent au mien. Je multipliai mes visites à la rue de Vendôme: rien n'était changé, ni dans ses entretiens, ni dans son visage, ni dans la gracieuse nonchalance de ses habitudes dans sa chambre. Il entrevoyait bien la pente, mais nullement la mort; nous en parlions quelquefois, mais comme d'une éventualité générale qui ne menaçait aucune vie en particulier. «Du reste, me dit-il avec un ton d'indifférence la dernière fois que je causai assis avec lui, j'en ai assez; j'approche de quatre-vingts ans, je n'ai rien de nouveau à voir et peu de choses à aimer devant moi: à quoi bon traîner dans le vestibule quand les paquets sont faits et qu'on n'attend plus personne? Il y aura cette différence entre ma naissance et ma mort que je suis arrivé malgré moi et que je partirai de mon plein gré! Que Dieu fasse donc pour le mieux,» ajouta-t-il. Puis il se reprit à rouler une boulette de mie de pain dans ses doigts, comme Danton en roulait devant le tribunal où l'on délibérait sa mort.

Il était à table, ce jour-là, en manches de chemise, accoudé le bras droit sur la nappe devant un morceau de pain et un morceau de fromage, et une bouteille de vin; il avait essayé d'en boire une goutte pour se rendre un peu de force en rentrant de son jardin, où il était descendu prendre un dernier rayon de soleil. Un homme de bon cœur et de bon esprit, M. Havin, assistait, hélas! à cette agape. Je vis de l'humidité dans ses yeux.

XXXVIII

Je commençais à m'alarmer de cet affaiblissement sans cause, mais j'espérais qu'il descendrait très-lentement ces années qui sont les dernières marches de la vie et qui touchent au plain-pied de la tombe. Les circonstances me forçant à m'éloigner de Paris, j'allai lui dire adieu la veille de mon départ.

C'était le 1er juillet de cette année, à cinq heures de l'après-midi. Je trouvai le visage du concierge consterné: on venait de rapporter le malade presque évanoui de son jardin. Je montai; les deux servantes presque en larmes me chuchotèrent à voix basse dans la première chambre les inquiétudes des médecins et l'affaiblissement progressif. Il veut vous voir, me disaient-elles, mais il ne faut pas le faire parler. Elles m'introduisirent: il était entre les bras de M. et de Mme Antier, ses pieux amis, qui demeuraient dans la même maison pour être plus à portée de son cœur et de sa voix.

Le mari et la femme l'étendaient avec des soins de mère et de père sur son canapé; ses pieds sans force touchaient encore à terre; son visage était pâle, mais serein.

Son regard reprit en me voyant toute sa lumière intérieure, et sa bouche même un doux sourire.—«C'est un adieu,» me dit-il en me tendant sa grosse main et en serrant fortement la mienne.—«Oui,» lui dis-je, «mais ce n'est pas un long adieu: je reviendrai plusieurs fois à Paris dans le cours de l'automne; en attendant, ne m'écrivez pas, mais faites-moi souvent donner de vos nouvelles par M. Antier, qui sera votre main et votre cœur.»«—Eh bien! adieu! me répéta-t-il plus tendrement; que Dieu vous ramène, et je vous en prie, ajouta-t-il à plusieurs reprises, parlez bien de moi, de mes regrets, de mon attachement à Mme de Lamartine et à votre charmante nièce. Dites-leur de prier pour votre ami! Je ne souffre pas, je ne me sens pas bien malade encore. J'ai bon appétit, mais vous voyez comme je suis faible. Adieu encore! et adieu à votre maison!»

Je m'éloignai, je descendis cet escalier que je ne remonterai plus. Quelques jours après, je reçus plusieurs lettres successives de M. Antier, qui m'écrivait les phases de la maladie, tantôt alarmantes, tantôt rassurantes. Les journaux du 16 juillet m'apprirent à la fois la mort et les funérailles. La France avait perdu beaucoup, moi davantage.

Si je sondais mon cœur, j'y découvrirais un vide immense d'affection, d'habitudes, de consonnances d'esprit, d'heures nonchalantes, mais nécessaires à la journée, creusé en moi par cette seule chambre vide maintenant dans une maison de la rue de Vendôme! Ah! les dernières amitiés!... Il n'y a plus rien devant que des indifférences, il n'y a plus rien derrière que des tombes! Il faut mourir!

XXXIX

Mais il y a une vraie consolation cependant pour l'homme qui aime son pays: c'est que, celui que vous regrettez comme un ami, tout un peuple le regrette avec vous comme un citoyen irréparable; c'est que le peuple a été digne de soi-même le jour où il a porté en terre ce grand plébéien!

Ô peuple! qui t'es montré si sensible, si reconnaissant et si pieux ce jour-là, autour d'un cercueil, que ce jour te soit compté devant l'histoire, devant les hommes et devant Dieu comme une victoire! Garde dans ta mémoire et transmets à celle de tes enfants ce beau mouvement de ton cœur national. Il atteste que, si tu aimas trop la gloire, cette héroïque faiblesse des soldats, des poëtes et des peuples, tu aimas du moins du même amour la probité, le désintéressement, le patriotisme, la liberté personnifiée dans un cercueil qui n'emporte pas tout avec lui dans la terre, puisqu'il reste tant de millions d'hommes pour l'honorer!

Et quand on te reprochera, comme je l'ai fait quelquefois moi-même, ton goût excessif pour le bruit et la fumée des champs de bataille, tes distractions de la liberté par le clairon, le tambour, le refrain de caserne ou de cantine, tes étourderies d'enfant, tes inconstances, tes versatilités, tes oublis, tes ébullitions et tes prostrations alternatives, baisse la tête et rougis devant tes fils et devant tes pères; mais relève-la aussitôt avec un fier repentir, et dis-leur pour toute réponse: «Tout cela est vrai peut-être, mais, tel que je suis, *j'étais au convoi de Béranger*. Savez-vous ce que cela veut dire? Cela veut dire: Je suis encore le peuple français.»

XL

Élevons un mausolée à cet homme de notre chair et de notre sang, à cet homme qui personnifie si bien nos faiblesses dans son âge de faiblesse, nos vertus dans son âge de vertu! Il n'a fait que des chansons! direz-vous. Il a fait plus, il a fait exemple; il a fait plus encore, il a fait l'âme d'un peuple! Et *Solon*, donc, qui avait rétabli un moment la liberté d'Athènes, sa patrie, n'avait-il pas fait des chansons pendant toute sa jeunesse? n'était-il pas le Béranger de la Grèce?

Construisons ce mausolée *ære publico*, sou par sou, avec le denier du pauvre et du riche, afin que ce sépulcre impartial, voté par les uns, adopté par les autres, soit l'autel de la concorde et devienne la propriété commune de tous ceux qui aiment la patrie jusque dans ses égarements, la liberté jusque dans ses éclipses, la probité jusque dans ses haillons! Appelons nos plus illustres sculpteurs pour tailler dans le marbre penthélique de ce tombeau du pauvre grand homme les bas-reliefs d'une immense frise commémoratoire de ses chants, de sa vie, et surtout de sa vieillesse, la vraie gloire pure de sa vie. Que les sujets de ces bas-reliefs soient choisis avec scrupule pour l'édification et non pour la corruption du peuple. Les tombeaux ne doivent chanter que l'immortalité! Ils ne doivent parler que de vertu! Nous n'y représenterons ni la démocratie en goguette, ni la jeunesse en orgie, ni l'armée de 1815 venant imposer les lois de la baïonnette à une nation libre et pacifiée, ni le trône tombé sous les chansons de 1830.

Non, mais nous y graverons en reliefs de marbre: ici, la victoire défensive remportée, non pour la gloire d'un homme, mais pour les frontières de la patrie; là, le drapeau tricolore ralliant trois fois en soixante ans le peuple invincible, deux fois contre l'étranger, une fois contre lui-même et contre l'anarchie!—Ailleurs, la sainte alliance des peuples se garantissant dans une équité fraternelle la mutuelle indépendance par le respect des nationalités.—Plus loin, la tolérance religieuse affranchissant les consciences de la loi des États pour laisser à la croyance sa seule conviction pour règle, et à la piété sa seule sincérité pour honneur. Chaque médaillon de ce monument sera une page de la vie intime, plus belle encore que la vie publique du grand homme.

Dans le premier de ces bas-reliefs, on le verra, dans la maison de sa pauvre tante, à Péronne, écoutant les leçons de la Providence par la bouche de cette seconde mère, leçons qui devaient lui remonter un jour au cœur comme ces séves d'automne qui donnent les fruits à l'homme après que les fleurs folles sont tombées.

Dans le second, on le verra, dans l'atelier d'imprimerie de M. Laisney, prenant dans le casier et maniant d'une main novice ces lettres qui contiennent toute l'âme de l'humanité et auxquelles il devra un jour son immortalité.

Dans le troisième, il sera représenté dans son costume populaire, entr'ouvrant la porte d'une mansarde où un ouvrier malade repose sur son grabat, au milieu d'une famille sans pain, apportant à ces misères, qu'il a connues lui-même, l'assistance dans la main, la charité dans le cœur, le sourire de l'espérance sur les lèvres.

Dans le quatrième, on le verra dans sa chambre d'artisan au repos, recevant la visite des puissants du monde qui viennent le tenter par des honneurs et des richesses, et refusant tout de tout le monde pour rester salarié de Dieu seul et pour demeurer plus semblable à ce peuple qui ne le comprendrait plus si bien s'il était plus haut que sa condition.

Dans le cinquième, on le verra s'entretenir des plus hautes questions de diplomatic avec M. *de Talleyrand*, de politique avec *Manuel*, de gloire avec le général Foy, d'économie publique avec Laffitte ou Pereire, d'éloquence civile avec Royer-Collard, de république avec Lafayette, d'histoire avec Mignet, Thiers, Michelet; de monarchie avec Chateaubriand, de poésie avec Hugo, de Dieu avec Lamennais, d'amitié avec Antier.

On passera ainsi successivement dans une revue immobilisée par le ciseau de nos grands statuaires toutes les heures ressuscitées de cette vie étrange d'homme d'élite et d'homme de foule, qui, par un privilége unique, a touché aux faîtes et aux profondeurs de sa nation et de son siècle.

Et puisse un de ces statuaires amis m'ébaucher moi-même, dans le dernier et dans le plus obscur de ces médaillons, agenouillé au pied de cette tombe, et pleurant dans l'ombre, non des larmes politiques, mais des larmes cordiales sur l'ami que je ne reverrai plus que là où il n'y a plus de larmes!

Lamartine.

Adam Salomon, auteur de la naïve et sublime statuette en bas-relief de Béranger, à Fontainebleau.

XXIIIe ENTRETIEN.

11e de la deuxième Année.

I.—UNE PAGE DE MÉMOIRES. COMMENT JE SUIS DEVENU POËTE.

I

Rompons la monotonie de ces études nécessaires sur la littérature antique ou récente par un retour sur nos propres temps et sur nous-même. Je vais vous dire comment je devins poëte, ou plutôt comment je conçus ce goût pour la poésie qui fit de moi, non pas un véritable et grand poëte, mais un de ces hommes qu'on appelle en italien *un dilettante*, en français 24 un amateur de poésie et de littérature; car je ne me fais aucune illusion, et je ne me suis jamais donné à moi-même, en poésie, une autre importance et un autre nom.

Un poëte véritable, selon moi, est un homme qui, né avec une puissante sensibilité pour sentir, une puissante imagination pour concevoir, et une puissante raison pour régler sa sensibilité et son imagination, se séquestre complétement lui-même de toutes les autres occupations de la vie courante, s'enferme dans la solitude de son cœur, de la nature et de ses livres, comme le prêtre dans son sanctuaire, et compose, pour son temps et pour l'avenir, un de ces poëmes vastes, parfaits, immortels, qui sont à la fois l'œuvre et le tombeau de son nom.

Je ne fus point cet homme et je ne fis pas cette œuvre.

II

Je ne veux cependant ni m'exalter ni m'abaisser outre mesure sous le rapport poétique. Il me semble que je me juge bien en convenant, avec une juste modestie, que je ne fus pas un grand poëte, mais en croyant, peut-être avec trop d'orgueil, que dans d'autres circonstances et dans d'autres temps j'aurais pu l'être.

Il aurait fallu pour cela que la destinée m'eût fermé plus hermétiquement et plus obstinément toutes les carrières de la vie active. Ma sensibilité et mon imagination, qui me poussaient violemment à l'action sous toutes les formes, auraient été refoulées en moi, et elles auraient fait explosion par quelque grande œuvre poétique.

Si j'avais concentré toutes les forces de ma sensibilité, de mon imagination, de ma raison, dans la seule faculté poétique; si j'avais conçu lentement, écrit paisiblement, retouché sévèrement mon épopée sur un de ces grands et éternels sujets qui touchent à la fois à la terre et au ciel; si j'avais semé à travers les dogmes et les hymnes de la philosophie religieuse ces épisodes d'héroïsme, de martyres et d'amour qui font couler autant de larmes que de vers dans les épopées du Tasse, de Camoëns ou du Dante; si j'avais encadré mes drames épiques dans ces grandioses descriptions du ciel astronomique ou dans ces descriptions de la nature pastorale et maritime, de la terre et de la mer; si j'avais emprunté les pinceaux et les couleurs tour à tour des grands poëtes épiques de l'Inde, d'Homère, de Virgile, de Théocrite, et si j'avais répandu à grandes effusions toute la tendresse et toute la mélancolie de l'âme moderne d'Ossian, de Byron ou de Chateaubriand, dans ces sujets; je me flatte, sans doute, mais je crois, de bonne foi, que j'aurais pu accomplir quelque œuvre, non égale, mais parallèle aux beaux monuments poétiques de nos littératures.

Il en a été autrement; il est trop tard pour revenir sur ses pas: *sic voluere fata!* J'y pense souvent, je le regrette quelquefois; cependant, faut-il tout dire? je regrette bien davantage encore de n'avoir pas suffisamment agi que de n'avoir pas suffisamment chanté. Une grande destinée militaire, une grande destinée civique, une grande destinée oratoire, ou plutôt toutes ces destinées actives et littéraires à la fois, comme à Rome, auraient été bien plus selon ma nature. Ces regrets mêmes de l'action perdue sont une preuve pour moi que j'étais né bien plutôt pour l'action que pour la poésie. Qu'est-ce que l'action, en effet, si ce n'est une poésie réalisée?

III

À l'époque où j'entrai dans la vie, Bonaparte était déjà consul. Ma famille m'interdisait de le servir; mes traditions paternelles m'auraient porté à la carrière des armes; il n'y fallait plus penser.

On se borna à me faire poursuivre ces études classiques, sans but déterminé, qui sont le premier aliment de nos intelligences et l'exercice de nos jeunes facultés. Le mécanisme des langues n'eut ni attrait ni difficulté pour moi jusqu'aux classes véritablement lettrées où l'on traduit et où l'on compose. Là, ce n'est plus la mémoire seulement, c'est l'intelligence, l'imagination et le goût qui entrent en jeu. Je commençai à trouver du charme dans ces leçons, parce que j'y trouvais l'exercice de ma propre imagination et de mon propre discernement. La poésie d'Homère, de Virgile, d'Horace, de Racine, de Boileau, de J.-B. Rousseau, entrait à petite dose choisie et épurée dans ces études. Cette langue antique, toute composée de syllabes sonores et d'images rayonnantes, m'étonnait et me ravissait; il me semblait n'avoir entendu jusque-là que des mots; mais ici c'était de la musique dans l'oreille, de la peinture dans les yeux, de l'enivrement dans tous les sens. J'étais comme un musicien inné à qui l'on ferait entendre pour la première fois un instrument à vent ou à cordes, où ses mélodies intérieures prennent tout à coup une voix réelle. J'étais comme un peintre encore sans palette, devant qui on découvrirait lentement *la Transfiguration* de Raphaël.

C'était surtout la partie descriptive et pastorale de ces poésies et de ces images qui m'enivrait; c'est tout simple: j'étais né dans les champs; mes premiers spectacles avaient été les ombres des bois, les lits des ruisseaux, les grincements de la charrue faisant fumer les gras sillons au lever du soleil dans le brouillard d'automne, les génisses dans l'herbe, les chevreaux sur les rochers, les bergers et les bergères accroupis sur les gazons au pied des blocs de grès, à l'entrée des cavernes, autour des feux de broussailles dont la fumée bleue léchait la colline et se fondait dans le firmament. Je devais retrouver avec délices, dans les descriptions de Théocrite, de Virgile, de Gessner, les images connues et embellies par l'imagination de ces poëtes.

Et, à ce sujet, je ne puis m'empêcher de vous faire observer, en passant, que l'enfant, l'adolescent, le jeune homme, l'homme fait prendraient bien plus de goût à la littérature et à la poésie si les maîtres qui la leur enseignent proportionnaient davantage leurs leçons et leurs exemples aux différents âges de leurs disciples; ainsi, aux enfants de dix ou douze ans, chez lesquels les passions ne sont pas encore nées, des descriptions champêtres, des images pastorales, des scènes à peine animées de la nature rurale, que les enfants de cet âge sont admirablement aptes à sentir et à retenir; aux adolescents, des poésies pieuses ou sacrées, qui transportent leur âme dans la contemplation rêveuse de la Divinité, et qui ajournent leurs passions précoces en occupant leur intelligence à l'innocente et religieuse passion de l'infini; aux jeunes gens, les scènes dramatiques, héroïques, épiques, tragiques des nobles passions de la guerre, de la patrie, de la vertu, qui bouillonnent déjà dans leur cœur; aux hommes faits, l'éloquence, qui fait déjà partie de l'action, l'histoire, la philosophie, la comédie, la littérature froide, qui pense, qui raisonne, qui juge; la satire, jamais! littérature de haine et de combat, qu'il faut plaindre l'homme d'avoir inventée!

Un enseignement littéraire ainsi gradué sur l'âge, sur le goût, sur les forces, sur la température des années de notre vie auxquelles elle s'adapte rationnellement, donnerait à l'enfance, à l'adolescence, à la jeunesse, à l'âge mûr, un attrait bien plus naturel et bien plus universel pour les belles choses de l'esprit en harmonie avec l'âge et le sexe des disciples.

Mais revenons aux circonstances qui me prédisposèrent moi-même à la poésie.

IV

Le collége des jésuites où je faisais mes premières études était le collége de Belley. Les sites sont pour moi, comme pour toutes les natures impressionnables, la moitié des choses. Les lieux nous entrent dans l'âme par les yeux et s'incorporent à nos sensations, et ces sensations deviennent des caractères.

La petite ville de Belley, à l'extrémité de la Bresse qui touche à la Savoie, a déjà la physionomie alpestre et recueillie des profondes et noires vallées qui s'engouffrent, vers Chambéry, dans la Maurienne.

En quittant, pour se rendre à Belley, les plaines grasses et monotones de la Bresse, cette Lombardie française, on traverse la rivière d'Ain. Cette rivière, qui participe du fleuve et du torrent par sa largeur, par sa limpidité et par sa course effarée à travers les rochers, coule sur un lit de cailloux de toutes couleurs. Quoique son eau soit aussi bleue que si les laveuses de ses bords les avaient teintes de leur azur, leur prodigieuse transparence laisse voir jusqu'au fond les veines blanchâtres ou rosées de la mosaïque de pierres roulées qu'elle lave et qu'elle polit sans fin. On y voit même glisser, comme des ombres indécises et fuyantes, les innombrables truites qui remontent le courant, et qui frissonnent, sous le rayon du soleil, au bruit du filet du pêcheur. Tantôt cette rivière s'épand en circulant gracieusement dans les larges bassins du Dauphiné, tantôt elle se resserre et se contracte entre les rochers gris du Jura où elle prend sa source.

V

Après l'avoir traversée dans un bac, on roule rapidement dans une plaine aride et rocailleuse, sous les coteaux chargés de vignobles et de maisons blanches du beau village d'Ambérieux; puis la plaine s'étrangle et s'assombrit entre deux hautes chaînes de montagnes, et on pénètre avec une secrète terreur dans les gorges célèbres de Saint-Rambert. C'est la frontière de la petite province du Bugey, dont Belley était la capitale.

Là, tout prend un caractère sauvage, âpre et presque sinistre. Les deux chaînes de montagnes se rapprochent comme si elles voulaient se confondre et fermer hermétiquement la route au voyageur. Leurs ombres noires et humides, assombries encore par le reflet des sapins qui les couvrent, impriment une imposante mélancolie à l'âme. Ces montagnes ne sont bientôt plus séparées que par un petit torrent étroit et encaissé entre les murailles du rocher. Cette rivière s'appelle l'Albarine; elle écumait déjà ainsi du temps des Romains, qui lui ont donné ce nom emprunté à la blancheur de cette écume. Elle remplit la gorge d'un bruit tantôt caverneux, tantôt gai comme le gazouillement de milliers d'oiseaux invisibles qui empêche le voyageur de s'entendre.

Elle s'enfonce et disparaît en petites cascades dans les cavités invisibles de son lit, puis elle reparaît en nappe scintillante où tremblent les rayons brisés du soleil à travers les larges feuilles des aunes. Elle semble jouer avec le passant, causer avec lui et l'égayer par mille caprices, comme pour l'empêcher de sentir la longueur du chemin.

La petite ville de Saint-Rambert, noire comme une usine, est bâtie si à l'étroit sur ses deux bords que, dans certains endroits, l'Albarine, traversée et retraversée par de petits ponts de bois, lui sert de rue.

VI

En remontant toujours le cours de la même rivière, les rochers s'écartent un peu pour faire place aux ruines d'un vieux château fort où fut retenu longtemps prisonnier l'infortuné sultan Djem, frère du sultan Bajazet. Cette sinistre ruine est pleine encore des souvenirs des malheurs et des amours de ce prince ottoman avec la belle fille de son geôlier.

La route ensuite se poursuit à travers le Bugey montagneux, pays très-aride et très-pittoresque, qui rappelle les paysages de Calabre peints par Salvator Rosa. Du sommet d'une dernière colline on aperçoit à ses pieds la ville de Belley; elle répand confusément ses maisons, bâties en pierres grises, dans une plaine ondulée aboutissant au Rhône. Un faubourg à toits de chaume ou d'ardoises ébréchées, une place irrégulière où sont les halles et les auberges, une large rue presque toujours déserte, un lourd et noir clocher de cathédrale, à l'extrémité de la rue une porte gothique ouvrant sur la campagne; à gauche de la place, une plate-forme entourée d'un parapet, plantée de tilleuls séculaires et servant de promenoirs aux oisifs et aux enfants, complète la capitale de province. On n'y entend d'autre bruit que le marteau du forgeron matinal et le pas de la mule ferrée sur le pavé; le paysan, aux longs cheveux et au large chapeau sans forme du Bugey, la chasse devant lui, chargée de sacs de farine de son moulin ou de charbon de sa forêt.

VII

Bien que le collége soit adhérent à la ville, il n'a ni la tristesse morne, ni l'enceinte obscure d'un édifice borné par d'autres édifices ou par des rues. Bâti sur la pente de la colline qui conduit à Belley, il est la première maison du faubourg. Grâce à cette situation suburbaine, il participe de trois côtés à la vue, à l'air libre, à la solitude de la campagne. De toutes ses fenêtres le regard tombe ou sur des jardins plantés de bouquets de charmille, ou sur un coteau où les vignes hautes d'Italie sont entrecoupés de larges sillons de culture et d'arbres fruitiers, amandiers, pêchers, aux fleurs précoces, aux feuilles sans ombre, ou sur de vertes prairies fuyantes à l'horizon, dans lesquelles paissent de blanches génisses.

Les longs corridors, les hauts dortoirs, la vaste église attenant à l'édifice, les portiques et les cours espacées sur lesquelles s'ouvrent les salles d'étude, donnent à tout l'ensemble de ce bâtiment l'aspect d'une magnifique abbaye de cénobites épris des champs, plutôt que la physionomie murale d'une prison d'enfants, physionomie trop habituelle à ces monuments d'étude.

À l'exception des heures où nous étions penchés, le livre ou la plume à la main, sur nos tables, nous pouvions plonger librement nos regards et nos pensées sur le ciel, sur la campagne, sur les spectacles agrestes, si délicieux à l'enfance. Nous pouvions nous croire encore dans la liberté des champs et des demeures paternelles. Les jésuites qui gouvernaient cette maison d'éducation n'épargnaient rien, il faut le reconnaître, pour donner à leur enseignement et à leur discipline l'agrément et même la grâce du foyer tant regretté où l'enfant avait laissé sa mère, ses sœurs, ses vergers, ses horizons du premier âge.

VIII

Je sortais d'une autre maison d'éducation toute vénale, dans un sombre et sordide faubourg de Lyon. Les maîtres y étaient froids comme des geôliers, les enfants aigris et méchants comme des captifs. Tout y était contrainte ou terreur, violence ou révolte. J'y avais pris l'horreur de ces bercails d'enfants. Le mal du pays ou plutôt le mal du foyer natal me dévorait. Je m'attendais, hélas! à retrouver les mêmes chaînes et les mêmes supplices au collége de Belley. Je fus agréablement surpris d'y trouver dans les maîtres et dans les disciples une physionomie toute différente. Les maîtres me reçurent des mains de ma mère avec une bonté indulgente qui me prédisposa moi-même au respect; les écoliers, au lieu d'abuser de leur nombre et de leur supériorité contre les nouveaux venus, m'accueillirent avec toute la prévenance et toute la délicatesse qu'on doit à un hôte étranger et triste de son isolement parmi eux; ils m'abordèrent timidement et cordialement; ils m'initièrent doucement aux règles, aux habitudes, aux plaisirs de la maison; ils semblèrent partager, pour les adoucir, les regrets et les larmes que me coûtait la séparation d'avec ma mère. En peu de jours j'eus le choix des consolateurs et des amis. À cet accueil des maîtres et des élèves mon cœur aigri ne résista pas; je sentis ma fibre irritée se détendre et s'assouplir avec une heureuse émulation. La discipline volontaire et toute paternelle de la maison, un autre régime firent de moi un autre enfant. Je ne puis pas dire que j'aimai jamais cette captivité du collége: né et élevé dans la sauvage liberté des champs, les murs me furent toujours odieux; ils pèsent sur mon âme encore aujourd'hui: je vis dans l'horizon plus que dans moi-même.

IX

Mais, s'il y avait encore des murs entre la nature et moi, au moins il y avait au delà de ces murs l'horizon champêtre et pittoresque dont j'ai parlé tout à l'heure. Mes pensées l'habitaient avec mes regards. Mon lit, dans le dortoir élevé, était à l'angle de la vaste salle, auprès d'une fenêtre ouvrant sur le coteau et sur les prairies en pente à demi voilées de saules et de frênes; au printemps, les senteurs des fleurs de pêchers, de vignes, d'amandiers, y montaient pour m'enivrer des suaves réminiscences de mon pays. J'y entendais le rossignol darder dans la nuit taciturne ces notes tantôt éclatantes, tantôt plaintives, qui semblent avoir, dans une seule voix, toutes les consonnances de la joie et de la tristesse de la nature. Ces notes plongent si avant dans le cœur que l'oiseau-poëte de l'amour est aussi l'oiseau-poëte de l'infini. Comment un si petit cœur peut-il contenir, exprimer, remuer de telles ondes de sensations dans l'air qu'il remplit de ses gémissements ou de ses hymnes?

Les vents sonores qui sortent des forêts, et qui semblent conserver les bruissements de leurs feuilles, tintaient par bouffées contre les vitres et me faisaient frissonner de délices et de souvenirs dans ma couche. Quand la lune se répandait comme une silencieuse inondation de la lueur du ciel sur les prairies, je me soulevais sur le coude pour m'égarer en idée d'arbre en arbre et de ruisseau en ruisseau dans ces vallées; des flots de pensées, ou plutôt d'ombres de pensées, montaient de ces horizons à mon âme. Je ne pouvais plus m'endormir; je plaignais ceux qui dormaient à côté de moi, et j'écoutais avec une secrète pitié la respiration régulière de toutes ces poitrines assoupies, qui répondaient du dedans aux mélodies des oiseaux, des moissons, des feuillages, des cascades du dehors. Il y avait alors en moi des océans de choses vagues dont je ne savais ni la nature ni le nom, et qui étaient déjà poésie.

J'ai conservé par hasard et j'ai retrouvé récemment, au fond d'une vieille malle pleine de papiers à demi rongés des rats dans le grenier de mon père, quelques vers au Rossignol de ces nuits d'été à Belley, que je ne me souvenais pas d'avoir composés; mais l'écriture à peine formée, le papier jaune et raboteux du collége attestent bien que ces vers furent un des premiers jeux de mon imagination. Je vous demande indulgence pour les rimes et pour les césures; mais j'y découvre déjà le germe de la mélancolie, cet infini du cœur, qui, ne pouvant pas s'assouvir, s'attriste.

Que dis-tu donc à la lune,
Pauvre oiseau qui ne dors pas?
Cesse ta plainte importune;
Silence, ou gémis plus bas.

Tu vois bien qu'elle n'écoute
Ni la cascade, ni toi,
Et qu'elle poursuit sa route
Sans te répondre; mais moi,

De la fenêtre où je veille,
Tout pensif, à tes accords,
Pendant qu'ici tout sommeille,
Mon âme s'enfuit dehors.

Ah! si j'avais donc tes ailes,
Ô mon cher petit oiseau!

Je sais bien où tu m'appelles,
Mais regarde ces barreaux!...

Je crois que mes sœurs absentes
T'ont dit là-bas leur secret,
Et que les airs que tu chantes
Sont tristes de leurs regrets.

Ah! dis-moi de leurs nouvelles,
Gris messager de la nuit;
Sous l'églantier rose ont-elles,
Au printemps, trouvé ton nid?

Ont-elles penché leur tête
Et jeté leurs cris joyeux
En voyant, tout inquiète,
Ta femelle sur ses œufs?...

Ont-elles épié l'heure
Où tes petits sont éclos,
Tout près de notre demeure,
Pour jouir de tes sanglots?

Dis-moi si tu les vois toutes
Folâtrer, comme jadis,
Dans l'herbe où tu bois les gouttes
Qui tombent du paradis.

Dis-moi si le sycomore
Prend ses feuilles de printemps;
Si ma mère y vient encore
Garder ses jolis enfants;

Si sa voix, qui les appelle,
A des accents aussi doux;
Si la plus petite épelle
Le livre sur ses genoux;

Si sa harpe dans la salle
Fait toujours, à l'unisson,
Tinter, comme une cigale,
Les vitres de la maison;

Si la source où tu te penches,
Pour boire avant le matin
Dans le bassin des pervenches,
Jette un sanglot argentin;

Si ma mère, qui l'écoute,
En retenant mal ses pleurs,
De ses yeux mêle une goutte
À l'eau qui pleut sur ses fleurs;

Et si ma sœur la plus chère,
En regardant le ruisseau,
Voit l'image de son frère
Passer en rêve avec l'eau.

Je ne lus ces vers qu'à mes deux amis, Aymon de V.... et Louis de V..... Ils se récrièrent sur mon prétendu talent; ils copièrent mon chef-d'œuvre pour le montrer à leurs parents; mais nous nous gardâmes bien de le laisser voir à nos maîtres, car on nous interdisait avec raison de composer des vers français avant d'avoir des idées ou des sentiments à exprimer dans cette langue. L'amusement oiseux de la césure et de la rime nous aurait dégoûté des études élémentaires et sérieuses auxquelles on appliquait nos mémoires et notre intelligence. Cependant l'encouragement de mes deux amis plus âgés que moi suffisait pour me confirmer dans le goût prématuré des vers.

X

Après la nature, ce fut la religion qui me fit un peu poëte. J'en retrouve les traces dans ce passage des *Confidences* qui peint vaguement ces premières sensations de l'infini dans un cœur d'enfant.

Ces sensations de la nature se mêlaient de jour en jour davantage dans mon âme avec les pensées et les visions du ciel. Depuis que l'adolescence, en troublant mes sens, avait inquiété, attendri et attristé mon imagination, une mélancolie un peu sauvage avait jeté comme un voile sur ma gaieté naturelle et donné un accent plus grave à mes pensées comme au son de ma voix. Mes impressions étaient devenues si fortes qu'elles en étaient douloureuses. Cette tristesse vague que toutes les choses de la terre me faisaient éprouver m'avait tourné vers l'infini. L'éducation éminemment religieuse qu'on nous donnait chez les jésuites, les prières fréquentes, les méditations, les sacrements, les cérémonies pieuses répétées, prolongées, rendues plus attrayantes par la parure des autels, la magnificence des costumes, les chants, l'encens, les fleurs, la musique, exerçaient sur des imaginations d'enfants ou d'adolescents de vives séductions. Les ecclésiastiques qui nous les prodiguaient s'y abandonnaient les premiers eux-mêmes avec la sincérité et la ferveur de leur foi. J'y avais résisté quelque temps sous l'impression des préventions et de l'antipathie que mon premier séjour dans le collége de Lyon m'avait laissées contre mes premiers maîtres; mais la douceur, la tendresse d'âme et la persuasion insinuante d'un régime plus sain, sous mes maîtres nouveaux, ne tardèrent pas à agir avec la toute-puissance de leur enseignement sur une imagination de quinze ans. Je retrouvai insensiblement auprès d'eux la piété naturelle que ma mère m'avait fait sucer avec son lait. En retrouvant la piété je retrouvai le calme dans mon esprit, l'ordre et la résignation dans mon âme, la règle dans ma vie, le goût de l'étude, le sentiment de mes devoirs, la sensation de la communication avec Dieu, les voluptés de la méditation et de la prière, l'amour du recueillement intérieur, et ces extases de l'adoration, en présence de l'Éternel, auxquelles rien ne peut être comparé sur la terre, excepté les extases d'un premier et pur amour. Mais l'amour divin, s'il a des ivresses et des voluptés de moins, a de plus l'infini et l'éternité de l'être qu'on adore! Il a, de plus encore, sa présence perpétuelle devant les yeux et dans l'âme de l'adorateur. Je le savourai dans toute son ardeur et dans toute son immensité.

Il m'en resta plus tard ce qui reste d'un incendie qu'on a traversé: un éblouissement dans les yeux et une tache de brûlure sur le cœur. Ma physionomie en fut modifiée; la légèreté un peu évaporée de l'enfance y fit place à une gravité tendre et douce, à cette concentration méditative du regard et des traits qui donne l'unité et le sens moral au visage. Je ressemblais à une statue de l'Adolescence enlevée un moment de l'abri des autels pour être offerte en modèle aux jeunes hommes. Le recueillement du sanctuaire m'enveloppait jusque dans mes jeux et dans mes amitiés avec mes camarades. Ils m'approchaient avec une certaine déférence, ils m'aimaient avec réserve.

J'ai peint dans *Jocelyn*, sous le nom d'un personnage imaginaire, ce que j'ai éprouvé moi-même de chaleur d'âme contenue, d'enthousiasme saint répandu en élancements de pensées, en épanchements et en larmes d'adoration devant Dieu, pendant ces brûlantes années d'adolescence, dans une maison religieuse. Toutes mes passions futures encore en pressentiments, toutes mes facultés de comprendre, de sentir et d'aimer encore en germe, toutes les voluptés et toutes les douleurs de ma vie encore en songe, s'étaient, pour ainsi dire, concentrées, recueillies et condensées dans cette passion de Dieu, comme pour offrir au Créateur de mon être, au printemps de mes jours, les prémices, les flammes et les parfums d'une existence que rien n'avait encore profanée, éteinte ou évaporée avant lui.

Je vivrais mille ans que je n'oublierais pas certaines heures du soir où, m'échappant pendant la récréation des élèves jouant dans la cour, j'entrais par une petite porte secrète dans l'église déjà assombrie par la nuit et à peine éclairée au fond du chœur par la lampe suspendue du sanctuaire; je me cachais sous l'ombre plus épaisse d'un pilier; je m'enveloppais tout entier de mon manteau comme dans un linceul; j'appuyais mon front contre le marbre froid d'une balustrade, et, plongé, pendant des minutes que je ne comptais plus, dans une muette, mais intarissable adoration, je ne sentais plus la terre sous mes genoux ou sous mes pieds, et je m'abîmais en Dieu, comme l'atome flottant dans la chaleur d'un jour d'été s'élève, se noie, se perd dans l'atmosphère, et, devenu transparent comme l'éther, paraît aussi aérien que l'air lui-même et aussi lumineux que la lumière.

Voici comment, sous le nom de *Jocelyn*, j'exprimais plus tard en vers moins novices ces inexprimables extases qui s'élèvent de l'âme jeune à Dieu. On y sent l'ivresse du mysticisme. Le mysticisme est le crépuscule de cette communion future de toute créature avec son Créateur; on n'y voit que des ombres à demi lumineuses, mais ce sont des ombres d'une autre vie.

Souvent lorsque des nuits l'ombre, que l'on voit croître,
De piliers en piliers s'étend le long du cloître;
Quand, après l'Angélus et le repas du soir,
Les lévites épars sur les bancs vont s'asseoir,
Et que, chacun cherchant son ami dans le nombre,
On épanche son cœur à voix basse et dans l'ombre,
Moi, qui n'ai pas encore entre eux trouvé d'ami,
Parce qu'un cœur trop plein n'aime rien à demi,
Je m'échappe; et, cherchant ce confident suprême
Dont l'amour est toujours égal à ce qu'il aime,
Par la porte secrète en son temple introduit,
Je répands à ses pieds mon âme dans la nuit.
Ossian, Ossian! Lorsque, plus jeune encore,
Je rêvais des brouillards et des monts d'Inistore;
Quand, tes vers dans le cœur et ta harpe à la main,
Je m'enfonçais l'hiver dans des bois sans chemin,
Que j'écoutais siffler dans la bruyère grise,
Comme l'âme des morts, le souffle de la bise,
Que mes cheveux fouettaient mon front, que les torrents,
Hurlant d'horreur aux bords des gouffres dévorants,
Précipités du ciel sur le rocher qui fume,
Jetaient jusqu'à mon front leurs cris et leur écume;
Quand les troncs des sapins tremblaient comme un roseau
Et secouaient leur neige où planait le corbeau,
Et qu'un brouillard glacé, rasant ses pics sauvages,
Comme un fils de Morven me revêtait d'orages;
Si, quelque éclair soudain déchirant le brouillard,
Le soleil ravivé me lançait un regard,
Et d'un rayon mouillé, qui lutte et qui s'efface,
Éclairait sous mes pieds l'abîme de l'espace,
Tous mes sens, exaltés par l'air pur des hauts lieux,
Par cette solitude et cette nuit des cieux,
Par ces sourds roulements des pins sous la tempête,
Par ces frimas glacés qui blanchissaient ma tête,
Montaient mon âme au ton d'un sonore instrument

Qui ne rendait qu'extase et que ravissement.
Et mon cœur à l'étroit battait dans ma poitrine,
Et mes larmes tombaient d'une source divine,
Et je prêtais l'oreille, et je tendais les bras,
Et comme un insensé je marchais à grands pas,
Et je croyais saisir dans l'ombre du nuage
L'ombre de Jéhovah qui passait dans l'orage,
Et je croyais dans l'air entendre en longs échos
Sa voix, que la tempête emportait au chaos;
Et de joie et d'amour noyé par chaque pore,
Pour mieux voir la nature et mieux m'y fondre encore,
J'aurais voulu trouver une âme et des accents,
Et pour d'autres transports me créer d'autres sens.

Ce sont de ces moments d'ineffables délices
Dont Dieu ne laisse pas épuiser les calices;
Des éclairs de lumière et de félicité
Qui confondent la vie avec l'éternité;
Notre âme s'en souvient comme d'une pensée
Rapide dont en songe elle fut traversée.
Ah! quand je les goûtais, je ne me doutais pas
Qu'une source éternelle en coulait ici-bas!
Eh bien! quand j'ai franchi le seuil du temple sombre,
Dont la seconde nuit m'ensevelit dans l'ombre;
Quand je vois s'élever entre la foule et moi
Ces larges murs pétris de siècles et de foi;
Quand j'erre à pas muets dans ce profond asile,
Solitude de pierre, immuable, immobile,
Image du séjour par Dieu même habité,
Où tout est profondeur, mystère, éternité;
Quand les rayons du soir, que l'Occident rappelle,
Éteignent aux vitraux leur dernière étincelle,
Qu'au fond du sanctuaire un feu flottant qui luit
Scintille comme un œil ouvert sur cette nuit;
Que la voix du clocher en sons doux s'évapore;
Que, le front appuyé contre un pilier sonore,
Je la sens, tout ému du retentissement,
Vibrer comme une clef d'un céleste instrument,
Et que du faîte au sol l'immense cathédrale,
Avec ses murs, ses tours, sa cave sépulcrale,
Tel qu'un être animé, semble, à la voix qui sort,
Tressaillir et répondre en un commun transport;
Et quand, portant mes yeux des pavés à la voûte,
Je sens que dans ce vide une oreille m'écoute,

Qu'un invisible ami, dans la nef répandu,
M'attire à lui, me parle un langage entendu,
Se communique à moi dans un silence intime,
Et dans son vaste sein m'enveloppe et m'abîme;
Alors, mes deux genoux pliés sur le carreau,
Ramenant sur mes yeux un pan de mon manteau,
Comme un homme surpris par l'orage de l'âme,
Les yeux tout éblouis de mille éclairs de flamme,
Je m'abrite muet dans le sein du Seigneur,
Et l'écoute et l'entends, voix à voix, cœur à cœur.

Ce qui se passe alors dans ce pieux délire,
Les langues d'ici-bas n'ont plus rien pour le dire;
L'âme éprouve un instant ce qu'éprouve notre œil
Quand, plongeant sur les bords des mers près d'un écueil,
Il s'essaye à compter les lames dont l'écume
Étincelle au soleil, croule, jaillit et fume,
Et qu'aveuglé d'éclairs et de bouillonnement,
Il ne voit plus que flots, lumière et mouvement;
Ou bien ce que l'oreille éprouve auprès d'une onde
Qui des pics du Mont-Blanc s'épanche, roule et gronde,
Quand, s'efforçant en vain, dans cet immense bruit,
De distinguer un son d'avec le son qui suit,
Dans les chocs successifs qui font trembler la terre,
Elle n'entend vibrer qu'un éternel tonnerre.

Et puis ce bruit s'apaise, et l'âme qui s'endort
Nage dans l'infini, sans aile, sans effort,
Sans soutenir son vol sur aucune pensée,
Mais immobile et morte, et vaguement bercée,
Avec ce sentiment qu'on éprouve en rêvant
Qu'un tourbillon d'été vous porte, et que, le vent
Vous prêtant un moment ses impalpables ailes,
Vous planez dans l'éther tout semé d'étincelles,
Et vous vous réchauffez, sous des rayons plus doux,
Au foyer des soleils qui s'approchent de vous:
Ainsi la nuit en vain sonne l'heure après l'heure,
Et, quand on vient fermer la divine demeure,
Quand sur les gonds sacrés les lourds battants d'airain
Tournent en ébranlant le caveau souterrain,
Je m'éloigne à pas lents, et ma main froide essuie
La goutte tiède encor de la céleste pluie!...

XI

De telles extases que je goûtai alors sans songer à les exprimer sont la puberté de l'âme; elles sont aussi la poésie elle-même dans sa substance la plus éthérée. Du jour où je les eus savourées dans la coupe enivrante de mon mysticisme d'adolescent, je sentis en moi comme une confuse révélation de poésie nouvelle. La mythologie classique de l'Olympe ne me donnait pas de tels enivrements; je sentais que ces fables étaient mortes et qu'on nous faisait jouer aux osselets avec les os d'une poésie sans moelle, sans réalité et sans cœur. Je m'ennuyais de ce néant de mensonges; le vrai m'attirait: je le pressentais dans la nature et dans son Auteur. Une circonstance accidentelle contribua, à la même époque, à développer davantage en moi ces pressentiments de poëte.

Une croissance rapide et une imagination qui croissait en proportion plus accélérée encore que mes années m'avaient jeté dans des langueurs et dans des pâleurs qui alarmaient mes maîtres. Ils avaient, je dois le reconnaître, une prédilection vraiment maternelle pour leur élève favori. Le médecin du collége, consulté par eux, leur dit qu'il fallait me fortifier par quelques gouttes d'un vin généreux, de qualité supérieure à la fade boisson de mes condisciples, par un air moins renfermé que celui des cours et des salles, et par quelques heures d'un vigoureux exercice dans la campagne. Un des pères jésuites, professeur de belles-lettres, d'une santé délicate aussi, fut chargé par ses supérieurs de me conduire deux ou trois fois par semaine dans ces lointaines excursions à travers les montagnes du Bugey.

Ce professeur de belles-lettres s'appelait le père *Varlet*. Il était du pays de Calvin, de cette Picardie, pays âpre, où la terre froide, la culture uniforme, l'horizon bas, triste et sans autre borne que l'éternel sillon succédant à un sillon semblable, semblent refouler l'imagination de l'homme en lui-même et lui faire creuser l'infini, cet horizon intérieur de l'âme. La religion, qui est extérieure et sensuelle dans le Midi, est morne et contemplative dans ces climats. Le père Varlet avait l'austérité de foi et de physionomie de l'homme de son pays.

C'était un prêtre de quarante-cinq ans, d'une taille grêle et un peu courbée par l'habitude de lire en marchant ou de rester courbé longtemps sur l'autel en adoration fervente et tremblante devant l'hostie qu'il venait de consacrer.

Cette ferveur ascétique était le caractère dominant de son visage; ses yeux bleus et vifs étant presque toujours perdus dans des regards qui ne voyaient de l'horizon que le ciel; quelquefois ils étaient si visiblement retournés en sens inverse de la vision ordinaire qu'ils semblaient regarder en dedans plus qu'en dehors. Sa conscience, sans cesse et scrupuleusement examinée, était son seul horizon; le monde extérieur n'existait pas pour lui; sa piété toute littérale n'avait ni épanchement, ni onction, ni jouissance. C'était par obéissance qu'il s'égarait avec moi presque sans rien voir sous les allées des bois, aux bords des torrents et sur les montagnes de ce beau pays pendant ce printemps. On lui traçait le matin son itinéraire, ici ou là, et il allait parce qu'on lui avait dit d'aller. Il ne m'adressait pas deux paroles pendant les demi-journées que devaient durer nos promenades. Je marchais à quelque distance derrière lui, cueillant les fleurs, découvrant les nids, écoutant les merles, regardant l'écume des ruisseaux floconner sur les roches de leurs lits profonds, sans m'occuper davantage de lui que je ne m'occupais de l'ombre de mon corps, qui marchait devant moi quand je tournais le dos au soleil couchant.

Il tenait toujours un livre ouvert à la main; ce n'était pas un livre profane: c'était bien assez pour lui de les lire et de les expliquer par devoir aux élèves de sa classe à l'heure des leçons. Toute cette littérature païenne et mythologique n'avait aucun charme pour lui; ce livre était son bréviaire, son psautier, ou l'*Imitation de Jésus-Christ*, ou quelque livre latin de dévotion à l'usage de son ordre et recommandé par ses supérieurs. Il s'arrêtait de temps en temps, sans même s'en apercevoir, pour faire le signe de la croix, après l'antienne, avec une telle componction de visage qu'on voyait sa tête découverte, prématurément chauve, fumer de zèle plus que de sueur au soleil. Il ne vivait réellement pas sur la terre; sa conversation, comme disent les mystiques, était toute avec les anges; mais c'étaient des anges sévères, qui ne souriaient jamais aux charmes terrestres de la création.

XII

Tel était l'homme à qui ses supérieurs avaient assigné le rôle, importun sans doute, de me conduire, pour ma santé et pour la sienne, à travers les plus beaux sites de cette pittoresque contrée. Il n'y avait pas de guide plus mal choisi pour faire voir la belle nature, car lui-même ne voyait que son livre. Cette prodigieuse contention d'une pensée unique, dans un homme qui n'a certainement pas eu une heure de détente ou de délassement dans sa vie, ne devait cependant pas abréger ses jours, car il y a très-peu de temps que j'ai reçu une lettre d'un de ses neveux qui me recommandait quelque chose ou quelqu'un en son nom. Cette lettre me disait que le saint vieillard ne m'écrivait pas lui-même, parce qu'il pensait que les opinions et les événements avaient élevé trop de barrières entre lui et moi. Il se trompait bien: les opinions et les événements ne prescrivent pas contre les devoirs du cœur. Quelques mois après, son neveu m'écrivit de nouveau pour m'apprendre la mort de son oncle; il avait vécu, ou plutôt il avait pensé et prié jusqu'au delà de quatre-vingts ans; pur esprit qui ne laissait pas une pensée à la terre: elle n'avait été pour lui qu'un marche-pied de son autel. La seule dépouille qu'il y laissa était son manteau de prêtre et sa pincée de cendres.

Revenons à nos courses silencieuses dans les gorges du Bugey.

XIII

Le père Varlet, tout absorbé dans ses méditations sur les psaumes et dans ses prières, balbutiées à demi-voix, ne m'adressait pas quatre paroles pendant les quatre ou cinq heures que durait notre promenade. Il me gardait seulement à vue comme le chevrier garde le chevreau qu'on lui a confié et qu'il doit ramener au bercail.

Quelquefois il s'arrêtait au bord d'un ruisseau, à l'ombre d'un bois ou sur un tertre de gazon, pour essuyer sa sueur et pour respirer entre deux psaumes.

Pendant ces haltes, je m'asseyais moi-même à quelque distance de mon guide, ou bien je m'égarais dans les prés et dans les clairières pour cueillir les muguets et les violettes qui embaumaient le printemps. Mais, le plus souvent, le long et obstiné silence de mon guide, la componction de son visage et de son attitude, le livre qu'il feuilletait, le mouvement imperceptible de ses lèvres qui prononçaient à demi-voix ses hymnes, les ténèbres de la forêt, le bruit des feuilles sous mes pieds, la fuite de l'eau gazouillant entre ses rives, le chant des oiseaux, les senteurs vives et enivrantes des simples de ces collines me portaient aussi à la contemplation. À défaut d'autres passions que mon cœur ne pressentait pas encore, je concevais une sourde et fervente passion de la nature, et, à l'exemple de mon surveillant muet, au fond de la nature j'adorais Dieu.

Je me souviens que je composais des prières fleuries, toutes formées, comme d'autant de grains de chapelet, des plus jolies fleurs champêtres cueillies çà et là sur ma route, et enfilées, en alternant les couleurs, par un fil arraché à mes bas. Les violettes y représentaient les saintes tristesses du repentir, les muguets l'encens qui s'élève de l'autel, l'aubépine la miséricorde qui pardonne et sourit après les sévérités divines, l'églantine la joie pieuse qui rentre dans le cœur et qui l'enivre, l'œillet rouge de poëte y représentait le cantique, les marguerites et les boutons d'or les voluptés et les passions méprisables du monde, qu'il faut fouler aux pieds, sans les voir ou sans les compter, en marchant au ciel. Je m'amusais et je m'édifiais moi-même ainsi. En revenant vers la ville, je roulais entre mes doigts et entre mes pensées les dizaines de ce chapelet végétal, et je le jetais sur la route, à moitié fané, en repassant la grande grille du collége, pour en recommencer un autre le lendemain.

XIV

Quelquefois aussi je composais en silence des psaumes enfantins, à l'imitation de ceux de David que j'entendais sans cesse murmurer par le père Varlet récitant son bréviaire. J'en ai conservé quelques strophes incomplètes que j'avais données à mes sœurs en revenant à la maison aux vacances, et que j'ai retrouvées, il n'y a pas longtemps, en feuilletant les modèles d'écriture et de dessin livrés aux rats dans un cabinet noir de notre maison paternelle. Les voici: on y verra la pente et la première goutte de ce ruisseau de poésie qui devint plus tard des *Harmonies*. L'enfant est le germe d'un homme.

CANTIQUE SUR LE TORRENT DE TUISY PRÈS DE BELLEY.

I

Qu'as-tu donc vu là-haut, torrent suant d'écume,
Pour reculer d'effroi comme un coursier rétif,
Pour te cabrer d'horreur dans le ravin qui fume,
Pour te briser hurlant de récif en récif?
Tes bonds, tes secousses,
Les cris que tu pousses
Dans leur nid de mousses
Font peur aux oiseaux.
La mère, qui tremble,
Aux branches du *tremble*.
Appelle et rassemble
Ses petits, tout trempés de la poudre des eaux!

II

L'aigle seul, assez fort pour lutter avec l'onde,
Se précipite en bas du sommet du rocher;
Il se rit de ta peur, il te brave, il te sonde,
Il remonte, il descend comme un hardi nocher.
Son aile intrépide
Bat le roc humide,
Se renverse, et ride
Ton flot, qui s'enfuit;
L'abîme répète
Le cri qu'il te jette;
Son duvet reflète
L'éclair de son soleil, qu'il porte dans ta nuit!

III

As-tu donc vu là-haut ton Dieu dans le nuage,
Torrent épouvanté, pour te sauver ainsi?
Du Jéhovah des eaux as-tu vu le visage?
Du froid de ses frissons es-tu resté transi?
Fuis! c'est ton maître et ton juge;
Fuis! c'est le Dieu sans refuge
Qui sécha l'eau du déluge,
Qui refoula le Jourdain;
Qui, pour ouvrir une route
À son peuple ingrat qui doute,

Prit la mer, et la tint toute
Un jour au creux de sa main!

IV

Tu n'es qu'un élément, mais moi, je suis un homme!
Tu fuis, et moi j'adore, ô stupide torrent!
Quoi! tu ne sais donc pas le nom dont il se nomme?
Quoi! tu ne lis donc pas dans ton flot transparent?
Moi, je le lis sans nuages
Dans le livre à mille pages
Que la nature et les âges
Déroulent incessamment;
Dans les syllabes divines
Qui luisent sur les collines,
Majuscules cristallines
Dont l'étoile l'imprime au bleu du firmament.

V

Ah! si tu le savais, flot sans yeux et sans âme,
Tu ne t'enfuirais pas avec ces cris d'horreur,
Tu ne te fondrais pas comme l'eau sur la flamme,
Tu ne remplirais pas ces rocs de ta terreur!
Tu courrais, de cime en cime,
De sa gloire grandir l'hymne;
Tu t'étendrais dans l'abîme
Comme un limpide miroir;
Et ses anges sur leur plume
Lui feraient monter ta brume
Comme l'encens qu'on allume
Monte en sentant le feu du creux de l'encensoir.

VI

Et des petits oiseaux l'harmonieuse troupe
Aux soupirs de tes bords viendrait s'unir en chœur,
Boirait ta goutte d'eau comme dans une coupe,
Et riderait ton sein d'un battement de cœur.
Ton écume vagabonde,
Le limon, la feuille immonde,
Qui roulent avec ton onde,
Ne terniraient plus tes flots;
Las de ta fuite insensée,
Ta vague, en sa main bercée,

Serait, comme ma pensée,
Tout lumière au dehors, au dedans tout repos!

VII

Et les enfants viendraient, penchés sur tes eaux vives,
Regarder ce que Dieu sous la vague accomplit,
Et le sacré vieillard qui me guide à tes rives
S'assoirait pour prier sur les fleurs de ton lit,
Et de ses saisons passées
Les images retracées
Feraient jouer ses pensées
Autour de ses cheveux blancs,
Comme, quand l'hiver assiége
Le chaume qui les protége,
On voit dehors, sur la neige,
Au seuil de leurs maisons jouer de blonds enfants!

VIII

Mais tu ne me réponds que par des coups de foudre;
Tu ne fais que du vent, de l'écume et du bruit;
Ton flot semble pressé de se réduire en poudre
Et d'échapper au vent dont l'aile te poursuit!
Cours donc où va le tonnerre,
Et le tremblement de terre,
Et l'aigle échappé de l'aire,
Et le coursier qui dit: Va!
Toutes choses insensées,
Par un vague instinct chassées,
Et qui semblent si pressées
D'échapper à Jéhovah!

IX.

Mais moi, l'enfant du Père, et que ce nom rassure,
Je m'y sens attiré d'un invincible aimant.
Ce nom chante pour moi dans toute la nature,
Et mon cœur sans repos le sait même en dormant.
Ainsi, fatigué de veille,
L'enfant de chœur qui sommeille,
Du cierge, qu'ourdit l'abeille,
Laisse vaciller le feu;
Sur le parvis qu'il traverse,
En dormant sa main le berce:
La torche en vain se renverse;

La flamme se redresse et monte encore à Dieu!

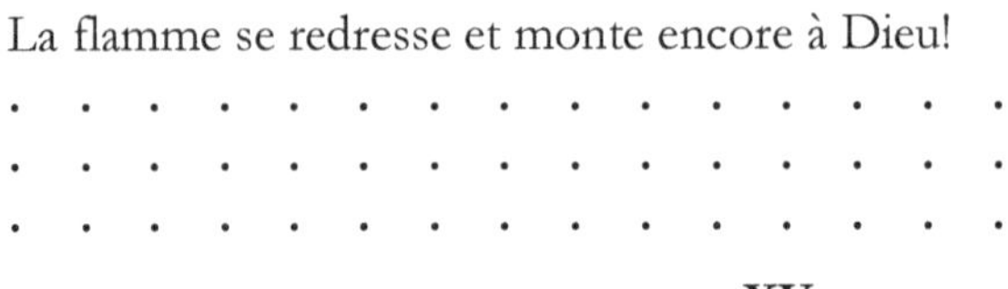

XV

Je montrai un jour, en revenant à la ville, ce petit cantique au vieux prêtre. Il ne put s'empêcher de dérider les plis toujours un peu sévères de sa bouche; il applaudit même à deux ou trois de mes images, surtout à celle des saintes pensées des vieillards comparés à des enfants qui jouent en hiver sur la neige sans sentir le froid, et à celle de l'enfant de chœur assoupi qui laisse pencher le cierge sans que la flamme cesse de monter à Dieu.

Il me demanda de lui écrire plus correctement ce cantique pour le faire lire au père Debrosse, supérieur du collége, mais il ne le lut point à ses élèves dans la classe, sans doute de peur de manquer à la discipline antipoétique de nos leçons.

Les jésuites cependant en eurent connaissance; ils m'en firent plusieurs fois compliment depuis pendant les récréations, et, après leur dispersion, on dut retrouver cette ébauche, parmi les papiers du père Debrosse, dans les balayures des greniers du collége.

Cette ébauche ne méritait pas un autre sort. La poésie se compose de trois choses: sentiment, peinture, musique. Dans ce cantique d'enfant, il n'y avait encore que de la musique et un peu de peinture; le rhythme m'enivrait déjà; mais le rhythme seul ressemble à ce chef d'orchestre qui bat la mesure avec son archet pendant les silences de la mélodie.

XVI

Cependant les aspects tour à tour riants ou grandioses qui se déroulaient à mes yeux d'enfant, pendant ces longues et muettes excursions de quatre ou cinq heures dans ce beau pays, avant-scène des Alpes me remplissaient l'imagination d'images d'autant plus imprimées en moi que le silence obstiné de mon guide me permettait moins de distractions. Il me rendait contemplateur par force.

Cette belle et pittoresque nature était comme un livre qu'on m'aurait contraint à lire pendant un certain nombre d'heures par jour, en déchiffrant tout seul le sens. Je n'étais que trop prédisposé à m'y absorber tout entier; je m'y plongeais par tous mes sens, ciel sur ma tête, herbes et fleurs sous mes pieds, Alpes lointaines, Rhône rapide, cascades écumantes, horizons sinistres ou gracieux sous mes regards; bruits des eaux, des feuilles, des oiseaux, des insectes à mes oreilles, ombres des forêts sur mon front; odeurs enivrantes des prés fauchés du matin, séchant en meules sur les revers des coteaux; bains d'air rafraîchissants ou attiédis qui rendaient à tous mes membres la première élasticité de l'enfance, sentiment d'une telle légèreté et d'une telle volatilisation de corps qu'il me semblait que la brise n'avait qu'à souffler pour m'emporter avec l'insecte ailé ou avec la feuille flottante dans l'océan bleu de l'air des montagnes circulant autour de moi.

Ces impressions auraient rendu le rocher poëte. Je le devenais davantage chaque jour, mais je ne savais guère encore ce que c'était que la poésie.

Une lecture que nous fit exceptionnellement dans notre salle de rhétoriciens un de nos maîtres les plus aimés, le père Béquet, m'en apprit davantage que tous les vers classiques de Virgile ou d'Horace interprétés péniblement jusque-là. Je revois d'ici le lieu, la place, le jour et l'heure. Toutes les grandes lectures sont une date de l'existence!

XVII

Le père Béquet n'était nullement, comme le père Varlet, un cénobite pétrifié dans sa cellule par son austère piété ou comme le limaçon fossile dans sa coquille: c'était un homme du monde. Il était entré tard, et après une vie répandue, dans l'ordre; il avait voulu recueillir la maturité de sa vie et utiliser à l'instruction littéraire de la jeunesse ses talents et ses goûts, goûts et talents d'un lettré accompli. La littérature était pour lui la moitié de l'existence: sa piété même était littéraire. Il croyait que l'esprit humain est comme la glace de cristal, et que plus on le polit, plus il reflète de divinité dans ses œuvres.

Nous l'aimions tous, surtout les plus grands et les plus lettrés d'entre nous. Il était plutôt pour nous un condisciple avancé en années qu'un maître. Ses conversations familières avec nous dans les jardins, pendant les heures de délassement, étaient les meilleures et les plus charmantes de ses leçons. Son goût raffiné tenait un peu de la douce et exquise mollesse de son caractère. Ce caractère était gracieusement exprimé sur sa physionomie. Son visage était presque toujours déridé, non par un rire bruyant et ouvert, mais par ce sourire fin et pensif qui semble relever sur les lèvres une demi-pensée et un demi-mot. On voyait que ce qu'il contemplait en lui-même était toujours bon, spirituel, agréable à lui et aux autres. Ses lèvres en avaient contracté un pli: c'était la réticence de la bonté qui médite un plaisir à faire ou une amabilité à dire.

Le seul défaut littéraire de cet excellent homme tenait à ses qualités de cœur et d'esprit: il y avait un peu d'effémination dans son goût et de fleurs dans son style. Il y a un genre d'ornementation gothique qu'on appelle le gothique fleuri; le style du père Béquet était du français fleuri. On juge de son attrait pour M. de Chateaubriand, le grand génie de cette magnifique corruption du style.

XVIII

M. de Chateaubriand venait de faire paraître alors le *Génie du Christianisme*. Le siècle militaire incarné dans Bonaparte allait s'incarner littérairement dans cet écrivain; tout était réaction en France depuis la caserne jusqu'aux académies. Il fallait un décorateur du passé qu'on voulait faire revivre et régner sous ses deux formes de trône absolu et d'autel populaire; l'auteur du *Génie du Christianisme*, grand poëte qui cherchait un poëme, s'offrit avec ses magiques pinceaux. Il fit un prodige d'imagination, il éblouit et il enchanta le monde avec son livre, il fut le génie des Ruines, tout paré de fleurs sépulcrales, de souvenirs, de traditions, de mystères, de sentiment, opposant le cœur à l'esprit, et reconstruisant le vieux temple avec ses débris; il fut l'Esdras du christianisme après la captivité de Babylone.

Le gouvernement le favorisait sous main; M. de Fontanes était le lien caché entre le trône nouveau et l'antique autel. Ami et patron de M. de Chateaubriand, il présentait le poëte au soldat. Le soldat et le poëte s'entendirent au premier mot.

On a prétendu qu'il y avait eu antagonisme de nature et de tendance entre ces deux hommes du passé, Bonaparte et M. de Chateaubriand: rien n'est plus faux; ces deux hommes s'entendaient à merveille alors. Refaites-moi un temple avec votre poésie, disait le consul au poëte, je vous referai un trône avec mon épée. Et le *Génie du Christianisme* ne tarda pas à paraître.

Le poëte, récompensé par le consul, ne fut nullement retenu alors par le royalisme qu'il manifesta depuis pour les Bourbons; il entra hardiment par un emploi diplomatique à Rome, et ensuite dans le Valais, dans la fortune de Bonaparte.

Bonaparte, devenu Napoléon, fut présenté comme un nouveau Cyrus au monde, dans l'exorde du discours à l'Académie française de M. de Chateaubriand.

Les jésuites, très-favorisés alors par l'empire et par le cardinal Fesch, oncle de Napoléon, saluèrent le *Génie du Christianisme* avec moins d'enthousiasme que le parti de l'empire et que le parti royaliste ne l'avaient salué; ils ne se dissimulèrent pas que le secours apporté en apparence par ce livre à la religion était un secours dangereux, plus poétique que chrétien, et que les sensualités d'images et de cœur par lesquelles l'écrivain alléchait, pour ainsi dire, les âmes, étaient au fond très-opposées à l'orthodoxie littérale et à la sévérité morale de dogme et de l'esprit chrétien. Mais, tout en élaguant très-prudemment du livre les parties romanesques ou passionnées trop propres à allumer ou à efféminer les passions précoces de leur jeunesse, ils le laissèrent circuler à demi-dose dans leurs colléges. Un abrégé en deux volumes, épuré d'*Atala*, de *René* et de plusieurs autres chapitres trop remuants pour des âmes déjà émues, furent mis par eux dans les mains de leurs maîtres d'étude. À titre de professeur de belles-lettres, le père Béquet posséda le premier exemplaire. Il était trop ravi pour renfermer en lui-même son ivresse, et trop communicatif pour ne pas nous associer à son bonheur.

XIX

Un jour de printemps, les rayons du soleil de mai entraient avec les senteurs des jardins et des prés par la fenêtre ouverte de sa classe, au rez-de-chaussée; la séve rajeunie de la saison circulait dans nos veines comme dans les plantes; ces lueurs, ces odeurs, ces bourdonnements d'insectes, ces parfums de la campagne apportés par les bouffées du vent tiède appelaient toutes nos pensées au dehors.

Je ne sais quel vague ennui, phénomène ordinaire du printemps sur les hommes sédentaires, se trahissait en nous par l'inattention, les nonchalances d'attitude, les bâillements mal contenus sur les bancs de bois de la salle. Le père Béquet lui-même, très-indulgent de sa nature, semblait atteint comme nous de cette sorte de somnolence générale; il nous lisait et nous commentait, sans goût et sans verve, je ne sais quels vers ou quelle prose des livres classiques dont les images et les pensées étaient aussi usées pour lui et pour nous que le parchemin taché d'encre de nos livres d'étude.

Un autre livre broché en papier de couleur était fermé sous son bras, entre son habit noir et son coude; on voyait qu'il y pensait malgré lui; son regard, distrait de ses textes grecs et latins ouverts sur le pupitre de sa chaire, se détournait involontairement et tombait obliquement sur le livre pressé contre son cœur.

Nous-mêmes nous regardions avec curiosité ce livre, dont la couverture inusitée excitait notre étonnement. Nous avions comme le pressentiment ou comme l'attente de quelque chose d'extraordinaire contenu dans ce mystérieux volume.

XX

Tout à coup le père Béquet ferma ses livres grecs et latins. Il nous dit que la classe était finie par exception pour cette matinée, mais que, pour remplir plus agréablement l'heure qui nous restait encore avant la sortie, il allait nous faire une lecture dans un livre mondain qui venait de paraître, et dont l'auteur, inconnu jusque-là, s'appelait Chateaubriand.

Ce petit prologue, prononcé avec l'accent d'un homme qui annonce une bonne nouvelle à son auditoire et qui fait entendre plus qu'il ne dit, réveilla tout à coup notre attention. La sérénité du jour de fête entrant par la fenêtre grillée de la classe, le chant des oiseaux sous la charmille, l'espoir d'aller bientôt nous-mêmes respirer librement dans ces allées l'air du printemps, nous prédisposaient au plaisir. Nous fermâmes donc nos livres d'études dans nos pupitres, et, les coudes appuyés sur la table, la tête dans nos mains, nous prîmes l'attitude des disciples qui écoutent le maître dans le tableau de *l'École d'Athènes* de Raphaël.

«Mes amis, nous dit alors le bon professeur, je vais faire une chose inusitée, peut-être répréhensible, je vais tenter sur vos esprits une épreuve de goût; je vais voir si l'impression qu'un livre tout moderne m'a faite ce matin en parcourant ses pages est une illusion de la nouveauté, ou si c'est une admiration légitime et motivée pour des images et pour un style aussi réellement beaux que l'antique où nous cherchons ensemble le beau. Écoutez avec attention les pages que je vais vous lire; recueillez bien vos impressions et vos jugements; je vous interrogerai ensuite sur vos propres sentiments, et je vous donnerai pour sujet de composition demain l'analyse raisonnée de ces pages. Ceux d'entre vous qui préfèrent, à cause de leur âge plus tendre, les promenades et les jeux de cette belle matinée à des délassements d'esprit peuvent se retirer; les autres resteront librement avec moi pour jouir d'autres plaisirs.»

La foule s'élança dans les jardins avec des cris de joie qui se confondirent avec les gazouillements des oiseaux libres des charmilles; huit ou dix adolescents des plus âgés ou des plus lettrés restèrent, retenus par la confiance qu'ils avaient dans le goût délicat du maître et par leur attrait déjà prononcé pour les plaisirs d'esprit. J'étais du nombre; mes deux rivaux et mes deux amis, Louis de V. et Aymon de V., se groupèrent avec moi au pied de la chaire. Nous étions tout regard et toute oreille pour le phénomène promis.

XXI

«Il est un Dieu,» commença le maître d'un accent solennel qui tenait à la fois du prêtre et du poëte, «il est un Dieu! Les herbes de la vallée et les cèdres de la montagne le bénissent, l'insecte bourdonne ses louanges, l'éléphant le salue au lever du jour, l'oiseau le chante dans le feuillage, la foudre fait éclater sa puissance, et l'océan déclare son immensité. L'homme seul a dit: Il n'y a point de Dieu.

«Il n'a donc jamais, celui-là, dans ses infortunes, levé les yeux vers le ciel, ou dans son bonheur abaissé ses regards vers la terre? La nature est-elle si loin de lui qu'il ne l'ait pu contempler, ou la croit-il le simple résultat du hasard? Mais quel hasard a pu contraindre une nature si désordonnée et si rebelle à s'arranger dans un ordre si parfait? On pourrait dire que l'homme est *la pensée manifestée de Dieu*, et que l'univers est *son imagination rendue sensible*. Ceux qui ont admis la beauté de la nature comme preuve d'une intelligence supérieure auraient dû faire remarquer une chose qui agrandit prodigieusement la sphère des merveilles: c'est que le mouvement et le repos, les ténèbres et la lumière, les saisons, la marche des astres, qui varient les décorations du monde, ne sont pourtant successifs qu'en apparence et sont permanents en réalité. La scène qui s'efface pour nous se colore pour un autre peuple; ce n'est pas le spectacle, c'est le spectateur qui change. Ainsi Dieu a su réunir dans son ouvrage la durée *absolue* et la durée *progressive.* La première est placée dans le *temps*, la seconde dans l'*étendue*; par celle-là les grâces de l'univers sont unes, infinies, toujours les mêmes; par celle-ci elles sont multiples, finies et renouvelées: sans l'une il n'y eût point eu de grandeur dans la création; sans l'autre il y eût eu monotonie.

«Ici le temps se montre à nous sous un rapport nouveau; la moindre de ses fractions devient un *tout complet*, qui comprend tout, et dans lequel toutes choses se modifient, depuis la mort d'un insecte jusqu'à la naissance d'un monde: chaque minute est en soi une petite éternité. Réunissez donc en ce moment, par la pensée, les plus beaux accidents de la nature; supposez que vous voyez à la fois toutes les heures du jour et toutes les saisons, un matin de printemps et un matin d'automne, une nuit semée d'étoiles et une nuit couverte de nuages, des prairies émaillées de fleurs, des forêts dépouillées par les frimas, des champs dorés par les moissons: vous aurez alors une idée juste du spectacle de l'univers. Tandis que vous admirez ce soleil, qui se plonge sous les voûtes de l'occident, un autre observateur le regarde sortir des régions de l'aurore. Par quelle inconcevable magie ce vieil astre, qui s'endort fatigué et brûlant dans la poudre du soir, est-il dans ce moment même ce jeune astre qui s'éveille humide de rosée, dans les voiles blanchissants de l'aube? À chaque moment de la journée, le soleil se lève, brille à son zénith et se couche sur le monde; ou plutôt nos sens nous abusent, et il n'y a ni orient, ni midi, ni occident vrai: tout se réduit à un point fixe d'où le flambeau du jour fait éclater à la fois trois lumières en une seule substance. Cette triple splendeur est peut-être ce que la nature a de plus beau; car, en nous donnant l'idée de la perpétuelle magnificence et de la toute-puissance de Dieu, elle nous montre aussi une image éclatante de sa glorieuse Trinité.

«Conçoit-on bien ce que serait une scène de la nature si elle était abandonnée au seul mouvement de la matière? Les nuages, obéissant aux lois de la pesanteur, tomberaient perpendiculairement sur la terre ou monteraient en pyramides dans les airs; l'instant d'après, l'atmosphère serait trop épaisse ou trop raréfiée pour les organes de la respiration; la lune, trop près ou trop loin de nous, tour à tour serait invisible, tour à tour se montrerait sanglante, couverte de taches énormes, ou remplissant seule de son orbe démesuré le dôme céleste. Saisie comme d'une étrange folie, elle marcherait d'éclipse en éclipse, ou, se roulant d'un flanc sur l'autre, elle découvrirait enfin cette autre face que la terre ne connaît pas. Les étoiles sembleraient frappées du même vertige; ce ne serait plus qu'une suite de conjonctions effrayante: tout à coup un signe d'été serait atteint par un signe d'hiver; le Bouvier conduirait les Pléiades, et le Lion rugirait dans le Verseau; là des astres passeraient avec la rapidité de l'éclair; ici ils pendraient immobiles; quelquefois, se pressant en groupes, ils formeraient une nouvelle Voie lactée; puis, disparaissant tous ensemble et déchirant le rideau des mondes, selon l'expression de Tertullien, ils laisseraient apercevoir les abîmes de l'éternité.

«Mais de pareils spectacles n'épouvanteront pas les hommes avant le jour où Dieu, lâchant les rênes de l'univers, n'aura besoin pour le détruire que de l'abandonner.»

XXII

.... Nous étions déjà sous le charme de cette langue où les images dont nous ne pouvions pas contester la justesse se pressaient au fond de nous aussi nombreuses et aussi vagues que les étoiles dans la Voie lactée. Le maître sourit et reprit:

«La nature a ses temps de solennité, pour lesquels elle convoque des musiciens des différentes régions du globe. On voit accourir de savants artistes avec des sonates merveilleuses, des vagabonds troubadours qui ne savent chanter que des ballades à refrain, des pèlerins qui répètent mille fois les couplets de leurs longs cantiques. Le loriot siffle, l'hirondelle gazouille, le ramier gémit: le premier, perché sur la plus haute branche de l'ormeau, défie notre merle, qui ne le cède en rien à cet étranger; la seconde, sous un toit hospitalier, fait entendre son ramage confus ainsi qu'au temps d'Évandre; le troisième, caché dans le feuillage d'un chêne, prolonge ses roucoulements semblables aux sons onduleux d'un cor dans les bois. Enfin le rouge-gorge répète sa petite chanson sur la porte de la grange, où il a placé son gros nid de mousse. Mais le rossignol dédaigne de perdre sa voix au milieu de cette symphonie: il attend l'heure du recueillement et du repos, et se charge de cette partie de la fête qui se doit célébrer dans les ombres.»

Ici nouveau silence de nos haleines à peine entendues; puis vint la page du rossignol, aussi mélodieuse que l'oiseau.

«Lorsque les premiers silences de la nuit et les derniers murmures du jour luttent sur les coteaux, au bord des fleuves, dans les bois et dans les vallées; lorsque les forêts se taisent par degrés, que pas une feuille, pas une mousse ne soupire, que la lune est dans le ciel, que l'oreille de l'homme est attentive, le premier chantre de la création entonne ses hymnes à l'Éternel. D'abord ils frappent l'écho des brillants éclats du plaisir: le désordre est dans ses chants; il saute du grave à l'aigu, du doux au fort; il fait des poses; il est lent, il est vif: c'est un cœur que la joie enivre, un cœur qui palpite sous le poids de l'amour. Mais tout à coup la voix tombe, l'oiseau se tait. Il recommence! Que ses accents sont changés! quelle tendre mélodie! Tantôt ce sont des modulations languissantes quoique variées; tantôt c'est un air un peu monotone comme celui de ces vieilles romances françaises, chefs-d'œuvre de simplicité et de mélancolie. Le chant est aussi souvent la marque de la tristesse que de la joie. L'oiseau qui a perdu ses petits chante encore; c'est encore l'air du temps du bonheur qu'il redit, car il n'en sait qu'un; mais, par un coup de son art, le musicien n'a fait que changer la clef, et la cantate du plaisir est devenue la complainte de la douleur.

«Ceux qui cherchent à déshériter l'homme, à lui arracher l'empire de la nature, voudraient bien prouver que rien n'est fait pour nous. Or le chant des oiseaux, par exemple, est tellement commandé pour notre oreille, qu'on a beau persécuter l'hôte des bois, ravir leurs nids, les poursuivre, les blesser avec des armes ou dans des piéges, on peut les remplir de douleur, mais on ne peut les forcer au silence. En dépit de nous il faut qu'ils nous charment, il faut qu'ils accomplissent l'ordre de la Providence. Esclaves dans nos maisons, ils multiplient leurs accords: il y a sans doute quelque harmonie cachée dans le malheur, car tous les infortunés sont enclins au chant. Enfin, que des oiseleurs, par un raffinement barbare, crèvent les yeux à un rossignol: sa voix n'en devient que plus mélodieuse. Cet Homère des oiseaux gagne sa vie à chanter, et compose ses plus beaux airs après avoir perdu la vue. «Démodocus,» dit le poëte de Chio en se peignant sous les traits du chantre des Phéaciens, était le favori de la muse; mais elle avait mêlé pour lui le bien et le mal, et l'avait rendu aveugle en lui donnant la douceur des chants.»

XXIII

Une exclamation d'enthousiasme éclata dans tout le jeune auditoire; le père Béquet, qui s'était attendri, reprit sa voix virile en poursuivant la page.

«L'oiseau,» continua-t-il à lire, «semble le véritable emblème du chrétien ici-bas: il préfère, comme le fidèle, la solitude au monde, le ciel à la terre, et sa voix bénit sans cesse les merveilles du Créateur.

«Il y a quelques lois relatives aux cris des animaux, qui, ce nous semble, n'ont point encore été observées, et qui mériteraient bien de l'être. Le divers langage des hôtes du désert nous paraît calculé sur la grandeur ou le charme du lieu où ils vivent et sur l'heure du jour à laquelle ils se montrent. Le rugissement du lion, fort, sec, âpre, est en harmonie avec les sables embrasés où il se fait entendre, tandis que le mugissement de nos bœufs charme les échos champêtres de nos vallées; la chèvre a quelque chose de tremblant et de sauvage dans la voix, comme les rochers et les ruines où elle aime à se suspendre; le cheval belliqueux imite les sons grêles du clairon, et, comme s'il sentait qu'il n'est pas fait pour les soins rustiques, il se tait sous l'aiguillon du laboureur et hennit sous le frein du guerrier. La nuit, tour à tour charmante ou sinistre, a le rossignol et le hibou; l'un chante pour le zéphyre, les bocages, la lune, les amants, l'autre pour les vents, les vieilles forêts, les ténèbres et les morts. Enfin presque tous les animaux qui vivent de sang ont un cri particulier, qui ressemble à celui de leurs victimes. L'épervier glapit comme le lapin et miaule comme les jeunes chats; le chat lui-même a une espèce de murmure semblable à celui des petits oiseaux de nos jardins; le loup bêle, mugit ou aboie; le renard glousse ou crie; le tigre a le mugissement du taureau, et l'ours marin une sorte d'affreux râlement, tel que le bruit des récifs battus des vagues où il cherche sa proie. Cette loi est fort étonnante, et cache peut-être un secret terrible. Observons que les monstres parmi les hommes suivent la loi des bêtes carnassières. Plusieurs tyrans ont eu des traces de sensibilité sur le visage et dans la voix, et ils affectaient au dehors le langage des malheureux qu'ils songeaient intérieurement à déchirer. Néanmoins la Providence n'a point voulu qu'on s'y méprît tout à fait, et, pour peu qu'on examine de près les hommes féroces, on trouve sous leurs feintes douceurs un air faux et dévorant, mille fois plus hideux que leur furie.»

XXIV

Nous frémissions. Bientôt nous sourîmes de nouveau aux suaves peintures de l'industrie des oiseaux, si supérieurement décrite depuis par Audubon, Wilson, Toussenel, madame Michelet, ces historiographes de l'intelligence et de l'amour des animaux.

«Une admirable providence se fait remarquer dans les nids des oiseaux; on ne peut contempler sans être attendri cette bonté divine qui donne l'industrie au faible et la prévoyance à l'insouciant.

«Aussitôt que les arbres ont développé leurs fleurs, mille ouvriers commencent leurs travaux: ceux-ci portent de longues pailles dans le trou d'un vieux mur, ceux-là maçonnent des bâtiments aux fenêtres d'une église, d'autres dérobent un crin à une cavale ou le brin de laine que la brebis a laissé suspendu à la ronce. Il y a des bûcherons qui croisent des branches dans la cime d'un arbre; il y a des filandières qui recueillent la soie sur un chardon. Mille palais s'élèvent, et chaque palais est un nid; chaque nid voit des métamorphoses charmantes: un œuf brillant, ensuite un petit couvert de duvet. Ce nourrisson prend des plumes; sa mère lui apprend à se soulever sur sa couche. Bientôt il va se pencher sur le bord de son berceau, d'où il jette un premier coup d'œil sur la nature. Effrayé et ravi, il se précipite parmi ses frères, qui n'ont point encore vu ce spectacle; mais, rappelé par la voix de ses parents, il sort une seconde fois de sa couche, et ce jeune roi des airs, qui porte encore la couronne de l'enfance autour de sa tête, ose déjà contempler le vaste ciel, la cime ondoyante des pins et les abîmes de verdure au-dessous du chêne paternel. Et pourtant, tandis que les forêts se réjouissent en recevant leur nouvel hôte, un vieil oiseau qui se sent abandonné de ses ailes vient s'abattre auprès d'un courant d'eau; là, résigné et solitaire, il attend tranquillement la mort au bord du même fleuve où il chanta ses amours, et dont les arbres portent encore son nid et sa postérité harmonieuse.

«C'est ici le lieu de remarquer une autre loi de la nature. Dans la classe des petits oiseaux, les œufs sont ordinairement peints de la couleur dominante du mâle. Le bouvreuil niche dans les aubépines, dans les groseilliers et dans les buissons de nos jardins; ses œufs sont ardoisés comme la chape de son dos. Nous nous rappelons avoir trouvé une fois un de ces nids dans un rosier; il ressemblait à une conque de nacre, contenant quatre perles bleues; une rose pendait au-dessus, toute humide. Le bouvreuil mâle se tenait immobile sur un arbuste voisin comme une fleur de pourpre et d'azur. Ces objets étaient répétés dans l'eau d'un étang avec l'ombrage d'un noyer qui servait de fond à la scène, et derrière lequel on voyait se lever l'aurore. Dieu nous donna, dans ce petit tableau, une idée des grâces dont il a paré la nature.....

XXV

L'heure sonna trop prompte à la lugubre horloge de la chapelle: nous aurions voulu que le temps n'eût plus d'heures; le grand peintre d'impressions et le grand musicien de phrases nous avait enlevé le sentiment du temps écoulé. Le livre était fermé que nous lui demandions encore des pages. Nous remerciâmes le maître de nous avoir fait anticiper ainsi sur le plaisir que nous nous promettions, en sortant, à la fin de l'année d'études, de lire à satiété ces volumes. Ces quelques gouttes n'avaient fait qu'irriter notre soif. Nous n'eûmes pas d'autre entretien tout le reste du jour; nous en rêvâmes la nuit; nous en recherchâmes les mélodies de pensées dans notre mémoire au réveil. De ce moment le nom de M. de Chateaubriand fut une fascination pour nous; il remplit notre esprit d'un éblouissement d'images et notre oreille d'un enivrement de musique qui nous donnait le vertige de la poésie. Il fit le même effet sur Béranger plus avancé en âge.

Pourquoi? Parce qu'indépendamment des beautés réelles de ce style, ce style était neuf, et qu'il y a dans la nouveauté une primeur de sensations qui est à elle seule une beauté littéraire. De même que chaque peuple, chaque civilisation et chaque siècle portent leurs pensées, ils portent aussi leur style. M. de Chateaubriand nous révélait le style du dix neuvième siècle: style composite, comme le genre d'architecture auquel on applique ce nom; style qui mêle tous les genres, qui associe le raisonnement, l'éloquence, l'élégie, le lyrisme, la peinture, la poésie, et qui recouvre le tout d'un vernis magique de paroles musicales pour faire illusion souvent sur le peu de solidité du fond.

XXVI

Aussi les œuvres de M. de Chateaubriand furent-elles un des premiers livres sur lesquels nous nous précipitâmes comme sur la proie de nos imaginations à la fin de nos études, en rentrant dans les bibliothèques de famille. Je dirai ailleurs, en examinant le mérite de ce grand prestidigitateur de style, ce que *René* et *Atala*, *les Martyrs* donnèrent de délires à mon imagination; mais je dois dire aussi que, dès ces premières lectures au collége, tout en étant plus ému peut-être qu'aucun autre de mes condisciples de la peinture, de la musique et surtout de la mélancolie de ce style, je fus plus frappé que tout autre aussi du défaut de raisonnement, de naturel et de simplicité qui caractérisait malheureusement ces belles œuvres. Je me souviens qu'un jour, assis avec quatre de ces condisciples sur un tronc d'arbre au bord du Rhône, nous lûmes pendant toute la récréation quelques chapitres du *Génie du Christianisme* et que nous en fûmes émus jusqu'aux larmes d'admiration. Quand le livre fut fermé, nous nous interrogeâmes les uns les autres sur nos impressions réfléchies; tout le monde s'écria que c'était le plus beau des livres qui fût jamais tombé sous nos yeux dans le cours de nos lectures.—Et toi? me demandèrent mes camarades.—Moi, répondis-je, je pense comme vous; c'est bien beau, mais ce n'est pas du vrai beau encore.—Et pourquoi? ajoutent-ils.—Parce que c'est trop beau, répondis-je, parce que la nature y disparaît trop sous l'artifice, parce que cela enivre au lieu de toucher, et s'il faut tout vous dire en un mot, ajoutai-je, parce que les larmes que nous venons de verser en lisant ces pages sont des larmes de nos nerfs et non pas des larmes de nos cœurs.

Mes amis se récrièrent alors sur la sévérité de ce jugement précoce, qu'ils ont ratifié depuis; ils m'ont rappelé bien souvent plus tard cette précocité de bon sens qui se laissait séduire, mais qui ne se laissait pas tromper par ce grand génie de décadence.

Cependant M. de Chateaubriand fut certainement une des mains puissantes qui m'ouvrirent dès mon enfance le grand horizon de la poésie moderne.

XXVII

Les poëtes antipoétiques du dix-huitième siècle, Voltaire, Dorat, Parny, Delille, Fontanes, La Harpe, Boufflers, versificateurs spirituels de l'école dégénérée de Boileau, furent ensuite mes modèles dépravés, non de poésie, mais de versification. J'écrivis des volumes de détestables élégies amoureuses avant l'âge de l'amour, à l'imitation de ces faux poëtes.

André Chénier n'avait pas encore été recueilli en volume; je n'en connaissais que la sublime et divine élégie de *la Jeune Captive*, citée en partie par M. de Chateaubriand.

Bien qu'André Chénier, dans son volume de vers, ne soit qu'un Grec du paganisme, et par conséquent un délicieux pastiche, un pseudo-Anacréon d'une fausse antiquité, l'élégie de *la Jeune Captive* avait l'accent vrai, grandiose et pathétique de la poésie de l'âme. L'approche de la mort, qui attendait le poëte à la porte de sa prison sur l'échafaud, avait changé le diapason de ce jeune Grec en diapason moderne. L'amour et la mort sont deux grandes muses; grâce à leur inspiration réunie, la manière trop attique d'André Chénier était devenue du pathétique. Ces vers avaient coulé, non plus de son imagination, mais de son cœur, avec ses larmes. Voilà le secret de cette élégie tragique de *la Jeune Captive*, qui ne ressemble en rien à cette famille d'élégies grecques que nous avons lues plus tard dans ses œuvres.

XXVIII

Je m'écriai tout de suite en la lisant: Voilà le poëte! Cette révélation donna malgré moi le ton à plusieurs des essais de poésie vague et informe que j'écrivais au hasard dans mes heures d'adolescence.

On en retrouvera quelque trace dans l'élégie intitulée *la Fille du pêcheur*, qui n'a jamais été ni achevée ni publiée par moi. Je l'achève et je la publie ici pour la première fois. On a lu avec indulgence une page en prose de mes *Confidences* sous le nom de *Graziella*. J'ai dit, dans cette demi-confidence de première jeunesse, que, pendant notre séjour dans l'île, j'écrivais de temps en temps des vers mentalement adressés à la charmante fille du pêcheur, bien qu'elle ignorât ce que c'était que des vers et dans quelle langue ces vers étaient écrits. *La Fille du pêcheur* est une de ces élégies que j'esquissai au crayon sous le figuier et sous la treille dorée par le soleil de l'île; on y retrouvera, à travers les réminiscences grecques de Théocrite et d'Anacréon, quelque pressentiment d'André Chénier, mais avant que la muse d'André Chénier eût pleuré, et quand elle jouait encore sur le sable de la mer d'Ionie avec les bas-reliefs et les débris des Vénus grecques roulés par les flots.

LA FILLE DU PÊCHEUR
GRAZIELLA.

I

Quand ton front brun fléchit sous la cruche à deux anses
Où tu rapportes l'eau du puits pour le gazon;
Quand, la nuit, aux lueurs de la lune, tu danses
Sur le toit aplati de la blanche maison,
Et que ton frère enfant, pour marquer la cadence,
Pinçant d'un ongle aigu les cordes de laiton,
Fait gronder la guitare ainsi qu'un hanneton,
Jeune fille aux longs yeux, sais-tu ce que je pense?

II

L'autre jour je te vis (tu ne me voyais pas);
Tu portais sur ton front ta cruche toute pleine;
Son poids de tes pieds nus rapetissait les pas,
Et la pente escarpée essoufflait ton haleine.
Un vieillard en sueur montait par le chemin
(Un frère mendiant qui glane sur la terre);
Il rapportait le pain et l'huile au monastère.
Il s'approcha de toi, son rosaire à la main;
Toi tu compris sa soif et t'arrêtas soudain.
Jeune fille aux longs yeux, sais-tu ce que je pense?

III

Avant qu'il eût parlé, tu lisais sa requête;
Tu levas tes deux bras, anses de ton beau corps;
Tu descendis la cruche au niveau de sa tête,
Et du vase incliné tu lui tendis les bords.
Il y but à longs traits, en relevant sa manche.
Il regardait ton front de honte coloré,
Et l'eau que le bouquet de tamarisque étanche
Ruisselait de sa lèvre et de sa barbe blanche,
Comme à travers les joncs s'égoutte l'eau d'un pré.
Jeune fille aux longs yeux, sais-tu ce que je pense?

IV

Moi, cependant, caché par la vigne et l'érable,
Je regardais, muet, la scène d'Orient,
L'ombre que ce beau groupe allongeait sur le sable,
Ton visage confus, le vieillard souriant;
Il te donna, pour prix de ta cruche d'eau pure,
Un chapelet de grains colorés de carmin,
Une croix de laiton, qui battait sa ceinture;
Et toi, courbant ton cou sous sa manche de bure,
Tu plias les genoux et tu baisas sa main.
Jeune fille aux longs yeux, sais-tu ce que je pense?

V

Je retenais de peur mon haleine insensible;
Je pensais voir en toi sous ces cieux éclatants
Une apparition d'Homère ou de la Bible:
La Jeunesse au cœur d'or faisant l'aumône au Temps!
Ou quelque parabole empreinte d'Évangile:
La Charité, dont l'âme est l'unique joyau,
Au Dieu qui du même œil voit l'opale ou l'argile
Donnant mille trésors dans une goutte d'eau!...
Jeune fille aux longs yeux, sais-tu ce que je pense?

VI

Ah! que ne suis-je né pêcheur comme ton frère?
Que n'ai-je eu pour berceau ces récifs inconnus?
Pour berceuse la mer dont l'écume légère
Trempe ce sable tiède où plongent tes pieds nus?
Que n'ai-je eu pour jouet et pour seul héritage
La barque, l'aviron, la mer creuse, et la plage
Où le soir, quand la proue accoste le rivage,

Le filet, tout gonflé d'écaille au jour changeant,
Tombe lourd sur la grève, avec un son d'argent?
Jeune fille aux longs yeux, sais-tu ce que je pense?

VII

Sans sonder l'horizon qui s'enfuit sous la brume,
Sans rêver au delà je ne sais quel grand sort,
Dans ton île, au soleil toute enceinte d'écume,
Aucun de mes désirs n'en passerait le bord.
N'est-ce donc pas assez, belle enfant de ces treilles,
De te voir tous les jours, et puis de te revoir
Tantôt suçant tes doigts de l'ambre des abeilles,
Tantôt cousant la voile, ou tressant les corbeilles
Pour porter à deux mains la feuille au chevreau noir?
Jeune fille aux longs yeux, sais-tu ce que je pense?

VIII

Ou bien sous le figuier, de son sucre prodigue,
Assise sur le toit entre l'ombre et le fruit,
Éplucher en automne et retourner la figue
Que le vent de mer sale et que le soleil cuit?
Ou quand le grand filet, fatigué par la pêche,
S'étend d'un arbre à l'autre et sur la grève sèche,
Jeune Parque tenant le fil et le ciseau,
Pour renouer la maille où l'écueil a fait brèche,
Entrevue à demi derrière ce réseau,
Passer et repasser comme une ombre sous l'eau?
Jeune fille aux longs yeux, sais-tu ce que je pense?

IX

Ou sur le bord moussu de la fontaine obscure
T'asseoir, te croyant seule, à la fin du soleil,
Comme un moineau son cou, lisser ta chevelure,
Dans tes petites mains prendre ton pied vermeil,
En laver d'un bain froid la blessure amortie,
Arracher de la peau l'épine des cactus,
Ou le dard de l'abeille, ou la dent de l'ortie,
Et d'une gouttelette avec elle sortie
Teindre d'un peu de sang la fleur d'or du lotus?
Jeune fille aux longs yeux, sais-tu ce que je pense?

X

Sous la grotte où jaillit le seul ruisseau d'eau douce,
Une figure en marbre est taillée au ciseau,
Vierge ou nymphe, on ne sait; de sa conque de mousse
Un triton sur ses pieds verse une nappe d'eau;
Dans l'une de ses mains un petit poisson joue;
Dans l'autre un coquillage, enfant du bord amer,
Tout près de son oreille est collé sur sa joue
Comme pour lui chanter les chansons de la mer.
Jeune fille aux longs yeux, sais-tu ce que je pense?

XI

De lichens et de joncs sordidement vêtue,
De ses habits mouillés le flot s'égoutte en vain;
Dans ses haillons verdis la charmante statue
Sous l'outrage du sort conserve un front divin;
Le filet de cristal que sa robe distille
Abreuve le pasteur, l'enfant, le matelot,
Fait boire l'oranger dans les ravins de l'île,
Et, quand il a rempli mille cruches d'argile,
Va jusque dans la mer se perdre à petit flot.
Jeune fille aux longs yeux, sais-tu ce que je pense?

XII

Eh bien! je crois te voir dans cet humble symbole,
Toi, source de mon cœur!... Quand tes filets pliés
Dégouttent d'eau de mer sur ton bras, où les colle
L'écume du récif qui te blanchit les piés;
Ou bien quand tes cheveux, que la lame épouvante,
Battant ta maigre épaule, aiment à s'y jouer
Avec le flot qui monte, avec la mer qui vente,
Et que, tes bras levés, comme une urne vivante,
Tes deux mains à ton front veulent les renouer!
Jeune fille aux longs yeux, c'est à toi que je pense!

. . . .

C'est ainsi que d'abord la nature, puis l'imagination, puis la piété, puis l'amour me donnèrent les premiers instincts, puis les premières leçons de poésie. Je n'ai jamais eu une pensée dont je ne retrouve la racine dans un sentiment; tout vient du cœur: *nascuntur poetæ*. J'ai trouvé l'autre jour cette inscription au crayon, et signée seulement d'une initiale, sur la vieille porte vermoulue de ma maison de village, à Milly. L'anonyme a raison, les poëtes y naissent, et puissent-ils aussi y mourir!...

Lamartine.

XXIVe ENTRETIEN.

12e de la deuxième Année.

ÉPOPÉE.
HOMÈRE.—L'ODYSSÉE[2].

I

L'*Iliade* est le poëme de la vie publique; l'*Odyssée*, que j'ouvre en ce moment devant vous, est le poëme de la vie domestique. Il y a autant de différence entre l'*Iliade* et l'*Odyssée* qu'il y en a entre le champ de bataille ou le conseil des princes et le foyer de famille. L'*Iliade* célèbre l'héroïsme, l'*Odyssée* raconte le cœur humain. La première de ces épopées est le livre des héros, la seconde est le livre de l'homme. Homère est plus sublime peut-être dans l'*Iliade*, il est plus intéressant dans l'*Odyssée*; la gloire a des accents plus éclatants, la nature en a de plus intimes et de plus pathétiques. Dans l'un et dans l'autre de ces poëmes différemment divins, Homère est égal à lui-même, c'est-à-dire supérieur à tout ce qui a été raconté ou chanté avant lui. Faisons donc faire silence à tous les bruits du jour dans notre âme et reportons-nous à l'époque héroïque et pastorale du monde, dans une de ces îles, véritables *Édens*, de la mer sur l'Archipel, et écoutons.

II

Cependant, avant de vous dérouler ces vers admirables qui semblent avoir conservé dans leur harmonie et dans leur couleur les ondulations sonores de la vague contre les flancs du vaisseau, le rhythme des rames d'où dégoutte l'onde amère, les frémissements des brises du ciel dans les cyprès, les mugissements des troupeaux sur les montagnes de l'Ionie ou de l'Albanie, et les reflets des feux de bergers dans les anses du rivage, permettez-moi de vous faire une remarque qui appartient moins à la rhétorique qu'à l'observation du cœur humain: c'est que, pour bien comprendre et bien sentir Homère dans l'*Odyssée*, il faut être né et avoir vécu dans des conditions de vie rurale, patriarcale ou maritime, analogues à celles dans lesquelles le poëte de la nature a puisé ses paysages, ses mœurs, ses aventures et ses sentiments. La vérité du tableau ne peut nous frapper qu'autant que nous avons connu le modèle.

Malheur à l'homme qui, soit par le trop d'élévation, soit par le trop de défaveur de sa destinée, est né dans les villes, et qui a été élevé à distance des scènes primitives, naïves, agricoles, champêtres ou maritimes de la nature! Celui-là ne comprendra jamais l'*Odyssée*. Le fils de prince qui a eu son berceau dans le palais d'une capitale moderne, le fils du mercenaire qui est né comme la *pariétaire* des murs d'une cité et qui n'a vu le soleil qu'entre les toits parallèles de la ville où son atelier le nourrit et le dévore, ne doivent pas même ouvrir ces poëmes d'Homère; l'épopée de la mer, des montagnes, des matelots, des pasteurs, des laboureurs, n'est pas faite pour eux. C'est là une des privations intellectuelles, une des injustices du sort dont il faut également les plaindre, qu'ils soient grands ou petits, princes du peuple ou cardeurs de laine dans une capitale! Le monde champêtre et ses ineffables charmes pour les yeux, pour les oreilles, pour l'imagination et pour le cœur, leur sont interdits! Ayons même compassion de leur grandeur ou de leur misère! Qu'ils assistent aux drames plus ou moins déclamatoires des grands ou petits poëtes de la scène; qu'ils applaudissent aux féroces ambitions des héros de cour ou de rue dans les cours et dans les cités; qu'ils savourent bien la connaissance du cœur humain étalé devant eux, en horreur, en admiration ou en ridicule, par les Eschyle, les Corneille, les Racine, les Shakspeare, les Aristophane, les Térence ou les Molière, ces sublimes choristes des hommes rassemblés, c'est là leur lot à eux; mais quant à Homère, et surtout à l'Homère de l'*Odyssée*, qu'ils y renoncent! Ils n'ont pas respiré en naissant l'âme des champs, des montagnes, des cieux et des mers, qui s'exhale de la nature à l'aube de la vie et qui fait chanter ou adorer du moins les chants des poëtes épiques!

Quant à moi et à la plupart d'entre vous, nous avons été plus favorisés du ciel; nous sommes nés ou nous avons grandi loin de l'ombre morbide des villes, à l'ombre salubre du verger de notre toit rustique, sur une colline labourée, à l'ombre du rocher, au bord de la mer, où les chants des bergers et des pêcheurs nous ont bercés tout près de la terre, entre les genoux de nos mères ou de nos Euryclées (servante vieillie de Télémaque dans la maison de Pénélope, à Ithaque).

Aussi pouvons-nous lire et relire l'*Odyssée* avec une intelligence et une délectation aussi complètes que si les images et les souvenirs du poëte étaient nos images natales et nos souvenirs de berceau.

Il y a en effet une étonnante ressemblance de famille entre les sites et les mœurs décrites dans le poëme d'Homère et entre les sites et les mœurs des provinces reculées du midi de la France. Là, ce qu'on appelle improprement la civilisation, c'est-à-dire le luxe, le prolétariat, la misère et l'abrutissement de l'ouvrier, sans toit, sans famille, sans ciel et sans air, n'est pas encore parvenu. À l'époque où je suis venu au monde surtout, les vestiges et les traditions du régime féodal volontaire, vestiges encore mal effacés entre les châteaux et les chaumières, rappelaient à s'y tromper les mœurs et les habitudes de cette féodalité primitive et rurale qui existait du temps d'Homère dans Ithaque et sur le continent grec des bords de la mer Adriatique. Des chefs héréditaires de peuplade ou de village, appelés *rois* du temps d'Ulysse, s'appelaient *seigneurs* de nos jours. Ces pères de famille, plutôt que ces souverains, étaient peuple eux-mêmes, quoique premiers entre le peuple. Ils ne se distinguaient des autres habitants des vallées et des montagnes que par une maison plus vaste, des troupeaux plus gras, des champs plus fertiles, des serviteurs et des servantes plus nombreux. Ils portaient les armes et ils tenaient le manche de la charrue de la même main. Ils rendaient une certaine justice sommaire dans leurs cantons; ils exerçaient une hospitalité sans faste, mais libérale. Leurs châteaux, en général démantelés depuis les guerres de religion, depuis le nivellement royal du cardinal de Richelieu et depuis le nivellement populaire de la Convention nationale, ne conservaient pour signe de supériorité et de noblesse que quelques tourelles décapitées. Leur majesté était toute dans leurs ruines. Les paysans, émancipés de toute féodalité oppressive par les lois, ne leur payaient plus tribut ni redevances, mais ils leur payaient toujours spontanément l'amour d'habitude, la déférence de tradition, le respect héréditaire. Ces liens, d'autant plus forts qu'ils étaient tout à fait volontaires, unissaient la chaumière au château. On y menait la même vie, seulement un peu plus large dans le château, un peu plus mercenaire dans le village.

Ces gentilshommes militaires et laboureurs auraient été rois dans la langue de *la Bible* ou d'Homère; ils n'étaient plus en France que citoyens égaux en tout au peuple des campagnes, mais c'étaient des rois récemment découronnés. Ils régnaient encore, quand ils étaient dignes d'être aimés, par le souvenir, par la vieille affection du pays et par la déférence volontaire, sur les populations affranchies.

C'est dans cette classe homérique et biblique que j'étais né. Je ne m'en glorifie pas, puisque les berceaux sont tirés au sort pour ceux qui viennent au monde, mais je ne m'en humilie pas non plus, puisque le premier bonheur de la vie est de naître à une bonne place au soleil et à une bonne place dans le cœur de ses contemporains.

«Heureux ceux, dit Homère, qui sont nés de race libre.»

La race libre, avant le temps meilleur ou tous furent libres, c'était nous.

III

Cette condition sociale dans laquelle j'avais eu le hasard de naître, le pays pastoral et agricole que nous habitions, la maison, les vergers, les champs, les aspects, les relations fières, mais douces, des paysans avec le château et du château avec les chaumières; les nombreux serviteurs, jeunes ou vieux, attachés héréditairement à la famille par honneur et par affection plus que par leurs pauvres salaires; mon père, ma mère, mes sœurs, les occupations pastorales, rurales, domestiques, des champs ou du ménage, toutes ces habitudes, au milieu desquelles je grandissais, étaient tellement semblables aux mœurs des hommes de l'*Odyssée* que notre existence tout entière n'était véritablement qu'un vers ou un chant d'Homère. On va en juger par cette esquisse du paysage, du château, de la ferme et des habitants.

IV

La révolution française, à peine finie, avait supprimé les substitutions et les droits d'aînesse, qui perpétuaient quelquefois utilement pour les familles, quelquefois iniquement pour les enfants, la transmission des terres de père en fils. Mon grand-père, chargé de jours, était très-riche en territoires dans la Bourgogne et dans les montagnes de la Franche-Comté. Il venait de sortir des prisons de la Terreur. Il se reposait dans cette douce halte de la vie qu'on appelle une belle vieillesse, avant de mourir. Après sa mort, son vaste héritage s'était partagé entre ses six enfants, trois fils et trois filles. De cette nombreuse maison, mon père seul, quoique le dernier né, s'était marié. Chacun de ses fils ou de ses filles avait eu pour sa part une terre avec un château dans l'une des deux provinces où nos biens paternels ou maternels étaient situés. On présume aisément qu'à l'exception de la terre principale, voisine de la ville et habitée plus ordinairement par mon grand-père, la plupart de ces terres, livrées à des fermiers ou à des intendants, étaient négligées, et que les demeures, quoique anciennement féodales, portaient les traces d'abandon et de délabrement qui précèdent la ruine des édifices humains.

Le second de mes oncles par ordre de naissance avait eu pour son lot un domaine riche en forêts et en pâturages, à quelque distance de Dijon. Cette terre est située au milieu d'un groupe ou d'un nœud confus de montagnes noires dont j'aperçois et dont je reconnais encore les gorges sombres avec l'émotion des jeunes souvenirs, quand je passe en chemin de fer à la station alors inconnue de *Mâlins*. La fumée des chaumières du village d'Ursy, qui s'élève en léger brouillard bleuâtre au-dessus de cette mer de verdure, est inaperçue des voyageurs; mais elle me fait monter à moi les larmes aux yeux. Je pourrais dire de quel foyer de bûcheron ou de laboureur cette fumée s'élève, et quelle mère de famille, autrefois servante ou bergère au château, jette le fagot dans l'âtre pour chauffer, au retour des bois humides, les mains de son mari et de ses petits enfants.

Ce groupe de noires montagnes est percé à peine de quelques vallées étroites et tortueuses. Les chênes, des deux côtés du ravin, entre-croisent leurs branches et répandent leur nuit en plein jour sur ces solitudes. Chacune de ces gorges sert de lit à un sentier creusé de profondes ornières. C'est par ces chemins creux que les bois de la contrée, sa seule richesse, descendent, après les coupes, sur la rive gauche de la rivière d'Ouche, qui roule plutôt qu'elle ne coule des hauts plateaux de la Bourgogne vers la ville de Bossuet.

Le château, caché aux regards par deux mamelons et par des rideaux de grands frênes, n'est aperçu que par les corneilles et par les geais des collines élevées qui l'entourent; les petits bergers paissent leurs moutons dans les clairières nues des sommets.

C'était autrefois un château à tours, à fossés, à ponts-levis; on en voit encore les vestiges mal recouverts par les constructions modernes. Il ressemble aujourd'hui à une immense abbaye d'Italie ou d'Allemagne. Il est percé de quinze fenêtres à balcons de pierres moulées sur sa façade; il est orné d'architecture à peine ébréchée par le temps; il est décoré, au-dessus de la corniche, par une balustrade élégante plus digne d'une villa de Rome que d'un manoir de la Bourgogne.

Les avenues de cerisiers, les buis séculaires, ces ifs du Nord, ce velours des murs d'enceinte, les larges parterres, les immenses jardins, les pièces d'eau dormante dans leurs bassins de roseaux et de marbre, les fontaines bouillonnantes par la gueule des dauphins moussus sous le hêtre colossal, les longs méandres de charmilles taillées en murailles arrondies en berceaux, les gradins de gazon fuyant en perspective pour conduire le regard jusqu'au cœur des bois, enfin les forêts épaisses et silencieuses qui entourent la demeure, tout donnait au château de mon oncle un caractère de mélancolique grandeur et de sauvage majesté. Il rappelle le cloître des *Camaldules* de Naples ou de *Vallombreuse* de Florence, plus que l'habitation d'une famille de simples gentilshommes de campagne.

C'est peut-être ce caractère claustral qui avait, à son insu, porté mon oncle à préférer ce séjour à toute autre habitation moins sévère dans le partage des biens de la maison.

Cet oncle était destiné à l'Église avant la Révolution; il était entré contre son gré dans cet ordre, avec la perspective toute mondaine d'un évêché ou d'une abbaye. Il en était sorti sans regret, expulsé par la Révolution. De son état il n'avait conservé que la décence.

Pour éviter le contraste entre son ancienne profession et sa vie nouvelle de simple agriculteur cultivant le domaine de ses pères, il s'était retiré à jamais hors du monde dans cette thébaïde opulente. De prêtre sans vocation il s'était fait patriarche, par dégoût du monde. Ses bois, ses champs, ses serviteurs, ses troupeaux, sa figure de sérénité et de paix, sa philosophie orientale et contemplative, tout rappelait en lui un Abraham sans épouse. Seulement sa tente était un château, ses palmiers étaient des chênes, et ses chameaux étaient les plus forts taureaux de la province; leurs couples mugissants, attelés dès l'aurore à la charrue, faisaient fumer les collines défrichées de leur haleine et de leurs sueurs, comme des chaudières vivantes de force animale évaporées au soleil d'été sur les sillons.

V

Cet oncle, à qui sa profession sacerdotale interdisait le bonheur d'avoir une famille, aimait tendrement mon père; il nous avait adoptés pour ses enfants. Nous quittions tous les ans notre maison moins pastorale du Mâconnais pour aller passer l'été et l'automne dans sa belle demeure; elle m'était destinée après lui. Notre père et notre mère nous y conduisaient tout petits pour y continuer notre éducation domestique et pour animer un peu cette solitude par ce doux tumulte dont six enfants en bas âge remplissent la maison d'un homme sans famille. C'est là que nous avons pris tous le goût passionné et l'habitude de la vie des champs, qui élargit l'âme, en opposition avec le séjour des villes, qui la rétrécit. L'espace grand devant les pas, le ciel libre sur la tête rendent l'âme vaste et l'esprit indépendant: les murs sont l'esclavage, les champs sont la liberté.

VI

Les mœurs, les travaux, les loisirs, les habitudes à la fois dignes et rurales que nous avions là sous les yeux, étaient bien propres à nous façonner l'âme et les sens à la vie antique et patriarcale des hommes homériques de l'*Odyssée.* Le château était une tribu dont le chef grec ou le scheik arabe était notre oncle; les maîtres et les serviteurs y vivaient presque dans l'égalité et dans la familiarité de la tente antique; la différence n'était que dans la diversité des soins et des travaux. L'autorité, établie d'elle-même par l'habitude et par le respect, avait à peine besoin du commandement pour être obéie. Chacun des nombreux serviteurs du château allait de soi-même à ses fonctions, comme les troupeaux à qui l'on ouvre l'étable vont d'eux-mêmes, ceux-ci au joug, ceux-ci aux chars, ceux-ci aux pâturages. Presque tous étaient nés ou avaient grandi dans la maison. Une hiérarchie naturelle et ascendante faisait, année par année, passer le berger d'agneaux au rang de berger de génisses, de berger de génisses au rang de toucheur de bœufs, du rang de toucheur de bœufs à celui de valet de charrue, du rang de valet de charrue à celui de conducteur de chevaux, chargé d'aller toutes les semaines conduire aux marchés les chars de grains et d'en rapporter le prix au maître. Il en était de même pour les ouvriers bûcherons, tous habitants du village voisin: les hommes mûrs abattaient les chênes avec la hache, les enfants ébranchaient l'arbre abattu, les femmes et les filles liaient les fagots et les entassaient par douzaines sur les clairières. Il en était de même aussi pour les moissons et pour les foins; chacun avait sa fonction proportionnée à son sexe, à sa force, à son aptitude, à ses années: les uns maniaient la faux à l'heure de la rosée; les autres, la faucille à l'heure où la paille sèche brûle la plante des pieds; ceux-ci nouaient la gerbe, ceux-là la chargeaient sur les chariots; les jeunes filles éparpillaient sur la pelouse tondue le sainfoin coupé et suspendu aux dents de bois de leur râteau; les enfants, les glaneuses cueillaient çà et là les épis et les herbes oubliés, pour en rapporter de maigres fascines sous leurs bras; d'autres se suspendaient à droite et à gauche aux ridelles du char pour le tenir en équilibre dans le chemin raboteux et pour empêcher le monceau d'épis de crouler en route avant d'arriver aux granges.

VII

Quand le soir tombait, toute cette tribu rentrait en chantant dans les cours; on allait se laver les mains et le visage aux fontaines; on rentrait dans la cuisine pour prendre en commun le repas du soir.

La cuisine n'était pas moins homérique que l'étable, que le labour, que la fenaison, que la moisson ou que le battage des gerbes sur l'aire. La table était gouvernée par le vieux Joseph, semblable à Patrocle dépeçant les viandes d'Achille. Il était assisté par cinq ou six servantes, *Briséis* ou *Euryclées* de ce ministre en chef des festins.

D'immenses chaudières suspendues aux chaînes d'airain des crémaillères fumaient en bouillonnant sur la flamme, sans cesse nourrie de bois vert, du foyer. On puisait dans ces chaudières avec de larges cuillers de cuivre, luisantes comme l'or, les portions de légumes ou de lard qu'on servait aux ouvriers de la ferme sur des plats d'étain qui couvraient la table.

Cette table sans nappe, de noyer poli, entourée de bancs, s'étendait d'un mur à l'autre sous la voûte immense et enfumée de la cuisine voûtée. La flamme du foyer et quelques lampes grecques à bec de grue l'éclairaient de lueurs fantastiques.

Les chefs d'attelage s'asseyaient au bout le plus honorable, parce qu'il était le plus rapproché du grand fauteuil de bois où le cuisinier Joseph, pareil à un roi, présidait au festin, assis lui-même sous le vaste manteau de pierre de la cheminée; puis les bouviers, puis les simples journaliers, puis les bergers, presque tous enfants en bas âge, à l'exception du berger en chef des moutons, vieillard respecté, pensif, jaseur et philosophe, qui s'asseyait en tête des bouviers par le droit de ses années et de sa profonde sagesse.

Quant aux femmes et aux filles, selon la coutume des siècles d'Homère et de notre pays, elles n'avaient point de place à table à côté des hommes; elles mangeaient debout derrière les bergers, les unes adossées aux piliers de la voûte, les autres groupées et accroupies sur le seuil des fenêtres, et quand elles voulaient boire elles allaient une à une puiser l'eau fraîche dans un seau suspendu derrière la porte. Une poche de cuivre étamé, au long manche de fer, leur servait de coupe ou de verre; elles y trempaient leurs lèvres comme des agneaux dans le courant limpide du lavoir.

Ce repas s'accomplissait en silence, interrompu seulement de temps en temps par quelques remarques profondes, fines ou malicieuses, du vieux berger, aussi sage que Nestor, ou par quelques rires contenus des jeunes filles rougissantes, qui se retournaient contre le mur pour cacher leur visage ou qui s'enfuyaient en folâtrant dans les cours pour rire en liberté.

Le repas terminé, notre mère, qui ne négligeait aucune occasion d'élever à Dieu l'âme de ceux dont elle était chargée, paraissait, suivie de ses filles et un livre à la main, à la porte de la cuisine.

Aussitôt le bruit des services, les conversations, les rires se taisaient; sa physionomie noble, gracieuse et grave, même dans le sourire, apaisait tout ce bruit du jour comme l'huile répandue apaise le léger tumulte des petits flots bouillonnants dans la vasque d'une fontaine. Les hommes se levaient, les fronts se découvraient, les enfants et les jeunes filles se rapprochaient. Elle faisait une courte lecture de piété appropriée à l'intelligence et à la condition de cette famille: c'était le plus souvent un petit épisode tout rural et tout pastoral de *la Bible*, suivi d'un petit commentaire qui faisait sentir à ces pauvres gens la similitude de leur vie à la vie des patriarches aimés de Dieu, puis une courte prière pour bénir le jour et le lendemain. Ainsi rien ne manquait à cette existence de la famille agricole, pas même l'élévation de la pensée au-dessus de cette terre, pas même ce *sursum corda* qui manque à toute chose quand on ne la relie pas avec l'infini, l'horizon de l'âme.

VIII

La tonte des brebis, le lavage des agneaux dans le bassin d'eau courante; la dernière gerbe qui arrivait dans l'aire sur le dernier char de la moisson, festonné de bleuets, de pavots, de guirlandes de chêne; la dernière gerbe battue, dont on apportait le grain dans une écuelle au maître du château pour la répandre sous ses pas et pour qu'il remplît à son tour l'écuelle vide de petites monnaies pour les batteurs; la visite des étables, où les bœufs, les vaches, les taureaux, liés aux mangeoires par de grosses cordes, étalaient leurs flancs luisants et leurs litières dorées, témoignages des soins et de la propreté des bouviers; les écuries des chevaux de trait, tapissées de harnais aux boucles de cuivre aussi éclatantes que l'or, le bruit de leurs mâchoires qui moulaient l'orge, la fève ou l'avoine entre leurs dents, délicieuse musique des râteliers bien garnis aux heures où le laboureur détèle trois fois par jour ses attelages; les mugissements lointains des bœufs de labour répercutés d'une colline à l'autre, le matin avant que le soleil se lève; les cris intermittents de l'enfant qui les chatouille de la pointe de l'aiguillon; les claquements du fouet du charretier qui revient à vide de la ville où il a déchargé ses sacs de blé; le roucoulement perpétuel des pigeons sur le toit du colombier ou sur la paille des basses-cours, ou ils disputent l'épi mal vidé aux poules ou aux passereaux; les fêtes champêtres au château, fêtes qui marquaient pour les serviteurs et pour les mercenaires des hameaux voisins la fin de chaque travail essentiel de l'année; les danses dans la grande salle délabrée quand la pluie ou le froid s'opposait aux danses sur les pelouses des parterres; les préférences naissantes, les inclinations devinées, avouées, combattues, ajournées, triomphantes enfin entre les jeunes serviteurs de la ferme et les jeunes servantes de la maison; les aveux, les fiançailles, les noces, les joies des épousées devenant la joie et l'entretien de toute la tribu; enfin ces repos et ces silences complets des dimanches d'été succédant aux bruits de la semaine, silences délassants pendant lesquels on n'entendait plus autour du château et jusqu'au fond des bois que le bourdonnement des abeilles sur le sainfoin autour des ruches et le ruminement assoupissant des bœufs couchés sur les grasses litières dans les étables; toutes ces scènes de la vie privée, quoique vulgaire, rurale, domestique, n'étaient-elles pas aussi riches de véritable poésie épique ou descriptive que les scènes de la vie publique dans l'*Iliade*, que les tentes des héros, les conseils des chefs, les champs de bataille d'Ilion?

C'est ce qu'Homère, le poëte complet, le poëte suprême, le poëte du cœur autant que le poëte des yeux, avait merveilleusement senti bien avant nous. C'est pourquoi il avait fait d'abord l'épopée héroïque dans l'*Iliade*, puis l'épopée intime, privée, domestique, dans l'*Odyssée*, et c'est pourquoi (car plus l'homme se rapproche du cœur, plus il est pathétique et intéressant), c'est pourquoi cette seconde épopée d'Homère, l'*Odyssée*, est mille fois plus pénétrante au cœur que l'*Iliade*; c'est pourquoi on lit une fois l'*Iliade* et on relit sans cesse l'*Odyssée*. L'*Iliade*, c'est une scène de la vie des guerriers ou des princes; l'*Odyssée*, c'est notre vie de tous les jours à tous! L'*Iliade*, c'est le camp, l'*Odyssée*, c'est la maison! Ouvrez la maison, vous ouvrez le cœur de l'homme! Éclairez cette maison et ce cœur de l'homme des rayons de la poésie divine d'Homère, et vous y découvrirez des trésors mystérieux de mœurs, de pittoresque et de sentiment qui dépassent mille fois ceux de la vie héroïque. Pour qui sait voir et sentir, la nature a mis la poésie partout, comme le feu caché dans les éléments; il ne s'agit que de frapper le caillou pour que la flamme jaillisse; il ne s'agit que de toucher juste le cœur pour que la poésie en découle à grandes ondes comme le sentiment.

IX

Toute cette poésie de la vie domestique, tout ce beau poëme du foyer de famille, dont nous étions à notre insu témoins et acteurs dans notre Ithaque de Bourgogne, nous pénétrait jusqu'à la moelle de ses émotions. Ces émotions, qui n'étaient que les émotions de la nature et du cœur pour nous, auraient été les émotions de l'art pour un grand poëte primitif. C'étaient des pages de *la Bible*, c'étaient des pages d'Homère que ces journées. Nous l'ignorions, parce que nous étions trop enfants pour découvrir l'art suprême sous les simplicités de la vie paysanesque dont nous faisions partie; notre mère, aussi sensible et plus intelligente que nous, ne l'ignorait pas. Très-versée par les habitudes de sa piété dans *la Bible*, très-teinte des couleurs homériques dans son imagination par ses lectures de jeunesse sous des maîtres illustres, on voyait, à sa physionomie fine et sous-entendue devant les grandes scènes de la vie rurale, qu'elle en jouissait aussi naïvement que nous par le cœur, mais plus littérairement que nous par l'esprit.

À chacun de ces beaux ou gracieux tableaux des labours, des semailles, des foins, de la moisson, des glaneuses, des chars fleuris, des repas champêtres, des moutons rentrant ou sortant de la bergerie sous la garde des chiens, des taureaux présentant leur cou nerveux aux jougs entrelacés de feuillages pour écarter de leurs yeux les mouches; à ces épisodes des danses sur l'aire, des noces villageoises, et des cérémonies religieuses qui poétisent tout en rattachant tout au premier anneau qui porte le monde, une allusion inattendue à une de ses lectures, une citation d'un verset des Écritures, d'un vers traduit d'Homère ou de Virgile, d'un passage de Fénelon ou de Bernardin de Saint-Pierre, s'échappait comme involontairement de ses lèvres et gravait dans notre mémoire une empreinte juste et pittoresque du spectacle que nous avions sous les yeux.

On voyait que cette belle nature rustique, dont nous n'apercevions que la face extérieure, lui apparaissait double à elle, d'abord dans cette nature elle-même, et ensuite dans un miroir écrit de cette nature qui la reflétait à son âme.

Ce miroir, c'était un de ces livres dont elle faisait sa lecture ordinaire pendant que nous courions dans les prés ou dans les bois, car tous les livres au fond ne sont que des miroirs: celui qui ne sait pas lire ne voit qu'un monde; celui qui sait lire en voit deux.

X

Cette femme si jeune, si belle et si touchante alors au milieu de son ménage et de ses enfants, n'était pas cependant très-érudite; elle n'était pas douée d'une de ces imaginations transcendantes qui colorent de tant d'éclat, et souvent de tant d'éblouissements, la vie, les idées ou les passions des femmes artistes; elle n'avait de transcendant que la sensibilité; toute sa poésie était dans son cœur: c'est là en effet que doit être toute celle des femmes. L'art est une déchéance pour la femme: elle est bien plus que poëte, elle est la poésie. La sensibilité est une révélation, l'art est un métier; elles doivent le laisser aux hommes, ces ouvriers de la vie; leur art, à elles, est de sentir, et leur poésie est d'aimer.

Ce sont ces réflexions, que je n'ai faites que plus tard, qui m'ont appris comment cette femme, dont l'imagination n'était qu'ordinaire et dont l'instruction ne dépassait pas celle de son sexe, était cependant si supérieure par l'inspiration et par la grandeur d'âme. C'est que le génie a deux natures: flamme dans la tête de l'homme, chaleur dans le cœur de la femme. C'est cette flamme qui illumine le monde extérieur des idées; c'est cette chaleur qui couve et qui fait éclore le monde intérieur du sentiment.

Malheur aux femmes qui excellent dans les lettres ou dans les arts! Elles se sont trompées de génie. Si elles se ravalent à imaginer, soyez sûrs que c'est qu'il leur a manqué quelque chose à aimer: leur gloire publique n'est que l'éclat de leur malheur secret. Hélas! il ne faut pas les envier, il faut les plaindre d'être admirées. Demandez-leur si elles ne troqueraient pas tout le bruit de leur nom contre un soupir qui ne serait entendu que de leur cœur?

XI

Mais cette mère de famille d'une sensibilité si juste et si exquise jouissait plus qu'une autre, par cette justesse et par cette délicatesse de sensibilité, des œuvres de l'art antique. La nature et le cœur humain s'y révèlent, avant l'âge des déclamations et des affectations littéraires, dans toute la simplicité et dans toute la naïveté du premier âge, de cet âge d'innocence des livres, si l'on ose se servir de cette expression.

Le lyrisme la touchait peu: il tient de trop près à la démence. L'enthousiasme qui extravague entre ciel et terre sur des flots d'images, d'apostrophes, d'éjaculations, n'est au fond qu'une sublime démence du génie. Il éblouit beaucoup les yeux, il dit peu de chose au cœur, à moins qu'il ne soit prière et qu'il ne fonde en larmes comme la nuée éclatante fond en eau, comme David fondait en gémissements sur sa couche de cendres.

Mais la poésie épique la ravissait en extase, et non pas tant la poésie héroïque, comme l'*Iliade* et l'*Énéide*, dont les personnages et les aventures sont trop dissemblables à nos conditions et trop loin du cœur, mais la poésie épique de *la Bible* ou de l'*Odyssée*. Ces poëmes soulèvent la toile de l'entrée de la tente dans le désert, ils entr'ouvrent la porte de la maison dans la cité antique; ils y surprennent, dans la vie commune et dans le secret de toutes les familles, une poésie qui sort de terre comme la fontaine de Siloé, dans *la Bible*, sort de l'antre, sans fracas, sans tonnerre et sans éclair, semblable à un hôte qui vient à petit bruit.

Ce sont là les peintures qui, sans l'enlever aux réalités de sa vie de mère de famille et de maîtresse de ménage rustique, la ravissaient dans ce monde antique, profane ou sacré; elle y retrouvait les mêmes mœurs, les mêmes images et le même cœur humain que dans sa maison. C'est par ces tableaux naïfs, pathétiques, si propres à colorer de couleurs vraies et à toucher de sentiments justes l'imagination et le cœur des enfants, qu'elle voulut à cette époque nous lire elle-même l'*Odyssée* d'Homère. L'*Odyssée* est l'histoire de toutes les fidélités du cœur aux devoirs naturels: fidélité du père, dans Ulysse, à sa patrie et à sa famille; fidélité de l'épouse, dans Pénélope, à son mari; fidélité du fils, dans Télémaque, à son père; fidélité des serviteurs, dans Eumée, à son roi; fidélité de l'esclave, dans Euryclée, à sa maîtresse; fidélité du chien lui-même, dans Argus, à son maître; et tout cela dans un cadre immense de paysages, de scènes champêtres, de scènes maritimes, de mœurs diverses, mais toutes fraîches et primitives, qui rendent la bordure aussi intéressante que le sujet.

XII

Je vois d'ici le coin retiré et silencieux des jardins où, pendant les longues chaleurs d'un été sans nuages, à l'heure où les fléaux se taisent dans les granges, où les batteurs dorment la tête sous leur bras en plein soleil sur les gerbes répandues dans l'aire, toute la famille, oncle, enfants, se réunissaient après dîner (on dînait alors au milieu du jour) pour assister à cette lecture de l'*Odyssée* par la mère de famille.

C'était à l'extrémité d'une longue avenue de charmilles; elle commence au bout du parterre et elle conduit jusqu'à la profondeur sombre des bois. Il y avait là, et sans doute il existe encore (car les arbres ont de bien plus longues destinées que ceux qui empruntent tour à tour leur ombre), il y avait là, au bas d'une pente veloutée de fougères, un hêtre immense dont les feuilles, portées en tous sens par une charpente vivante de branches et de rameaux, couvraient d'une demi-nuit un arpent d'ombre transparente.

Entre les racines gonflées de siècles de ce hêtre, un puits naturel, dont on pouvait toucher l'eau avec la main, paraissait dormir sous un nuage de feuilles mortes, tombées du hêtre sur son orifice. Mais il ne dormait pas, car, par un canal souterrain creusé de main d'homme, il traversait une large étoile de sentiers convergents dessinée là entre les avenues de charmilles, et il allait ressortir un peu plus bas en nappe bouillonnante et éternelle par la bouche d'un dauphin de pierre grise toute barbue de mousse d'un vert cru. Il ruisselait ensuite dans un bassin, s'engouffrait de nouveau sous terre, et allait s'étendre et se reposer enfin dans un étang au pied du monticule de mousse.

Ce monticule, taillé en gradins très-larges, était ombragé d'une forêt régulière d'arbres minces et à haute tige, tels que des frênes, des saules, des peupliers. Les racines de ces arbres trempaient dans un sol toujours frais, arrosé par la poussière humide du dauphin. Ils s'élançaient à perte de vue vers le ciel, afin de voir le soleil et de respirer l'air par-dessus la cime du grand hêtre qui les engloutissait dans son ombre. À travers le rideau léger de leurs troncs à peine festonnés de feuilles basses, on voyait luire au soleil, en bas, l'eau dormante et argentée de l'étang.

Ce miroir, où se peignaient les arbres renversés et les nuages blancs passant sur le ciel, réfléchissait toute cette scène. Des bancs de pierre, une table massive de marbre, toujours semés de feuilles sèches, avaient été construits, il y a bien longtemps, sur un petit plateau à quelques pas du dauphin, pour y goûter pendant l'été la fraîcheur et le bouillonnement sonore de la source. C'est là que la famille et jusqu'aux chiens s'acheminaient tous les beaux jours après le dîner, pour laisser passer en lectures, en doux entretiens, en sommeils, les heures trop chaudes, dont le murmure des feuilles et de l'eau abrégeait la lenteur ou notait les rêves.

Un jour notre mère y parut un livre inconnu à la main.

À la forme du volume et à la couleur de la couverture en bois noir, nous pensions que c'était un vieux bréviaire de notre oncle ou un missel de sacristie, dans le temps qu'il y avait au château l'aumônier de notre grand-père. Nous savions que notre mère aimait à lire dans ces volumes d'autel pleins de prières et qui conservaient encore dans leurs pages l'odeur d'encens dont l'encensoir des enfants de chœur les avait jadis parfumés.

Nous fûmes donc agréablement surpris quand elle ouvrit tout à coup le mystérieux volume, et quand elle nous dit, avec un sourire de bonne promesse: «Je vais vous lire aujourd'hui, et bien des jours de suite, une longue et belle histoire, la plus longue et la plus belle que je connaisse après les histoires de *la Bible*. Elle vous apprendra bien des choses sur les hommes et sur les pays d'autrefois.»

Elle ouvrit alors le gros volume, dont les marges, rongées par les rats, laissaient bien des vides sur le bord des pages: c'était la traduction de l'*Odyssée* d'Homère par madame Dacier. Il n'y en a point de plus inexacte et de plus libre, et cependant il n'y en a point de plus fidèle. Pourquoi? Parce que la bonne et savante madame Dacier adorait Homère, son modèle, plus qu'aucun autre traducteur ne l'a jamais adoré; parce que l'amour est une révélation; parce qu'enfin, sans s'inquiéter jamais de sa propre gloire d'écrivain, cette femme, forte de l'érudition antique, ne s'appliquait qu'à faire sentir, non littéralement, mais par analogies et par périphrases quelquefois ridicules, mais toujours sincères, la pensée ou le sentiment de son poëte; miroir souvent terni, mais miroir vivant, qui défigure parfois l'image, mais qui rend ce qu'il y a de plus intraduisible dans l'image: la ressemblance et la vie!

Nous restâmes impatients et attentifs, assis sur l'herbe à portée de la voix. L'attention de notre père et de notre oncle, éveillée par cette lecture, augmenta la nôtre. Ils fermèrent les petits volumes qu'ils tenaient dans leurs mains, comme si tout devait céder à l'intérêt de ce gros livre, et ils prirent l'un et l'autre sur leur banc l'attitude d'hommes qui écoutent.

XIII

«Il faut d'abord, mes enfants, nous dit notre mère, que je vous apprenne ce que c'est qu'un poëme épique. Un poëme épique est une histoire dont le fond est vrai, mais dont les aventures et les détails sont plus ou moins imaginaires. Le poëte, c'est-à-dire celui qui raconte aux hommes cette histoire en l'embellissant, ne la raconte pas seulement, il la chante. Cela veut dire qu'il la récite ou qu'il l'écrit en phrases cadencées et musicales qu'on appelle vers. L'agrément qui résulte de ces sons réguliers et harmonieux pour l'oreille, ainsi que l'agrément qui résulte des images, des peintures, des compositions, pour les yeux de l'âme, enchantent l'auditeur ou le lecteur de son histoire, et la gravent ainsi, comme un air dont on se souvient ou comme un tableau qu'on se retrace, dans la mémoire des hommes.

«Homère était un de ces historiens qui chantent au lieu de raconter. Il vivait il y a trois mille ans. Il avait chanté une guerre entre les Grecs et les Troyens d'Ilion, appelée l'*Iliade*; après cette histoire, il voulut chanter une histoire moins héroïque et plus familière, dans laquelle, non pas les héros seulement, mais tout le monde, depuis le héros jusqu'au berger, depuis la princesse jusqu'à la servante, retrouvât l'image de sa propre vie. L'*Odyssée* est un poëme épique familier, le poëme de la vie humaine tout entière, sans acception de conditions ou de rangs dans la société. Si je le lisais à la servante de la basse-cour *Geneviève*, qui prend la poignée de grains dans son tablier et qui la jette en nuage poudreux aux poules; si je le lisais au vieux *Jacques*, le berger qui trait ses chèvres descendues de la montagne et qui cause avec ses chiens couchés au soleil à ses pieds, Geneviève et Jacques s'y reconnaîtraient; ils prendraient, en s'y reconnaissant, autant d'intérêt qu'un roi ou qu'une reine à cette histoire.

«Vous-mêmes, mes enfants, votre père, votre oncle, l'un sous le nom d'Ulysse, l'autre sous le nom d'Alcinoüs, moi-même, sous le nom de Pénélope, nous y sommes tous.—Lisons donc! nous écriâmes-nous en battant des mains.—Eh bien! je vais lire, dit-elle.

«Mais d'abord sachez ce que c'était qu'Ulysse, dont il est tant question dans cette histoire. Ulysse était un roi d'une petite île grecque appelée Ithaque, dans la mer Adriatique, en face de la grande Grèce. Il avait accompagné Agamemnon, autre petit roi d'un canton de la Grèce appelé Argos, à la guerre contre les Troyens. Après la destruction d'Ilion, Ulysse avait erré longtemps sur la mer sans pouvoir aborder dans Ithaque. Sa femme, Pénélope, et son fils, Télémaque, dont M. de Fénelon nous a raconté les aventures, gémissaient de son absence. La belle Pénélope, dont le rang, la beauté, les richesses excitaient l'ambition d'une foule d'autres chefs de la Grèce, était obsédée dans son palais par des prétendants à sa main. Ils dédaignaient son fils, Télémaque; ils dévoraient ses biens; ils exigeaient, la menace à la bouche, que Pénélope choisît entre eux un époux. Elle demandait du temps; elle leur avait promis de se prononcer enfin quand elle aurait fini de broder un voile, mais elle défaisait la nuit ce qu'elle avait fait le jour, afin de prolonger le délai. Ici commence le poëme. Le poëte, avec la rapidité du vol de la pensée, qui ne connaît point de distance, plane tantôt sur un lieu, tantôt sur un autre; maintenant avec Ulysse, tout à l'heure avec Pénélope; aujourd'hui à Troie ou à Argos, demain à Ithaque. Il voit comme un dieu tout ce qu'il veut regarder à la fois ou tour à tour.»

Alors elle nous lut d'une voix lente, grave et cadencée, le premier chant. Je ne vous le relirai pas ici, vous avez en main le livre.

Quand elle en fut à ces vers où Minerve supplie Jupiter de permettre à Ulysse d'aborder enfin dans sa patrie:

«Ulysse, dont l'unique désir est de revoir au moins s'élever de loin la fumée de la maison où il est né et où il voudrait mourir!»

—«Voyez, mes enfants, nous dit-elle, quelle profonde analyse des sens et du cœur de l'homme dans ce seul mot: *la fumée de la maison de ses pères!* Supposez que vous soyez égarés depuis des années et des années dans l'immensité de ces forêts qui nous entourent; supposez que du haut d'une montagne vous aperceviez enfin, le soir, une légère vapeur bleue s'élever dans le ciel au-dessus du toit du château: que ne vous dirait pas au cœur cette petite colonne bleuâtre sortant de la cheminée de votre père et de votre mère? que ne verriez-vous pas des yeux de l'âme à travers cette fumée? Vos berceaux, votre père, votre mère, vos oncles, vos tantes, vos nourrices, vos serviteurs, vos chiens, vos troupeaux, la table, le foyer où l'on prépare les aliments de la famille, les entretiens au coin de l'âtre, les embrassements au coucher et au réveil de vos lits! toute votre vie, enfin, dans une seule légère fumée, sortant du fagot de buis que la servante jette le soir sur les cendres chaudes!

«Eh bien! voilà comment Homère, qui apparemment sentait tout cela, parce qu'il avait été si souvent lui-même errant loin du foyer perdu de son enfance; voilà pourquoi, dis-je, il éveille toutes ces délices et tous ces regrets dans une seule image! Mais cette image est prise dans le cœur, et aucune autre image ne pourrait rendre aussi vivement ce qu'il veut faire sentir! Voilà le poëte! le poëte, bien supérieur à l'historien, car l'historien raconte, et le poëte peint!»

XIV

Elle reprit et s'arrêta bientôt après à ces vers où Homère raconte l'entrée de Télémaque dans le palais de sa mère Pénélope. Minerve vient d'y arriver sous la figure d'un étranger.

«Télemaque, conduisant son hôte, le débarrasse de sa lance, la pose d'abord contre une colonne, puis la place dans l'armoire luisante où sont rangées les lances d'Ulysse, son père. Il le conduit vers un siège qu'il recouvre d'un beau tapis de lin, orné de riches broderies; au-devant du siège était un tabouret pour reposer ses pieds... Alors une servante, portant à deux mains une aiguière d'or, verse l'eau qu'elle contient dans un bassin d'argent, pour que Télemaque et son hôte y lavent leurs mains. Elle dresse ensuite devant eux une table polie. La femme chargée des provisions dans le palais y dépose des pains et des mets nombreux; un autre serviteur apporte des plats lourds de diverses espèces de viandes. Il leur distribue des coupes d'or; un héraut s'empresse d'y verser le vin.»

—«Ne diriez-vous pas, mes enfants, reprit notre mère, que ces usages domestiques, qui existaient il y a plus de trois mille ans, sont d'hier? Ne vous semble-t-il pas que vous assistez à la réception que votre père ou votre oncle font à un de leurs voisins de distinction, quand ils le reçoivent au château, fatigué d'un voyage ou d'une chasse? Ne reconnaissez-vous pas la femme de charge qui tient les clefs de l'office? la jeune servante qui porte l'eau et la cuvette dans les chambres des étrangers? le domestique qui va déterrer le flacon de vin vieux, dans le sable du caveau, et qui le verse dans le verre avant qu'on s'asseye à table? puis les serviteurs qui apportent de la cuisine les plats de viande et de légumes dans la salle à manger? Tout cela est aussi vulgaire que ce que vous voyez tous les jours sans y prendre garde. Mais tout cela n'est-il pas rendu dans ces vers avec tant de vérité que cela frappe vos imaginations comme si vous assistiez pour la première fois à cette scène d'intérieur, et que la simplicité même des détails et des expressions en relève à vos yeux la naïve beauté? Cela ne vous apprend-il pas qu'il y a autant d'intérêt et de ce qu'on appelle poésie dans la domesticité d'une maison bien tenue que dans la solennité des actes de la vie héroïque, et que tout le génie de celui qui raconte une histoire ou un poëme comme celui-là est de faire sortir, par la fidélité de sa description, ce que Dieu a mis de grâce, de beauté, de dignité et de sentiment en toute chose humaine? En un mot, ne sentez-vous pas pour la première fois que tout est poésie dans la nature, et que nous-mêmes, qui ne nous en doutons pas, nous sommes peut-être, à notre insu, un tableau d'intérieur aussi intéressant et aussi pittoresque, si nous étions aussi bien peints par un Homère que Télémaque et son hôte Mentor? Cette source, ces beaux arbres, cet étang qui brille entre les joncs, ces hirondelles qui y boivent au vol, votre père, votre oncle qui se reposent dans des attitudes pensives sur ces bancs, vous-mêmes qui m'écoutez, les yeux ouverts, au pied de ces peupliers qui se balancent sur vos têtes blondes, moi enfin, mon livre antique à la main, qui vous raconte des choses antiques et toujours jeunes, tout cela ne serait-il pas au besoin une scène d'Homère, s'il y avait un Homère parmi nous? Mais poursuivons.»

Elle nous lut alors la conversation de table entre Télémaque et son hôte divin; comment les prétendants à la main de Pénélope abusent du veuvage de cette mère pour ruiner et déshonorer sa maison; comment Minerve, sous la figure de l'hôte, s'indigne de cette obsession et engage Télémaque à équiper un vaisseau pour aller à la recherche de son père; comment, s'il n'a pas le bonheur de le retrouver, il reviendra lui-même, plus grand et plus robuste, à Ithaque, où il immolera par sa force ou par sa ruse les indignes persécuteurs de Pénélope; comment Pénélope, entendant de sa chambre haute le chantre Phémius chanter devant ses prétendants le retour des Grecs du siège de Troie, descend les escaliers du palais, suivie de ses servantes, s'arrête, modeste et voilée, appuyée sur le montant de la porte et les yeux humides de larmes, en pensant à Ulysse qui n'est pas revenu avec les Grecs; comment elle supplie Phémius de changer le sujet trop triste de ses chants; comment Télémaque, déjà rusé comme son père, feint de gourmander respectueusement sa mère, pour qu'elle rentre dans sa chambre. «Laissez chanter ce qu'il veut à ce poëte: les chants les plus nouveaux sont toujours ceux que les hommes rassemblés préfèrent; retournez dans votre appartement; reprenez vos travaux habituels, la toile et le fuseau. Le droit de parler appartient à tous les hommes, et surtout à moi, car c'est à moi qu'appartient par ma naissance l'autorité dans cette maison!»

Pénélope, ravie en secret d'admiration, retourne dans sa chambre haute avec ses servantes; elle y pleure, en souvenir de son époux absent, jusqu'à ce que le sommeil pèse enfin sur ses paupières.

Nous nous récriâmes d'admiration, nous autres enfants, sur cette tendresse et sur cette douleur voilée de Pénélope, sur cette feinte habile et respectueuse du fils. «C'est ainsi que je ferais, dis-je à demi-voix.—C'est ainsi que j'aurais fait, dit ma mère; je me serais fiée à mon fils; je ne me serais pas offensée d'un manque de respect dont j'aurais compris l'intention pieuse; je m'en serais rapportée à lui pour venger la femme et la maison de son père.» Les plus jeunes sœurs avaient les larmes aux yeux, en comprenant, à la voix de leur mère, ce qu'elles n'avaient pas bien compris d'abord. Mon père et son frère souriaient d'orgueil à ce tableau de famille.

XV

Le premier chant finit avec le jour. Notre mère appuya avec accent sur les détails intimes et domestiques du coucher du fils d'Ulysse.

«Il se retire enfin dans la vaste chambre qui lui avait été construite dans l'enceinte de la cour, à une place où il pouvait tout voir autour de lui. C'est là qu'il va chercher le repos, roulant dans sa tête une foule de pensées. À côté de lui Euryclée portait des flambeaux éclatants,—la sage Euryclée, fille d'Aps, elle que Laërte, le père d'Ulysse, avait achetée jadis de ses propres richesses, et, quoiqu'elle fût encore alors presque dans l'enfance, il donna vingt taureaux pour l'obtenir. Il l'honora dans sa maison à l'égal d'une chaste épouse et ne partagea jamais sa couche.—En ce moment elle porte les flambeaux éclatants devant Télémaque. De toutes les servantes de sa mère, c'est elle qu'il aimait le plus, parce qu'elle l'avait élevé pendant qu'il était encore enfant. Elle ouvre les portes de sa chambre solidement bâtie. Télémaque s'assied sur le bord du lit et quitte sa souple tunique; il la remet aux mains de cette femme soigneuse; Euryclée plie délicatement la tunique, la suspend à la cheville du lit et se hâte de sortir de la chambre. Elle retire à elle la porte par l'anneau d'argent, puis elle abaisse le pêne en tirant la courroie.

«C'est là que durant la nuit entière Télémaque, recouvert de la fine toison tissée des brebis, roule en lui-même le plan du voyage que lui conseille Minerve.»

—«Que pensez-vous d'Euryclée, mes enfants? nous demanda notre mère après avoir fermé le livre. Chacun de nous, chacun de vous n'a-t-il pas eu son Euryclée, cette seconde mère des enfants de la maison, par l'habitude de les avoir vus naître, par le lait ou les soins qu'elle leur a donnés tout petits, par le plaisir qu'elle a eu en les voyant grandir, par l'orgueil qu'elle a en les voyant grands et respectés dans la maison? Euryclée, n'est-ce pas exactement ma Jacqueline, sur les mains de qui vous m'avez vue pleurer quand elle revient tous les ans me visiter du fond de son village? Elle s'y repose dans la petite maison que votre père lui a achetée par tendresse pour moi. Euryclée, n'est-ce pas votre Philiberte, qui vous a portés tous à votre tour dans son tablier, qui vieillit avec nous, et qui me remplacerait auprès de vous et de votre père si je venais à mourir avant elle? N'est-ce pas elle qui porte la lampe dans vos chambres quand vous allez vous coucher et qui suspend à la cheville du lit les vêtements pliés avec économie.

«Est-ce qu'Homère a vécu avec nous pour connaître ainsi tous les secrets de la domesticité et de cœur qui caractérisent notre famille? Non, mais c'est qu'il a vécu par son cœur sensible et par son génie observateur dans toutes les familles; c'est que tous les lieux et tous les temps se ressemblent par ces intimités de la maison et par ces mystères d'intérieur qui sont les mêmes pour tous les hommes pétris de la même chair et du même sang par la même nature!»

Et nous ajournâmes, tout étonnés, au lendemain la lecture de ce livre délicieux, où il nous semblait nous lire nous-mêmes.

XVI

Le lendemain, à la même heure et au même lieu, notre mère rouvrit le vieux livre.

Notre attention devançait le mouvement de ses lèvres. Télémaque se réveille, inspiré par la sagesse et par la piété. Il convoque l'assemblée du peuple; il s'y rend: son chien, fidèle comme les nôtres, suit son jeune maître. Il parle avec une éloquence modeste des maux que les prétendants font souffrir à sa mère, à lui, à son pays. On lui répond, il réplique; tous les caractères différents des orateurs honnêtes ou pervers se dessinent dans cette assemblée. Antinoüs, un des prétendants, raille avec ironie le fils d'Ulysse sur sa jeunesse. Télémaque refuse de vider une coupe avec lui. Il se décide à partir.—Écoutez ces détails du départ secret et du chargement du navire; vous croirez assister au départ de votre père et de moi quand nous quittons notre maison des champs pour la ville.

«Cependant Télémaque descend dans le vaste et haut cellier de la maison de son père, où étaient déposés les habits dans des coffres, et l'huile odorante (la richesse d'Ithaque) dans de nombreuses jarres. Là étaient rangés contre la muraille des tonneaux de vin vieux et délectable, contenant une boisson pure et divine. C'était réservé pour Ulysse, si jamais il devait revoir sa demeure après tant de revers. À l'entrée de la cave s'élevaient deux grandes portes à deux battants, étroitement jointes l'une à l'autre. Une femme de charge de la maison veillait nuit et jour dans cet endroit et gardait ces trésors avec un esprit plein de prévoyance. C'était Euryclée. Télemaque l'appelle dans le cellier et lui parle en ces mots:

«Nourrice! puisez dans des urnes un vin délicieux, le meilleur après celui que vous réservez pour le divin Ulysse, si toutefois il doit jamais revoir ses foyers! Remplissez de ce doux breuvage douze vases que vous boucherez tous avec leurs couvercles. Disposez la farine dans les outres soigneusement cousues; mettez-y en tout vingt mesures de cette farine pulvérisée par la meule. Connaissez seule mon dessein, et distribuez avec soin toutes ces provisions. Ce soir je les prendrai au moment où ma mère montera dans ses chambres hautes pour retrouver sa couche. Il dit; aussitôt la nourrice Euryclée se prend à pleurer, et à travers ses larmes elle fait entendre ces paroles...»

«Euryclée lui dit (vous l'entendez!) tout ce qu'une servante attachée dès l'enfance à la maison dit au fils de ses maîtres pour le détourner d'un départ qui l'alarme. Télémaque la rassure et la console. «Jurez-moi, nourrice, de ne rien dire à ma mère bien-aimée avant le onzième ou douzième jour après mon départ; je craindrais trop qu'en pleurant elle perdît sa beauté!»

Euryclée jure et obéit. La nuit vient; Télémaque s'embarque en secret.— «Écoutez, mes enfants, comme tous les détails de la mer prennent dans la bouche de ce poëte universel la même précision et la même vie que les détails de la maison. Vous avez vu des barques sur la Saône; figurez-vous le navire sur l'Océan.

«On lâche les câbles; les rameurs montent tour à tour à leur place et se rangent sur les bancs. Aussitôt Minerve fait souffler de terre un vent favorable, l'impétueux Zéphire, qui rebondit sur la mer ténébreuse. Ils dressent le mât; ils le placent dans le creux qui lui sert de base; ils l'assujettissent avec des cordages; puis ils déplient les blanches voiles tendues par de fortes courroies. Le vent s'engouffre dans le creux de la voile; la lame bleue retentit autour de la coque du navire qui laboure la mer. Après avoir bien attaché par des câbles les agrès du navire, ils remplissent des coupes de vin et font des libations aux dieux.»

XVII

Minerve, sous les traits de Mentor, conduit d'abord le fils d'Ulysse chez Nestor, le plus sage et le plus vertueux des Grecs revenus de l'expédition de Thrace. Toute la poésie de l'hospitalité éclate dans ce récit en inexprimable simplicité de style.

«Voyez, nous dit notre mère, comment il faut recevoir et retenir par de bonnes paroles et par une douce violence les hôtes malheureux et timides que la Providence envoie à notre foyer? N'est-ce pas ainsi que votre père et votre oncle accueillent et retiennent ici les étrangers que l'adversité jette si souvent à leur porte?» Puis elle nous lut ces vers du troisième chant, prononcés par Nestor quand Mentor et Télémaque veulent se retirer le soir.

«Que les dieux immortels me préservent de vous laisser aller loin de nous coucher dans votre barque, comme si je n'étais qu'un indigent dénué de tout, qui n'a dans sa maison ni manteaux ni couvertures à son usage, et qui ne peut offrir un lit moelleux à ses hôtes! Je possède des manteaux et de belles couvertures. Non, non! tant que je vivrai, jamais le fils d'Ulysse ne couchera ici sur le pont d'un navire... Quand le festin du soir est achevé, Nestor fait dresser pour Télémaque un lit moelleux placé sous le vestibule. À son réveil, Télémaque est conduit au bain par la belle Polycaste, la plus jeune des filles de Nestor. Après qu'on l'a baigné et parfumé d'huile odorante, Polycaste le couvre d'une tunique et d'un riche manteau. Il s'avance et va s'asseoir près de Nestor... Dès que les viandes sont rôties, on les retire du foyer, et tous s'asseyent pour prendre le repas du matin. Alors des hommes robustes se lèvent et versent le vin dans des coupes d'or... puis on prépare tout pour le voyage par terre que Nestor conseille à son hôte.

«Mes enfants, dit le vieux roi, hâtez-vous d'amener pour Télémaque les chevaux à la belle crinière et de les atteler au char, afin que cet étranger accomplisse son voyage!... Aussitôt ils attellent au char les chevaux agiles. La femme qui veille aux provisions dans la maison dépose dans le char le pain et le vin, toutes les choses destinées à la nourriture des rois, fils des dieux. Télémaque monte sur le char brillant; le fils de Nestor se place à côté de lui, prend les rênes dans ses mains, et du fouet il frappe les coursiers. Durant tout le jour, chacun des deux coursiers agite tour à tour, en secouant la tête, le joug qui les rassemble et qui les lie au timon.»

—«À l'exception du joug qui unissait alors les encolures des deux chevaux pour les faire marcher d'un pas égal, joug qui n'est plus aujourd'hui que sur le cou des bœufs, ne croyez-vous pas voir, dit la lectrice aux enfants, votre père, quand le chef de l'écurie lui présente les rênes, qu'il fait monter à côté de lui, dans sa voiture, un de ses hôtes pour le conduire à la ville, et que de la mèche de son fouet sonore, il caresse alternativement le flanc des deux chevaux?»

Elle continua à lire le récit du voyage des deux jeunes gens jusqu'à leur arrivée à Lacédémone chez le roi Ménélas, le mari d'Hélène, rendue enfin à son époux. «Écoutez, dit-elle, l'arrivée du char chez le roi.»

«L'écuyer de Ménélas, Étéomnée, appelle les autres serviteurs et leur commande de le suivre. Ils s'empressent d'ôter le joug aux chevaux baignés de sueur et leur apportent de l'épeautre mêlé avec l'orge blanche. Ensuite ils dressent le char, le timon en haut, contre la muraille de la cour.»—N'est-ce pas ainsi que vous voyez ici le bouvier ranger le tombereau pour qu'il tienne moins de place dans les cours, dit-elle, et auriez-vous pensé qu'un détail si vulgaire de ménage rustique pût être chanté en vers magnifiques à la postérité? C'est cependant là ce que fait Homère, et ce sont précisément ces naïvetés descriptives, si fidèles et si minutieuses, qui portent l'intérêt dans ses chants et qui gravent l'ensemble du poëme dans la mémoire. Le génie sait voir les choses les plus communes sous un aspect qui ne frappe pas les hommes ordinaires, et c'est cet aspect qu'on appelle poésie.»

Elle poursuivit sa lecture sans s'interrompre jusqu'au passage où Ménélas raconte à ses hôtes ses propres voyages.

«J'ai longtemps erré sur mes navires, et je ne suis arrivé qu'à la fin de la huitième année. J'ai visité les Égyptiens, les Éthiopiens, les habitants de Sidon, la Libye, où les agneaux naissent avec des cornes; les brebis y ont trois portées par an. Jamais dans ce pays le possesseur d'un champ, ou même son berger, ne manquent ni de fromage, ni de la chair des troupeaux, ni d'un lait savoureux... Mais Ménélas fait dans la conversation mention du courage et de la sagesse d'Ulysse.

«À ces mots des larmes tombent des yeux de Télémaque en entendant parler de son père, et de ses deux mains, prenant son manteau de pourpre, il se couvre le visage. À ce geste Ménélas reconnaît le fils d'Ulysse.»

—«N'est-ce pas, nous dit notre mère, le geste de la pauvre orpheline du village à qui je demandais, l'autre jour, des nouvelles de sa mère dont j'ignorais la mort? Ne prit-elle pas les bords de son tablier et ne le releva-t-elle pas sur son visage pour cacher ses sanglots? Pourquoi les hommes et les femmes de tous les temps ont-ils ainsi la pudeur de la douleur? continua-t-elle.—C'est que la douleur défigure le visage, répondit une de mes sœurs, et que nous n'aimons pas nous laisser voir enlaidies par les larmes.—N'est-ce pas aussi, répondis-je à mon tour, parce que la douleur est une faiblesse et que l'homme doit se montrer fort, même contre le chagrin?—Ce seraient deux mauvais sentiments, reprit ma mère; la vanité doit s'oublier quand le cœur est brisé par une perte du cœur, et, la douleur étant dans les desseins de la Providence une loi de la nature, il n'y a point de lâcheté à pleurer ceux qu'on aime; mais il y a orgueil ou hypocrisie à se prétendre impassible et à lutter contre sa juste sensibilité. Le seul motif pour se tenir à l'écart ou voilé quand on pleure, c'est de ne pas contrister les autres du chagrin dont Dieu nous afflige.» Mon père, mon oncle applaudirent à cette explication du passage d'Homère. «Et puis vous oubliez, dirent-ils, que Télémaque, à ce moment, voulait cacher sa naissance et son nom; ses larmes l'auraient trahi.»

XVIII

«Hélène cependant le reconnaît, continue notre mère; elle fait part de ses soupçons à Ménélas, son mari.—«Chère épouse, reprend Ménélas, la même pensée m'occupait au même moment. Oui, ce sont bien là les pieds d'Ulysse!» (dans ce temps-là on ne portait pas de souliers, et les pieds avaient leur physionomie comme les mains); «ce sont ses mains, l'éclat de ses yeux, sa tête, et même la chevelure dont elle est couverte. D'ailleurs, quand dans mes discours j'ai rappelé le souvenir d'Ulysse, ce jeune prince a répandu des larmes amères, et de son manteau de pourpre il s'est caché le visage!»

La reconnaissance a lieu. «Né d'un père prudent, dit Ménélas au jeune homme, vous parlez avec prudence. On reconnaît aisément la postérité d'un homme à qui les dieux ont filé d'heureuses destinées à deux choses: au jour de leur naissance et au jour de leur mariage.»—«Remarquez, dit mon père, combien, dès ces temps reculés, être né d'une famille honnête passait pour une bonne fortune de la vie. Quand vous serez grands, songez à conserver cette bonne fortune à ceux qui naîtront après vous!»

C'est ainsi que chaque passage remarquable du poëme servait de texte à une observation ou à une leçon indirecte pour nous.

Nous avons passé la soirée à parler des exploits d'Ulysse. Télémaque, encouragé par la bonne réception de Ménélas et d'Hélène son épouse, la plus belle des femmes, ose enfin dire ce qui l'amène.

«Fils d'Atrée, dit-il, chef du peuple, je suis venu dans l'espoir d'apprendre auprès de vous quelques nouvelles de mon père. Mes biens sont dissipés, mes champs fertiles sont ravagés, ma maison est remplie d'ennemis qui dévorent mes nombreux troupeaux de bœufs et de brebis, et qui prétendent insolemment à la main de ma mère!

«—Ah! grands dieux! s'écrie Ménélas en soupirant avec force, ils osent aspirer, ces lâches insensés, à reposer dans la couche du héros! Lorsqu'une biche a déposé par hasard ses jeunes faons qui tettent encore dans la caverne d'un fort lion, elle parcourt la montagne et va paître les herbes des vallées. Alors l'animal terrible rentre dans son antre et les égorge tous sans pitié! Ainsi Ulysse immolera un jour ces jeunes insensés!»

Ménélas raconte alors ce qu'il sait des aventures d'Ulysse, naufragé sur les mers après le siège de Troie. Il offre des présents de coupes et de chevaux à Télémaque. «Je n'accepte que la coupe, reprend le jeune homme; dans Ithaque il n'y a point de plaines étendues ni de prairies, mais ce pâturage de chèvres m'est plus agréable qu'un pâturage de coursiers.»

—«Vous souriez, mes enfants, dit notre mère à ce passage, parce que vous pensez comme le fils d'Ulysse: la maison ruinée de votre père et les collines de chèvres de son domaine vous sont plus chères que les grasses plaines de Châlon et de Dijon et que les plus belles demeures de villes où vous n'êtes pas nés! Eh bien! la nature n'a pas changé en trois mille ans; l'amour du lieu natal et du toit de son père est toujours la passion et la vertu même du cœur des enfants!»

XIX

Ici le poëte revient par son récit à Ithaque.

Les prétendants, furieux du départ de Télémaque, complotent de l'immoler à son retour. Pénélope, désespérée, est instruite du complot. À cette nouvelle elle ne peut demeurer en place sur son siège; quoiqu'elle en ait beaucoup dans son appartement, elle s'asseoit sur le seuil de sa chambre, en répandant des larmes abondantes. Autour d'elle sanglotent toutes ses servantes, les plus jeunes comme les plus vieilles!

«Ne fut-ce pas exactement ainsi, mes enfants, dit notre mère en fermant à demi le livre, le jour où l'on rapporta au château votre père, blessé à la chasse, d'un coup de fusil, par un chasseur, pendant que le médecin sondait la blessure? Pouvais-je me tenir en place? Ne courais-je pas d'un siège à l'autre, et, bien qu'il y eût plusieurs fauteuils dans la chambre, ne me jetai-je pas sur le seuil de la porte, entourée des servantes, jeunes et vieilles, qui pleuraient comme moi, autour de moi? Ne dirait-on pas qu'Homère est entré dans la chambre de toutes les familles et dans le cœur de toutes les femmes? Tous les gestes qu'il leur prête sont aussi fidèlement rendus que leurs sentiments. Ne nous étonnons plus que les anciens aient appelé les poëtes des devins; ils devinent le passé comme l'avenir. Ils sont les lecteurs du poëme de Dieu!»

XX

«La fidèle Euryclée, sa servante favorite, console sa maîtresse. Pénélope se couche enfin et rêve à son fils.»—«Hélas! quel autre rêve visite les mères quand leurs fils sont absents ou exposés aux dangers de la vie?» dit ici la nôtre.

Nous lûmes ainsi jusqu'à la fin du sixième chant les aventures d'Ulysse. Peu d'observations interrompirent ces chants, moins faits pour des enfants que pour la populace crédule, jusqu'au passage où Nausicaa, la fille du roi Alcinoüs, sauve Ulysse dans l'île des Phéaciens. Mais ici notre mère, retrouvant toutes les naïvetés du ménage antique restées les usages du ménage moderne dans notre vie rurale, redoubla d'intérêt dans sa voix et redoubla notre attention par la sienne.

«Écoutez bien, nous dit-elle, la description d'un tableau de ménage dont vous êtes si souvent témoins, ici même, au bord de l'étang où on lave le linge, sans vous être douté qu'une lessive faite par nos servantes pouvait être un des plus ravissants tableaux de poëme qui ait jamais été écrit par les hommes. Alors elle lut ces vers immortels:

«Nausicaa, dit Minerve invisible à l'esprit de la fille d'Alcinoüs à son réveil, que votre mère vous a donc faite paresseuse! Vos plus belles robes restent négligées dans vos coffres; cependant le jour de votre mariage approche, et vous devez vous orner de vos plus belles parures, et même en offrir à votre époux. C'est par de tels soins que vous acquerrez une bonne renommée parmi les hommes; votre père et votre mère s'en glorifieront avec joie. Dès que brillera l'aurore, allons donc ensemble au lavoir, où je vous accompagnerai pour vous aider, afin que tout se fasse plus vite; car maintenant, songez-y, vous n'avez pas longtemps à rester vierge; les plus riches d'entre les Phéaciens vous recherchent en mariage, parce que vous êtes d'une illustre origine. Ainsi donc, dès demain matin, engagez votre noble père à faire préparer les mules et le char pour transporter vos ceintures, vos voiles, vos superbes mantes. Il vous est plus séant d'aller ainsi qu'à pied, car les lavoirs sont éloignés de la ville...»

«Nausicaa, frappée de ce songe, se lève... Elle trouve son père et sa mère retirés dans l'intérieur de leur appartement. La reine, sa mère, assise auprès du foyer, filait une laine couleur pourpre au milieu de ses servantes...

—«Mon père chéri, dit Nausicaa, ne me ferez-vous point la grâce d'ordonner qu'on me prépare un chariot magnifique aux roues arrondies, pour que j'aille laver dans le fleuve les beaux vêtements de la maison qui sont couverts de poussière? Il vous convient à vous-même, lorsque vous assistez au conseil avec les premiers citoyens, que vous soyez vêtu d'habits éclatants d'une grande propreté. D'ailleurs vous avez cinq fils dans vos demeures: deux sont mariés, mais les trois plus jeunes ne le sont pas encore, et ceux-là veulent toujours des vêtements nouvellement blanchis quand ils se rendent aux assemblées où l'on danse, et c'est sur moi que ces soins reposent... Par pudeur elle ne parla pas à son père du doux mariage; mais Alcinoüs, pénétrant toute la pensée de sa fille, lui répondit: Mon enfant, je ne vous refuserai ni mes mules ni autre chose. Allez! mes serviteurs vous prépareront un char éclatant, aux roues arrondies, et pourvu d'un coffre solide.

«Les serviteurs obéissent; les uns sortent de la remise le rapide chariot, les autres amènent les mules et les rangent sous le joug. La jeune fille apporte de sa chambre une riche parure et la place sur le char éclatant. Sa mère dépose dans une corbeille des mets savoureux de toute espèce et verse le vin dans une outre de peau de chèvre. La jeune fille monte sur le char, et la reine lui donne une essence liquide contenue dans une fiole d'or pour se parfumer après le bain, ainsi que les femmes qui l'accompagnent. Nausicaa saisit le fouet et les rênes blanches, et touche les mules pour les exciter à partir. On entend le bruit de leurs sabots sur le sol; sans se ralentir, elles courent, emportant le linge et la princesse accompagnée de ses servantes.

«Bientôt elles arrivent dans le limpide courant du fleuve. C'est là qu'étaient creusés de larges lavoirs où coulait avec abondance une eau pure propre à nettoyer les vêtements, même les plus souillés. Elles dételient les mules et les laissent en liberté, près du fleuve rapide, brouter les gras pâturages; puis de leurs mains elles tirent du chariot le linge et le plongent dans l'onde; elles le foulent à l'envi dans ces profonds bassins. Après l'avoir bien lavé et en avoir détaché toutes les souillures, elles l'étendent sur la plage dans un endroit sec et recouvert de cailloux nettoyés par le flot de la mer quand il écume. Après s'être baignées et parfumées de l'essence onctueuse, elles prennent leur repas sur les rives du fleuve pendant que le linge sèche aux rayons du soleil.»

—«Ne dirait-on pas, s'écria notre mère, qu'Homère avait suivi cent fois les laveuses à l'étang pour les voir fouler le linge, l'étendre sur les pierres, dîner sur l'herbe et danser le soir autour du chariot qui rapporte la lessive blanchie à la maison? Vous-mêmes trouvez-vous ici un seul détail de ménage ou de la maison qui manque au tableau, depuis la demande timide de la jeune fille, qui se fait une fête de cette journée passée avec ses compagnes au bord de l'eau courante, jusqu'au chariot où l'on entasse le linge, le pain, le vin, les provisions du repas, jusqu'au savon onctueux et parfumé pour s'oindre elles-mêmes après l'ouvrage, et jusqu'aux danses, le soir, à la lune, ici, sous les peupliers?»

Nous battions des mains de plaisir à ces ressemblances, et nous nous demandions comment on pouvait faire un livre divin avec le tableau fidèle d'une lessive à la campagne? «Il est divin parce qu'il est fidèle, disait notre père. Les livres ne sont que des miroirs de paroles au lieu d'être des miroirs de verre: si le miroir est limpide, il réfléchit avec un charme égal une chaumière ou un palais, une montagne ou un brin d'herbe, le cœur d'une reine ou le cœur d'une laveuse; car le charme est dans la vérité.—Et la vie aussi, dit notre oncle. Voyez comme tout est vivant dans ce tableau d'Homère, parce qu'il n'y a omis aucun des détails qui vivifient le tableau.—D'ailleurs il est bien choisi, ajouta notre mère, car je connais peu de scènes, à la campagne, plus animées, plus gaies et plus pittoresques que la conduite du linge de la famille par le char à mules ou à bœufs au lavoir, que les jeunes filles aux bras et aux jambes nues foulant le linge dans l'écume bleue du ruisseau azuré par le savon, et que les draps blancs étalés sur les arbustes du pré comme des tentes où le vent s'engouffre, en y faisant pleuvoir les fleurs d'églantier ou d'aubépine.»

XXI

La lecture de tous les chants se continua ainsi pendant quinze jours d'une saison sans nuages.

La description du palais d'Alcinoüs nous éblouit. «Il y a donc bien longtemps, demandions-nous à notre père, que les hommes ont des palais ornés de colonnes de marbre, de statues de bronze, de vases d'or ciselés? Les arts sont donc aussi vieux que le monde! Et les jardins! ajoutions-nous. Celui d'Alcinoüs ressemble exactement à celui où nous en lisons aujourd'hui la description.»

«Au delà de la cour, disait le livre, est un jardin de quatre arpents; de toutes parts il est fermé par une enceinte; là croissent les arbres élevés et verdoyants, les poiriers, les grenadiers, les pommiers aux fruits éclatants, les figuiers sacrés, les oliviers qui ne perdent jamais leurs feuilles. Les fruits de ces arbres ne cessent pas de se succéder pendant toute l'année; ils ne manquent à l'homme ni l'été, ni l'hiver; sans cesse le vent tiède, en soufflant, fait éclore les uns et mûrir les autres. La poire vieillit auprès de la poire, la pomme auprès de la pomme, la grappe auprès de la grappe, et la figue auprès de la figue.»—«Tenez, ajoutait mon oncle en nous montrant du doigt sa vigne nouvellement plantée: là fut aussi plantée une vigne.»

Nous nous attendrîmes à ces beaux vers où Homère, se représentant lui-même sous les traits du chanteur Démodocus, chante à Ulysse, qu'il ne connaît pas, ses propres exploits sous les murs d'Ilion.

«Tels étaient les chants de l'illustre Démodocus; en l'écoutant, Ulysse, relevant des deux mains son manteau de pourpre, en couvrit sa tête et dérobait son beau visage. Il avait honte devant les Phéaciens de laisser couler les larmes de ses yeux. Quand Démodocus suspendait ses accents, le héros séchait ses pleurs, découvrait sa tête et versait le vin à grands flots dans sa coupe; mais lorsque les convives excitaient Démodocus à chanter, parce qu'ils étaient charmés de ses récits, alors Ulysse de nouveau pleurait en se couvrant le visage.»

Nous arrivâmes ainsi de chant en chant jusqu'au dénoûment de tant de merveilleuses histoires commentées à des enfants par les lèvres intelligentes d'une mère. La lecture de ce poëme était-elle même un poëme.

Ulysse, revenu dans Ithaque, est transformé en vieillard et en mendiant par la Sagesse, pour tromper les yeux des prétendants.—«Peindriez-vous autrement aujourd'hui, mes enfants, le vieux bûcheron du village de Clemencey, qui vient tous les samedis appuyer son bâton derrière la porte de la cuisine et déposer sa besace à deux poches sur le banc, pour que le cuisinier Joseph la remplisse des croûtes du pain de la semaine, des os du jambon et de la bouteille du vin qui soutiennent sa pauvre vie et qu'il porte à sa femme plus infirme que lui?»

«Minerve, après avoir montré de loin à Ulysse sa chère Ithaque, le frappe de sa baguette, lui ordonne de se rendre auprès du fidèle berger qui prend soin des porcs et qui lui est resté secrètement dévoué, ainsi qu'à Pénélope et à son fils.—Tu le trouveras veillant sur les troupeaux; ils paissent sous le rocher du Corbeau, près de la fontaine Aréthuse, dont ils boivent l'eau sombre pour entretenir leur graisse succulente. Pendant ce temps j'irai à Lacédémone, féconde en belles femmes, avertir ton fils et l'amener à Ithaque.

«À ces mots elle le frappe de sa baguette; elle ride la peau unie et fine d'Ulysse sur ses membres; elle dégarnit sa tête de ses blonds cheveux et lui donne toute l'apparence d'un vieillard cassé par l'âge; elle répand un nuage sur ses yeux autrefois si transparents; elle le revêt d'un manteau en haillons, d'une tunique déchirée et noircie par la fumée; elle lui jette sur les épaules la peau râpée d'un cerf agile; elle met dans ses mains une besace toute rapiécée: cette besace est suspendue par une corde qui lui sert de bandoulière.»

—«Que vous semble de la fidélité de cette description d'un vieux mendiant? nous demanda notre mère; vous frappe-t-elle moins vivement et moins agréablement l'esprit que la description de l'armure éclatante d'un roi?—Oh! non, dîmes-nous tous en chœur, et même elle nous touche davantage.—Vous voyez donc bien, reprit-elle, que votre père avait raison de vous le dire: la beauté du récit n'était pas dans la condition des personnages, mais dans la vérité et dans l'émotion de la peinture: un haillon ici est aussi beau qu'un diadème. Maintenant la vérité et l'émotion vont redoubler dans la rencontre de ce faux mendiant et de ce gardeur de pourceaux. Je n'aurai pas besoin de solliciter votre attention; vous écouterez de vous-mêmes.

«Ulysse obéit. Il trouve Eumée, le gardeur de porcs, assis au soleil dans un endroit où furent bâtis les murs élevés de la cour large et ronde. Ce fut le pasteur qui la construisit lui-même pour les troupeaux pendant l'absence d'Ulysse, et qui, sans l'assistance ni de sa maîtresse Pénélope, ni du vieux Laërte, père d'Ulysse, lui fit une enceinte de grosses pierres et d'épines.»

—«C'est ce que vous voyez faire tous les jours au vieux Jacques quand il veut parquer ses moutons sur les flancs de la colline d'Arcey, et c'est ce que vous l'avez souvent aidé à faire vous-mêmes enroulant les grosses pierres et les fagots de bruyère. Reprenons la description des étables, et voyez encore si elles sont moins vives à vos yeux que celle du palais.

«Tout autour de l'enceinte extérieure se dressait une forte palissade de pièces serrées les unes contre les autres et taillées dans le cœur du chêne. Douze étables rapprochées entre elles avaient été bâties par lui dans l'intérieur de cette cour, où couchaient les porcs. Dans ces étables, cinquante truies fécondes reposaient sur le sol; les mâles, moins nombreux, couchaient dehors dans l'enceinte. Là veillaient aussi quatre dogues, semblables à des lions, auxquels le berger donnait leur nourriture. En ce moment le berger était occupé à ajuster à ses pieds une semelle qu'il avait taillée lui-même dans le cuir rougeâtre d'un bœuf.

«À l'instant les chiens à la voix retentissante aperçoivent Ulysse; ils s'élancent en aboyant avec fureur contre lui. Ulysse, employant l'adresse, s'assied à terre, et le bâton glisse de sa main. Là, dans sa propre demeure, il allait souffrir une indigne insulte des chiens; mais le gardien des porcs, s'élançant d'un pied rapide, franchit le vestibule, et le cuir de bœuf tombe de sa main. Il écarte, en leur lançant des pierres, les chiens, et dit au héros:

«Ô vieillard! combien il s'en est fallu peu que ces dogues ne vous aient déchiré en pièces et que je n'aie été couvert de honte par eux! N'ai-je pas assez de chagrin et d'amertume sans cela, moi qui gémis sans cesse et qui pleure mon malheureux maître, et qui engraisse avec soin ses troupeaux pour qu'ils soient mangés par des étrangers? Lui, pendant ce temps-là, privé de nourriture, erre misérablement dans quelques villes lointaines, au milieu de peuples inconnus, si toutefois il respire et jouit encore de la clarté du soleil. Mais suivez-moi, venez dans ma cabane, ô pauvre vieillard! afin de vous rassasier de pain et de vin à votre faim et à votre soif.

«En parlant ainsi, le pasteur au cœur noble conduit Ulysse dans la bergerie, et, l'y ayant introduit, il répand sur le sol des branchages épais; il étend sur les feuilles la peau velue d'un chèvre sauvage, et prépare une couche large et molle. Ulysse le remercie.—Non, dit le berger, il n'est pas bien de mépriser un étranger, arrivât-il plus misérable que vous! Les étrangers et les pauvres nous sont envoyés par les dieux.»

Notre mère s'interrompit ici pour nous faire remarquer combien l'hospitalité, cette sœur aînée de la charité, était antique, et combien la divine Providence avait mis de tout temps, dans la conscience des hommes, les vertus naturelles nécessaires à la société humaine. «Ne voyez-vous pas tous les jours cette scène de respect pour l'âge et pour la misère à la porte de la cour de votre oncle?» ajouta-t-elle. Nous reprîmes:

«À peine a-t-il ainsi parlé qu'il relève sa tunique autour de sa ceinture et court à l'étable, où les porcs étaient renfermés. Il en prend deux et les immole aussitôt. Il les passe à la flamme, les partage en morceaux, les enfile à des broches. Après que les viandes sont rôties, il les apporte devant Ulysse, encore toutes brûlantes autour des broches. Il y répand une blanche farine. Alors, dans une écuelle de racine de lierre, préparant du vin aussi doux que le miel, il s'assied en face du héros et lui dit: Mangez!»

—«Il paraît, dit mon père en souriant et en regardant ma mère, que la cuisine est aussi antique que la morale dans le monde; car n'est-ce pas précisément ainsi que le cuisinier Joseph prépare les rôtis et les grillades de porc frais?—Mais tout autre poëte qu'Homère, ajouta mon oncle, aurait reculé devant la description poétique de ces broches et de cette farine répandue sur les côtelettes, pour paner comme aujourd'hui les morceaux.—Vous en plaignez-vous, mes enfants? dit notre mère.—Non assurément, répondîmes-nous tous; la description est si vive que le vers d'Homère, dans ce passage, sent la fumée de la broche.»

On reprit; on lut l'énumération à la fois touchante et orgueilleuse des anciennes richesses en troupeaux de son maître, faites par le gardeur de pourceaux au mendiant attentif. Le berger désespère de revoir jamais son maître. «Il reviendra! s'écrie Ulysse prêt à se trahir.—Ne me trompez pas, dit Eumée, je hais à l'égal des portes de l'enfer l'homme qui pense d'une façon et qui parle de l'autre!»

—«Voyez comme le mensonge était odieux aux hommes d'autrefois,» dit notre mère.

XXII

La conversation devient plus pressante, plus glissante et plus pathétique. Ulysse raconte sur lui-même au berger une longue histoire imaginaire. Il lui demande, pour l'éprouver, de descendre le lendemain à la ville, pour aller mendier dans le palais de Pénélope. Eumée l'en détourne avec horreur; il lui annonce les mépris qu'il aura à supporter.

Pendant cet entretien, Télémaque, rapporté de Lacédémone sur un léger navire, débarque, lui-même inconnu, à Ithaque. Il monte comme son père à la bergerie d'Eumée. Les chiens, qui n'avaient pas connu Ulysse, parti avant leur naissance, le reconnaissent et le flattent.

Eumée tout en larmes baise la tête, les yeux, les mains de son jeune maître. «D'où nous vient cet étranger?» demande Télémaque à l'aspect du mendiant inconnu.

Ulysse reprend sa forme héroïque; la reconnaissance du père et du fils se fait au foyer du berger fidèle.

«Télémaque, tenant son père embrassé, gémissait de tendresse, en répandant des pleurs. Un immense besoin de larmes s'élève dans tous les deux; ils laissent enfin éclater des cris plus pressés que ceux des aigles et des éperviers auxquels des laboureurs ont enlevé leurs petits avant qu'ils puissent voler.»

—«Pourquoi me reprochez-vous quelquefois de pleurer de tendresse au retour de votre père ou de mes enfants, dit notre mère, quand vous voyez deux héros, le père et le fils, crier comme des aigles en s'embrassant et en gémissant ainsi que des femmes? Peut-on empêcher le cœur d'éclater quand il est trop plein? et qui peut le remplir plus délicieusement que l'amour d'un fils pour son père, d'un père pour ses enfants, de l'épouse pour son mari? Si vous m'accusez de faiblesse, accusez donc Homère et ses héros; ne sont-ils pas aussi femmes que moi?»

On ne répondit pas, parce qu'il y avait déjà des larmes naissantes dans tous les yeux, des sanglots qui resserraient la gorge au fond de toutes les poitrines.

XXIII

Les chants qui suivent sont consacrés au complot tramé entre Ulysse, son fils, les bergers, contre les prétendants, et aux complots des prétendants contre Télémaque, dont ils ont appris le retour. Ulysse, obstinément déguisé en mendiant, descend à la ville, guidé par le gardien des pourceaux.

«Il jette sur ses épaules une besace toute déchirée; une corde lui servait de ceinture. Eumée lui donne le bâton. Ils se mettent en route; les bergers et les chiens restent seuls pour la garde des bergeries. Ainsi le sage «Eumée conduit à la ville son roi, qui s'appuyait sur un bâton comme un pauvre vieux mendiant, ses membres couverts de livides haillons.

Tous ces déguisements, toutes ces vicissitudes, tous ces périls du père, du fils, de l'épouse, inspiraient de jour en jour plus d'intérêt à nos âmes neuves encore aux hasards de la destinée humaine.

Cet intérêt redoubla quand Ulysse, introduit dans la ville, y est insulté par le mendiant effronté Irus, vil adulateur des prétendants, dont il consomme les restes. L'attention centupla quand le faux mendiant extermine les usurpateurs de son palais, les oppresseurs de sa femme et de son fils. Nous fondîmes en larmes quand la chaste Pénélope, ne se fiant pas à ses yeux, exige, avant de reconnaître son époux et son roi, qu'il lui décrive le lit conjugal, renfermé dans les appartements secrets, et que lui seul peut connaître, s'il est véritablement Ulysse.

«Dans ce lit artistement sculpté, il existe un signe de reconnaissance ignoré de tous, excepté de moi. Dans l'enceinte de la cour croissait un olivier aux feuilles allongées; jeune et vigoureux, il s'élevait comme une large colonne. Je construisis autour de ce pilier la chambre nuptiale, et je la recouvris d'un toit; j'abattis ensuite les branches de l'olivier. Coupant alors le tronc à peu de distance de la racine, j'en polis la surface avec le rabot, je le ciselai avec soin, je l'alignai au cordeau, j'en formai la base du lit; je le perçai des deux côtés avec la tarière. C'est sur ce fondement que je façonnai le lit. Je l'incrustai d'or, d'argent et d'ivoire; je tendis d'un côté à l'autre des sangles de cuir recouvertes de pourpre!

«Pénélope, à ce signe, sent son cœur se fondre et ses genoux se dérober sous elle.» Les époux se reconnaissent; rien ne manque au groupe triomphant de la famille que l'aïeul Laërte; ce père d'Ulysse vit retiré dans une maison des champs, loin de la ville, depuis le départ et les malheurs d'Ulysse.

—«Sans la vieillesse, nous dit notre mère, la famille n'a point de sérénité ni de sainteté; un vieillard retiré du monde est la couronne de la famille déposée pour les jours de fête dans le trésor de la maison. Souvenez-vous, mes enfants, de votre grand'père! Avant de mourir, il vivait dans la solitude et dans la paix de sa demeure de Monceaux, où nous vous conduisions les jours de fête pour jouer entre ses genoux. Homère connaissait cette grâce des cheveux blancs qui correspond dans une famille complète à la grâce de l'enfance. Écoutez comme il mène Ulysse et Télémaque, le fils et le petit-fils, reporter leur victoire et leur bonheur à sa source, chez le vieillard Laërte, leur aïeul. Reconnaissez dans la description de son petit domaine champêtre les vergers de votre grand'père, vieux et féconds en fruits comme l'âge avancé.» Elle lut alors:

«C'est là qu'était la maison de Laërte; tout autour régnait une galerie où mangeaient, se reposaient et dormaient les domestiques attentifs à travailler sous ses ordres et à lui complaire. Auprès de lui vivait une femme âgée de Sicile, qui prenait grand soin du vieillard dans cette campagne éloignée de la ville... Ulysse, voulant éprouver si son père le reconnaîtra, se rend au verger; il y trouve Laërte occupé à creuser la terre autour d'un olivier pour y retenir l'eau du ciel. Laërte était revêtu d'une pauvre et mauvaise tunique toute rapiécée; ses jambes étaient entourées de lanières de cuir mal recousues, pour prévenir les piqûres des reptiles ou des insectes; ses mains portaient des gants à cause des broussailles épineuses, etc.»

—«N'est-ce pas ainsi que vous avez surpris cent fois votre père et votre oncle, en costume de jardinier, autour de leurs ceps ou de leurs ruches? Mais continuons.»

XXIV

«Ulysse à cet aspect s'arrête sous un poirier et répand des larmes; puis il aborde le vieillard.—Ô vieillard! lui dit-il, vous ne semblez pas inhabile dans l'art du jardinage et dans le soin de ce jardin, car il n'est ici aucune plante, ni le figuier, ni la vigne, ni l'olivier, ni le poirier, ni les planches de légumes, qui ne soit bien entretenue. Toutefois, ne vous fâchez pas contre moi, vous ne prenez pas un soin égal de vous-même; vous êtes à la fois abattu par la vieillesse, par une coupable négligence et par la sordidité de vos vêtements. Cependant vos traits et votre stature ne sont point d'un pauvre esclave; au contraire, vous avez l'apparence d'un roi; vous ressemblez à l'homme riche qui, lorsqu'il s'est baigné, qu'il a mangé, se repose paresseusement dans son jardin. Tel est le juste partage des vieillards...» La reconnaissance a lieu; Ulysse se nomme; Laërte cependant hésite encore et veut quelques preuves de plus de l'identité de son fils avec l'étranger.

«Eh bien! je vais vous désigner tous les arbres que dans ce riche verger vous m'avez donnés jadis lorsqu'étant encore enfant, et accompagnant vos pas ici, je vous demandai de m'en donner pour moi tout seul: treize poiriers, dix pommiers, quarante figuiers. Vous me promettiez encore de me donner cinquante rangées de vigne, dont chaque cep était chargé de grappes!...»

Le vieillard à ces mots sent son cœur et ses genoux défaillir; il jette ses deux bras autour de la tête d'Ulysse, son fils!...

Nous aurions écouté sans fin et sans lassitude pendant dix étés de suite un si délicieux poëme, si Homère, par la voix de notre jeune mère, avait continué à raconter ainsi; mais le poëme finit avec les beaux jours.

Depuis je l'ai relu cent fois à voix basse, en mettant au récit, dans ma pensée, les inflexions de voix de cette femme antique plus naïve que Nausicaa, plus laborieuse qu'Euryclée, plus reine, plus femme, plus mère que Pénélope! Ah! c'est ainsi que l'*Odyssée* doit être lue pour que tout son charme coule des lèvres dans l'intelligence et dans le cœur; c'est le poëme des mères de famille, des époux, des épouses, des aïeuls, des fils, des petits-enfants! c'est l'évangile de la vie rurale: l'esclave et le maître y sont égaux devant la poésie et devant la nature. Ce n'est pas seulement le plus beau poëme de paysage qui existe dans toutes les langues; c'est le cours le plus complet, le plus vivant et le plus familier de morale qui ait jamais été chanté aux hommes depuis l'origine du monde. Que celui qui nie la poésie lise l'*Odyssée*, et, s'il n'est pas converti au génie d'Homère, qu'il soit maudit de tous ceux qui ont une imagination et un cœur! Il peut être un géomètre et un janséniste, il n'est ni un philosophe ni un homme. Il n'a reçu de Dieu ni le sens de la nature, ni le sens de la famille, ni le sens de la vertu.

Non ragionam di loro ma guarda e passa!

Quant à moi, aucune langue ne rendra jamais mon admiration et ma piété pour Homère, et, s'il y avait sur la terre quelque ordre de créature intermédiaire entre la divinité et l'humanité, je dirais: Homère est de cette race divine. Il y a trop de grandeur et d'infini dans son œuvre pour qu'il soit un homme; il y a trop de nature, de sensibilité et de larmes pour qu'il soit un dieu! Il est *Homère*, c'est assez!

Je vais remonter maintenant à l'*Iliade*; il fallait d'abord vous allécher.

Lamartine.

Paris.—Typographie de Firmin Didot frères, fils et Cie, 56, rue Jacob.

Note 1: Charles le Sage.

Note 2: Nous dirons dans le prochain Entretien pourquoi nous commençons par l'*Odyssée* notre étude en trois Entretiens sur Homère, au lieu de la commencer par l'*Iliade*

Milton Keynes UK
Ingram Content Group UK Ltd.
UKHW010709240424
441619UK00004B/392